余英時文集——25

余英時時論集

余英時——著

余英時文集編輯序言

聯經出版公司編輯部

余英時先生是當代最重要的中國史學者，也是對於華人世界思想與文化影響深遠的知識人。

余先生一生著作無數，研究範圍縱橫三千年中國思想與文化史，對中國史學研究有極為開創性的貢獻，作品每每別開生面，引發廣泛的迴響與討論。除了學術論著外，他更撰寫大量文章，針對當代政治、社會與文化議題發表意見。

一九七六年九月，聯經出版了余先生的《歷史與思想》，這是余先生在台灣出版的第一本著作，也開啟了余先生與聯經此後深厚的關係。往後四十多年間，從《歷史與思想》到他的最後一本學術專書《論天人之際》，余先生在聯經一共出版了十二部作品。

余先生過世之後，聯經開始著手規劃「余英時文集」出版事宜，將余先生過去在台灣尚未集結出版的文章，編成十六種書目，再加上原本的十二部作品，總計共二十八種，總字數超過四百五十萬字。這個數字展現了余先生旺盛的創作力，從中也可看見余先生一生思想發展的軌跡，以及他開闊的視野、精深的學問，與多面向的關懷。

文集中的書目分為四大類。第一類是余先生的學術論著，除了過去在聯經出版的十二部作品外，此次新增兩冊《中國歷史研究的反思》古代史篇與近代史篇，收錄了余先生尚未集結出版之單篇論文，包括不同時期發表之中英文文章，以及應邀為辛亥革命、戊戌變法、五四運動等重要歷史議題撰寫的反思或訪談。《我的治學經驗》則是余先生畢生讀書、治學的經驗談。

其次，則是余先生的社會關懷，包括他多年來撰寫的時事評論（《時論集》），以及他擔任自由亞洲電台評論員期間，對於華人世界政治局勢所做的評析（《政論集》）。其中，他針對當代中國的政治及其領導人多有鍼砭，對於香港與台灣的情勢以及民主政治的未來，也提出其觀察與見解。

余先生除了是位知識淵博的學者，同時也是位溫暖而慷慨的友人和長者。文集中也反映余先生生活交遊的一面。如《書信選》與《詩存》呈現余先生與師長、友朋的魚雁往返、詩文唱和，從中既展現了他的人格本色，也可看出其思想脈絡。《序文集》是他應各方請託而完成的作品，《雜文集》則蒐羅不少余先生為同輩學人撰寫的追憶文章，也記錄他與文化和出版界的交往。

文集的另一重點，是收錄了余先生二十多歲，居住於香港期間的著作，包括六冊專書，以及發表於報章雜誌上的各類文章（《香港時代文集》）。這七冊文集的寫作年代集中於一九五〇年代前半，見證了一位自由主義者的青年時代，也是余先生一生澎湃思想的起點。

本次文集的編輯過程，獲得許多專家學者的協助，其中，中央研究院王汎森院士與中央警察大學李顯裕教授，分別提供手中蒐集的大量相關資料，為文集的成形奠定重要基礎。

最後，本次文集的出版，要特別感謝余夫人陳淑平女士的支持，她並慨然捐出余先生所有在聯經出版著作的版稅，委由聯經成立「余英時人文著作出版獎助基金」，用於獎助出版人文領域之學術論著，代表了余英時、陳淑平夫婦期勉下一代學人的美意，也期待能夠延續余先生對於人文學術研究的偉大貢獻。

編輯說明

一、本書收入作者於一九七五至二〇一四年於各報章雜誌所發表之文章，唯已收錄於其個人專書的文章不再收入本書。

二、文章原有按語及註釋，即依原本形式編排於文中；原文刊載時編者為求閱讀方便加入的小標予以刪除。原文末之按語及本書新增之編按，另以註釋註出。

三、書中所引之西方專有名詞、人名，盡可能採取作者原本之譯名，不特意改為現今常見之譯名或加以統一；是否附上譯名原文，亦以原有的篇章安排為主。

目次

輯三　一九九〇年代

輯一

一九七〇年代

中國現代的民族主義和知識分子

——敬悼蔣總統逝世

蔣總統四月五日逝世的消息震動了全世界，這顯然是不可避免的，因為像蔣總統這樣一位近代史上的大人物，他的一舉一動都關係著世局的推移，特別是在中國和亞洲。近兩年來，蔣總統雖因健康原因已不復處理日常政務，但他仍然是中華民國的精神上的領導人；更重要地，對於自由世界中堅決不向共產主義勢力屈服的人們而言，他則是一個最重要的象徵。

蔣總統的功業早已昭昭在世人耳目，用不著我來多說；而他畢生努力的方向及其在中國近代史上的全面意義，將來的歷史家亦必有公正的論斷，更非這篇短文所能暢言。我的專業是中國史的研究和教學，蔣總統逝世的消息自然不免要激起我一些「歷史的反省」。承《聯合報》的好意，要我寫一篇及時的紀念文字。我現在便把個人反省所得的一部分略加整理，寫在下面。這篇短論將環繞著兩個主題：一是關於中國人的民族主義和愛國精神，一是關於中國知識分子及其近代的遭遇。但由於時間匆促，思慮不周和立論欠妥之處在所難免，至希讀者原諒。

現代歷史學不承認任何形態的「歷史必然論」；因此所謂「歷史潮流不可抗拒」之說，在稍有史學訓練的人看來是沒有什麼真實意義的。但是這並不等於說，歷史完全是一團黑暗和混亂。在某些歷史階段中，我們顯然能看出有一些主導的力量在有形無形地支配著歷史發展的趨向。不過這些趨向最後歸於何處，則須視種種複雜的主觀與客觀因素之交互作用而定，無人能武斷地加以預言。從這一意義來說，民族主義正是中國近代史上一個最重要的主導力量。孫中山先生首揭民族主義為中國現代立國的第一最高原則，洵屬巨眼卓識。稍一回顧百餘年來的中國歷史發展，我們便可知凡是能掀動一時人心的政治、社會、文化的運動，分析到最後，殆無不由民族主義的力量或明或暗地在主持著。甚至共產主義之所以竟能得勢於中國，基本上也是由於它劫持了近代中國的強烈的民族情緒。

蔣總統在中國近代史上最卓著的貢獻，便在於他一生不屈不撓地堅持著孫中山先生的民族主義的建國原則。從民國十六年的北伐成功到民國三十四年的抗戰勝利，中國在蔣總統的領導下，終於從帝國主義不平等條約的束縛中解放了出來。民國三十二年一月十一日，中、美和中、英平等新條約簽字之後，蔣總統（當時是軍事委員會委員長）發表〈告全國同胞書〉說：

我國自清季開始與列強訂立不平等條約以來，到了去年正是百週年。我們中華民族經五十年的革命流血，五年半的抗戰犧牲，乃使不平等條約百週年的沉痛歷史，改變為不平等條約撤廢的光榮紀錄。

我們必須指出，這一份光榮紀錄是和蔣總統的堅苦卓絕的領導分不開的。同年二月他的《中國之命運》一書正式出版，書名取自孫中山先生「國家之命運在國民之自決」一語，更可見蔣總統的中心思想是建立在民族主義的基礎之上。從最近日本《產經新聞》上連載的「蔣總統秘錄」中，我們更進一步了解了蔣總統在抗戰末期和蘇聯帝國主義奮鬥的經過。一九四五年二月羅斯福在雅爾達會議中和史達林簽訂了一項密約，嚴重地損害了中國的主權。其中最重要的是所謂外蒙古的獨立和旅順港的「租借」，蔣總統堅決不肯讓中國再度陷入「不平等條約」的恥辱之中。他在這一段期間的「日記」裡曾留下了不少「悲憤」、「戒懼」的記載，可以使我們充分地體味到他的心理狀態。後來屢經折衝，史達林才同意外蒙古獨立問題由當地人民投票表決，而旅順港也決定了不使用「租借」的字樣。一九四五年八月十四日締結的《中蘇友好同盟條約》，其內容當然遠不能使我們滿意，但是今天回顧當時往復交涉的經過，蔣總統確已在最不利的國際形勢下盡了最大的努力，以《中蘇友好同盟條約》較之列寧在一九一八年與德國以及奧匈帝國所簽訂的Brest-Litovsk條約，則前者決談不上是喪權辱國的。

民族主義顯露在每一個個人的身上便成為愛國的精神，而愛國精神的具體表現之一則是面對強敵以至強友都能不失民族的尊嚴和氣節。在這方面蔣總統尤足以為近代中國人的楷模。

我們都知道，中國雖自古為東亞文化與政治的中心地區，但北邊常有強鄰壓境，故雖大有為之主有時也不免要見屈於外敵。漢高祖有平城之困，用陳平奇計得脫，其詳史書不載，蓋必有甚屈辱難言者。稍後冒頓致書呂后，極盡侮慢之能事，而呂后終敢怒不敢言，但卑辭以復之。唐代開我國中世史上之盛業，而李淵父子初起事時固嘗稱臣於突厥，漢、唐最稱盛世，而創業之君尚難保持民族尊嚴，至於宋高宗對女真之奉表稱臣，那就更不足怪了。

國民革命北伐成功之後，日本對中國的壓迫之重、野心之大都遠過於匈奴、突厥之於漢、唐。蔣總統當時領導國民政府與日本軍閥周旋，不亢不卑，絕無辱國屈節之事。蓋力不如人，敗戰失土，只是可悲，並不可恥。民國二十六年七七事變爆發，蔣總統決心抗日，在牯嶺談話會致詞，指出犧牲已到最後關頭，並宣稱「如果戰端一開，那就是地無分南北，年無分老幼，無論何人皆有守土抗戰之責任，皆應抱定犧牲一切之決心」。其實當時中國的兵力絕不足與日本抗衡，而蔣總統為了維護中華民族的尊嚴與氣節，毅然決定與日本全面作戰，更不顧及個人的成敗利鈍，這正是愛國精神的一種最高表現，從民國二十六年年底到二十七年的七、八月之間，德國、英國和美國的駐華大使曾先後表示要調解中日衝突，蔣總統都斷然加以拒絕，這更足以說明他的愛國熱忱是禁得起嚴重的考驗的。

美國一向和中華民國保持著友好的關係，但美國這個自由世界的強友常不免以自己的價值標準去衡量她的友邦，甚至進而用行動來強迫朋友接受她自己的標準。這種強人從己的作風縱使是出於善意，也不免要損害到友邦的民族尊嚴和情感。中華民國便是首先遭受到美國這種「友誼」的壓力的國家。數十年來因此而引起的中美之間的種種不愉快，我不想在此多說，我只想指出，蔣總統處在這一十分困難的境遇中始終能一方面繼續與美國維持友誼，而另一方面卻毫不喪失國家的尊嚴和個人的人格。在他認為是屬於原則性的問題，並且關係到中國的獨立自主的精神時，他絕不肯因為要爭取美國的支援而有所遷就。從史迪威事件到馬歇爾的調處，在在都顯示了他的堅定的立場。他之堅持立場自然給他的政府帶來了某些不利的後果，但作為中華民國的領袖，在這些緊要關頭上是不能考慮到任何後果的。還有一件大家都看得見的事實，蔣總統從來沒有到美國去訪問過。這件事看來很小，而意義則甚為重大。我們從這裡可以看出，他生前所提出的「莊敬自強」的口號在他個人的生命中是具有真實的內容的。

蔣總統是一個民族主義者，是一個愛國者，他的一生業績便是最好的見證，幾天以前，香港報紙上刊載了一條有趣的新聞：當蔣總統逝世的消息傳出之際，日本有一個學術文化團體正在中國大陸上作官式訪問，該團的秘書長（一位東京大學的教授）聞訊後立即公開發表感想。他說，蔣總統是一個愛國者，從北伐革命到抗日戰爭都足以說明這一事實。這位日本教授的發言引起了中共當局的不滿；中共發言人並向他提出了嚴重的抗議。然而蔣總統對中國爭取獨立自由所作的貢獻終究是無法抹殺的歷史事實；即使是政治見解與他不同的人，甚至日本人，也不能不向客觀的事實低頭。

今天海外中國人的民族情緒仍然非常激昂，而愛國的呼聲更是響徹雲霄，這自然是十分可喜的現象。但是我願意指出，中國人的民族觀從來是和文化觀密切結合著的。上古的夷夏之別，中古的胡漢之辨，所重皆在文化而不在單純的血統。顧亭林析論「亡國」與「亡天下」之不同，則更是在觀念上把文化的存亡和政權的興滅清楚地區別了開來。中國人愛自己的民族是因為它創造了自己的文化；中國人愛自己的文化是因為，我們只有生活在自己文化所孕育出來的價值系統和行為模式中才覺得自由自在。而我們愛自己的國家則是由於國家為民族文化的存在與延續提供了最基本的政治保證。當然，二十世紀的中國是處在現代化的過程之中，傳統文化也不能不相應地而有所改變；而且大家對現代化的觀點不同，因而對傳統文化的選擇和接受的程度都難以一致。但是這中間有一個自然的限度，即無論中國怎樣現代化，終不應達到完全顛倒傳統的價值系統和徹底拋棄中國民族的生活方式那樣的境地。因為一旦到了那樣極端的程度，則現代化的結果反將使中國人在文化上喪失其民族的立場。姑不論這樣的現代化在事實上是否可能，縱然我們以強制力推動而使其成為可能，恐亦終難為中國人所普遍接受，因而將導致長時期的動盪不安。原因很簡單，蓋所謂現代化在很大的程度上是與西方化或外國化分不開的，而中國的民族主義，如前所指出的，又復以文化為重。因此極端的現代化便無可避免地要與文化的民族主義發生正面的衝突。如果民族主義是中國近代史上的主導力量這一論斷為不誤，那麼，一切與民族主義相衝突的現代化運動，其最終的成就都是沒有保障的。近代中國出現過各式各樣的現代化的思想和政治運動，其能掀動人心於一時者大抵皆以民族主義為出發點，並基本上假借著民族主義的動力；其所以卒歸於消沉者，分析到最後，則頗與中國民族文化中的巨大抗拒潛力有關。當茲民族情緒和愛國意識高漲之際，我願意特別指出文化的民族主義之觀念，以供海內外中國知識分子的參考。

蔣總統的逝世引起的另一「歷史的反省」，則是關於中國知識分子及其近代的命運，因為蔣總統是一位始終尊重知識分子的近代領袖。

中國知識分子在歷史上一直扮演著非常重要的角色，傳統所謂「士」或「士大夫」這一階層是社會的重心之所寄。自戰國以下，由於政府用人的標準基本上是個人的德行與才能而不是家世血統（只有南北朝一段是例外，但理論上並無改變），士人在政治上更處於領導的地位。但是士這一階層是一個非常複雜的群體。在現代學人之間有一個普遍流行的說法，即認為在傳統中國，士、官僚、紳士、地主是四位一體的東西。這個說法成功地醜化了士的歷史形象，但同時也不免把問題過分地簡化了。按之歷史事實，士在傳統社會中雖有確定的身分，卻沒有一定不易的名位。所謂「學而優則仕」者畢竟只是少數；硬性地把士拴在官僚、紳士、地主的定樁上將使我們完全看不到士作為一個社會群的整體的意義。現代社會學家認為現代知識分子自然有一種關懷社會現狀的意識，而這種關懷主要表現為對社會的責任感，以及要求自已有向社會公開表示意見的權利。更重要地，現代知識分子的活動主要是限於文化的領域，而不在實際政治和經濟的範圍之內。換言之，知識分子是通過「影響力」去指導社會，而不是憑藉著「權力」去支配它。知識分子縱使以專家身分參加重要的政府或私人的機構，他們仍不過是更進一步地發揮「影響」，而非直接地行使「權力」。

根據這一社會學的觀點去分析中國傳統社會中的「士」，我們即可發現中國的「士」早已具有高度的「現代性」。自東漢太學生清議以來，中國的士便正是要尋求「影響力」的發揮，而非實際「權力」的行使。宋代范仲淹提出「士當以天下為己任」、「當先天下之憂而憂，後天下之樂而樂」，則更是用比較鮮明生動的語言把傳統社會中士的功能刻畫了出來。事實上這種士的精神早在孔子、孟子的時代便已顯露無遺。從漢末太學清議到明末東林論政，中國的士在發揮「影響力」的方面是有其光輝的歷史傳統的。俾士麥在他的《回憶錄》中嘗說：一個最理想的君主如果不想失去其理想性，以致變成社會的危害時，那麼他便得時時需要有一種「批評的刺」（critical sting）來幫助他、督促他。現代直言無隱的知識分子便是俾士麥所說的「批評的刺」；而中國傳統的士也正是發揮了同樣的作用。因此中國歷史上的英明之主也都有俾士麥的政治智慧，而以從諫如流為人君的美德。唐太宗之以諫為鑑更是比較突出的例子。

但是，傳統的士的「影響力」絕不限於向君主乃至社會作諍臣或諍友這一方面，因為這只是士的消極功能。在積極的方面，士則是中國文化大傳統的承擔者；所謂「以天下為己任」以及「繼往開來」那種承擔精神必須在這一意義上去求得認識，用舊的名詞說，這就是所謂「道統」，承擔「道統」者則是古代所謂「師儒」或後來流行的所謂「士大夫」。在理論上「道統」高於「治統」，並且領導和督促「治統」，然而並不直接干預「治統」的實際運作。「道統」的內容頗為複雜，但可以簡單地看作是道德和知識相凝結的一個混合的精神傳統，而尤以道德佔主導的成分。凡是自覺地承擔了這一精神傳統的士大夫便必然表現出「以道自重」的氣概。他們是「天子不得而臣、諸侯不得而友」的一類人物。古代所謂「坐而論道」便可認為是針對「道統」和「治統」之間的關係所作的一種理想化的制度設計，至於實際的情形如何，那當然是另外一回事。

從歷史上看，自三代以下官、師既分之後，「道統」與「治統」便不能復合，「影響力」與「權力」之間至少在概念上是有一道界限的。因此稍微像樣一點的皇帝都知道尊重師儒，因為所尊者並非師儒個人，而是他所代表的「道」或「理」。明代呂坤曾說：「天地間唯理與勢最尊，理又尊之尊也，廟堂之上言理，則天子不得以勢相奪，即相奪而理則常伸於天下萬世。」通察漢代以下的歷史，我們便可知「治統」之向「道統」低頭（至少表面上是如此）確有其長遠的文化意義，不啻徒以「利用」或「緣飾」說之。近代學人專喜歡用唐太宗「天下英雄入吾彀中」一句戲言來解釋士大夫的傳統性格，以為中國士人讀書便是為了考試、作官，成為統治者的幫閒或幫兇。這樣淺薄的識見自然無法把握到傳統士大夫的承擔精神的源頭。漢代以來士大夫所倡孔子為漢立法，甚至為萬世立法的理論，今日聽來頗似迂腐可笑，其實這種理論的背後仍有其重要的象徵意義，殊未可等閒視之。

不過我們也必須指出，中國的「道統」與「治統」之間缺乏制度化、結構化的劃界和聯繫。這是中國傳統文化中的一大癥結。因此雙方越俎代庖之事時所不免，而尤以「治統」直接侵犯甚至辱弄「道統」的情形為嚴重。清初呂留良認為春秋時皇帝該由孔子來作，戰國時由孟子來作，漢代由董仲舒來作。這是「道統」想直接插手「治統」的例子，可以劃為「作之師，作之君」一型。雍正撰《大義覺迷錄》與《揀魔辨異錄》，欲以人王而兼教主，則是「治統」要兼攝「道統」的例子，應該歸之於「作之君，作之師」一型。事實上，官師既不能重匯於一，「道統」與「治統」唯有分途發展，彼此互翼。這已成了「離則雙美，合則兩傷」的定局。

我無意在這篇短論裡詳細討論「道統」與「治統」之間的關係。我只想藉此指出，中國傳統士大夫的承擔精神和「以道自重」的氣概是有其特殊的歷史文化的背景，而且這一士大夫的傳統昭乎確乎為中國文化之一大特色，與其他文化系統中類似的傳統相比較則顯見為異多於同。但我必須補上一筆，我絕不是要粉飾中國士大夫的傳統，更不是說傳統的士人個個都具有承擔精神和「以道自重」的氣概。我清楚地知道，歷史上固然有范滂、陳蕃、文天祥、楊漣、左光斗，但同時卻有更多的公孫弘、阮大鋮之流。我特別重視傳統士大夫承擔「道統」的精神，是因為這一精神在中國現代化各階段中仍有其變相的積極表現。

在近代中國一系列的革命和改良運動中，知識分子一向都是處於領導的地位。即使號稱是「無產階級革命」的中國共產主義運動，若分析其興起及發展的經過，則仍見其是以知識分子為主導力量。將來如果有人將共產主義在中國的發展和它在俄國以及東歐各國的發展作一種細緻的歷史比較，我相信我們一定可以發現中國知識分子所發生的作用要大得多。一般地說，近代中國知識分子是頗為勇於參加革命的。這一現象的造因自不單純，然而，從歷史的觀點看，我們不能不承認它與傳統士大夫的承擔精神和任道氣概確有其血脈相通之處。至少近代歐洲知識分子便不是從同樣的傳統裡跑出來的。西方知識分子，對於他們的政府和社會而言自然更是一根根「批評的刺」。但是有人研究西方知識分子批評精神的遠源，卻發現它來自中古國王以及諸侯宮廷中的「弄臣」（fools或court jesters）。「弄臣」在宮廷嬉笑滑稽之餘，往往藉機諷諫，使他們的主子看見自己的過失。「弄臣」置身於一定的社會秩序之內，而同時在該秩序中卻沒有定位，因此可以直言無隱，無所畏懼。這種處境和近代西方一般的知識分子極為相似，但「弄臣」的另一特徵則是缺乏使命感和價值歸屬感，因此始終不肯以全副生命投注在任何政治、社會的大運動中。中國歷史上也有「弄臣」，如淳于髡、東方朔等人，在談笑嬉戲之中往往「談言微中」，稍後則有所謂「文學侍從之臣」也是同一類的人物。但這些人畢竟與我們所說的以道自任的士大夫截然兩途，西方當然也有它的「道統」，但它的「道統」寄身於宗教。正如耶穌說的，上帝只管上帝的事，不管凱撒的事。總之，中國近代知識分子是孕育於與西方知識分子完全不同的文化傳統之中。

但是在中國現代化的過程中，舊有的「道統」和「治統」都已瀕臨解體。知識分子憑藉著傳統的精神和氣概，推翻舊秩序則有餘，建立新秩序則無力。因此，中國近代史的發展是以知識分子慷慨激昂地倡導革命始，而竟以俯首帖耳聽命於絕對的「權力」終。今天大陸上的知識分子已完全無任何「影響力」可言。我們所看到的是一種自古未有的「作之君，作之師」的局面。何以會弄到這樣的局面？從主觀方面看，知識分子在認知層次上對現代化和民族文化之間的關係無真切的了解是原因之一，在心理層次上，由於知識分子「影響力」的表現從來沒有制度化、結構化的保障，他們因而看不見自己在政治、社會方面有任何實際的成就。這樣長期的心理挫敗導生了一種「原罪」意識。在這一意識支配之下，他們願意犧牲自己的一切來成全所謂「國家」和「人民」。

從客觀方面看，絕對的政治權力絕不容許社會上存在任何「批評的刺」或「影響力」。在近代中國政治領袖之中，只有孫中山先生和蔣總統是尊重知識分子的。換句話說，只有他們兩位才真能在政治現代化的過程中不忘中國禮敬士大夫的優良傳統。昔年在大陸上批評反對過蔣總統的知識分子，今天應該已深切地認識到蔣總統容忍反對言論的尺度是如何的寬闊。

但是中國官師合一的時代早在兩千年前便已過去了。如果我們今天還承認民主和自由是值得爭取的價值的話，我們就必須堅持社會上要有一個能充分領導並監督「權力」的「影響力」。秦始皇曾經企圖強迫「以吏為師」的制度，然而秦王朝並不能一世、二世，以至於萬萬世。今天縱使有人掌握著比秦始皇更巨大的權力，他究竟能不能永遠遏阻「影響力」在中國的再出現呢？不妨讓我們拭目以待。

（原載《聯合報》，一九七五年五月一日）

尊重學術文化的獨立領域

今天中國的問題沒有比學術文化的問題更迫切、更嚴重的了。我這樣說，決無任何危言聳聽的意味，我所持的理由是很簡單的。

自從一九四九以來，學術文化在中國大陸上的發展已遭到了全面的窒息。但是在一九六六年的所謂「文化大革命」爆發以前，大陸上的學術文化的生機尚未完全斷絕。當時老師宿儒尚能躲在社會的各種角落上靜悄悄地傳道授業或從事研究與著述；他們的學術成果也多少還有發表的機會。中國傳統的文化和民國以來，以近代西方學術思想為核心而發展出來的新文化，仍各有其巨大的潛力在。「文化大革命」的前夕正是上述兩股文化力量駸駸乎有回潮之勢的關頭。毛澤東親自發動一次摧毀中國大陸的政治、社會秩序的「大革命」，而冠之以「文化」之名，絕不是偶然的。我們絕不能專從「權力鬥爭」這樣狹隘的觀點去了解這一重大的歷史事變。在我看來，毛澤東的「文化大革命」，其背後至少代表了兩種歷史的勢力：一是「唯我獨是」、「一意孤行」的專制傳統，一是近代反文化、反知識的平等主義的傳統（即孫中山先生所說的「假平等」）。在近代宣傳和組織的高度技巧掩飾之下，這兩種勢力，特別是反文化、反知識的平等主義，確可以表現為理想主義的假象，因而煽起一部分群眾（尤其是知識青年）的狂熱。

從對象和時間的角度去看，一九六六至六九的「文化大革命」未嘗不像史達林在一九三六至三八年期間所發動的「大整肅」（the Great Purge）。通過一連串的鬥爭、清算、審判，史達林不但清除了黨和政府內所有異己的領導同志，並且也徹底的消滅了俄國舊知識階層（intelligentsia）的殘餘分子。這時蘇聯自革命以後所培植出來的新知識階層（即所謂「勞動知識階層」〔toiling intelligentsia〕）已可以順利地接班了。但是從文化觀點言，大陸上「文化大革命」的全面毀滅性則遠非蘇聯的「大整肅」所能比擬。「文化大革命」不但摧毀了中國舊的知識階層，而且還打爛了一九四九年以後大陸的教育系統，因而也極嚴重地傷害了新一代的知識分子。「文化大革命」對以往的歷史文化採取了徹底否定的態度（正式「批孔揚秦」，以法家為歸宿，已遲至一九七三年以後），上自學術研究，下至文藝戲劇，無一不是被「革命」的對象。一言以蔽之，整個文化的內容都被挖空了。蘇聯的情形則與此不同。列寧本人對俄國以往的文化成就極為尊崇，他鄙棄那些要求在一夜之間創造共產主義新文化的淺薄論調。因此之故，蘇聯的文學藝術在革命後尚能保持多彩多姿的舊態。三〇年代史達林的專制鐵腕雖也伸到了文藝的園地，但多少還留下了一點活動的空隙。至少古典的芭蕾舞並未曾遭到中國京劇的命運。蘇聯今天還有索忍尼辛這樣的人，這至少說明俄國在十九世紀所形成的那種以文藝抨擊政治的傳統還不曾被史達林毀滅乾淨。因此我們不能不沉痛地指出，在所有共產主義的國度裡，只有中國才真正面臨到文化全面墮退的絕大危機。在今天的中國大陸上，知識、藝術都必須服從政治的標準，固不待言。更可悲的是「文化大革命」以後的政治標準在整個共產集團中又復屬於最偏狹的一種。

我指出今天中國大陸上的一般文化狀態，是要提醒身在自由世界的中國人，讓大家深刻地認識到自己所負的文化責任是如何沉重。儘管海外各地區的中國人各有其不同的條件限制，但基本上我們還具有保存並發揚中國的學術文化的自由。而在自由世界中，台灣無疑是中國學術文化人才最集中、精神資源最豐富的地方，因而對學術文化所應負的責任也最大。反過來說，台灣的地方雖小，在物質發展方面自有其極限，但在學術文化方面卻有足夠的潛力朝著頭等大國的目標邁進。文藝復興的義大利和啟蒙運動的法蘭西，其光輝都來自在文化上所達到的新高度，而不是政治或經濟力量的強大。近代人頗迷信經濟決定文化之說。其實這兩者之間的關係並不是絕對成正比例的。過度繁榮所造成的往往不是文化，而是腐化。

但是怎樣才能使台灣在學術文化上成為世界性的重鎮卻不是一件簡單的事情。我只能就一般原則性的問題表示一點意見。

首先我要強調，學術文化是一個獨立的價值領域，它必須真正獲得社會和政府的尊重。我這樣說並不是在提倡什麼無限制的、絕對的學術自由；這樣的自由在任何社會都是不可能存在的。我所說的「獨立」並不是孤立，更不是否認學術文化與社會的其他部分之間的互相依存的關係。在實踐上學術文化的領域只能具有一種相對性的獨立性。正如政府不應擁有絕對的權力一樣，學術文化界也不應擁有超乎憲法以外的自由。我所說的「尊重」並不是指表面的客氣，而是指一般社會和政府人士必須從內心深處認識到學術、教育、文化工作者是整理、維護和開拓精神價值的人。他們的工作的意義和工、農、商之創造財富，以及軍、政之維持國家秩序是完全一樣的。中外歷史上都曾經有過這樣的階段，即學術文化是用來為王侯的宮廷點綴昇平，為豪富的門戶裝飾風雅的。這樣的歷史階段雖然已經過去了，但殘餘的點綴、裝飾的心理則未必完全消失無蹤。這是值得大家作深刻的反省的。

其次我想指出，今天世界各地幾乎都有一種趨向，即用狹隘的功利主義的眼光去衡量學術文化的價值。在這種眼光之下，以自然科學而言，實用的科學常受到高度的重視，而基本理論科學的研究則不免被忽略了。若以整個學術領域而言，人文及社會科學更是普遍地遭受了冷落，除了經濟學可算是一種例外。但是如果前文關於中國學術文化的危機的判斷大體不誤，那麼我們今天最需要提倡的便恰恰是人文和社會科學。今天沒有人會認為學術和實用必須分離。問題是在於學術千門萬戶，而為用各有不同。沒有一種真正的知識是沒有用的。一個不曾受過一般哲學和社會科學的洗禮的人很容易成為馬克斯主義的俘虜；一個沒有具備中國文史的基礎知識的人根本無從分辨儒、法爭論的是非。我舉這樣的例子乃是要顯示人文、社會科學可以有用，但是讀者千萬不要誤會，以為我主張研究人文、社會科學只是為了應付馬克斯主義或儒、法爭論。人要吸收足夠的養料是為了保持身體的健康；健康自然有抵抗疾病之用。但吸收養料卻絕不只是為了抵抗某種特殊的疾病。正確的知識便是我們的精神上的養料。

尊重學術文化在它自己領域內的獨立性是和排除功利主義的偏見分不開的。社會和政府如果專從自身的一時利害打算上去看待學術文化，則後者決無獨立和尊嚴之可言。我已說過學術文化界不應漫無限制地放任自恣，但這主要是知識分子本身如何自律自愛的問題。知識階層一般是處在權力和財富的範圍之外的，他們在學術文化方面的工作應當是沾溉整個社會，而不只是有利於某一個特殊的階級。通觀中外歷史，我們似乎沒有理由不相信所謂「學術良心」（intellectual conscience）的真實存在。然而知識分子畢竟是人，他們同樣具有人的一般弱點；如果社會或政治的干擾力量過大（無論是直接還是間接的），他們的「學術良心」便難保不打折扣。一旦「學術良心」失去了標準，其影響所及絕不僅限於知識階層本身的墮落，從長遠處看，整個社會都會受害的。晉代的傅玄曾說：「近者魏武好法術，而天下貴刑名；魏文慕通達，而天下賤守節。」顧炎武更慨嘆道：「夫以經術之治，節義之防，光武、明、章數世為之而未足；毀方敗常之俗，孟德一人變之而有餘。」

毛澤東以秦始皇、魏武帝自許，絕不信有所謂「學術良心」其事，他所留下的「毀方敗常」的反作用更是千百倍於曹孟德。這一個絕大的歷史教訓可以使我們了解，為了真正地尊重學術文化的獨立自主，社會和政府都只能站在非功利的立場上從旁輔助學術文化作多彩多姿的發展，而不應採取任何直接干預的方式去左右學術文化的發展方向。一個社會或政府能這樣做，不但表示它對學術文化界的尊重和信任，而且也顯露它對自身在制度和結構方面的健全抱有充分而堅強的自信。

「百家爭鳴」永遠是中國人的最高的文化理想。孔子因為子產不肯毀議論執政的鄉校，讚美地說：「人謂子產不仁，吾不信也！」這位中國古代的聖人在清楚地指點我們，學術文化必須是一個獨立的價值領域。怎樣確立並保持這樣一個獨立的價值領域，正是今後中國學術文化存亡絕續的關鍵所在。

（原載《聯合報》，一九七六年十月十五日）

天變道亦變

一九七六年是中國變動最激烈的一年：周恩來於年初去世，四月初便有天安門事件，接著則是貶斥鄧小平和全國性的批鄧運動，毛澤東死在九月初，不出一個月又爆發了「四人幫」的大政變，其餘波仍然盪漾未已。這尚只是人事一方面的變動。此外，在自然災害方面，大陸上今年又發生了多次的地震，其中尤以七月底的唐山大地震對人民的生命和財產損害最巨。這許多變動的任何一個都足以在政治和社會上造成深遠的影響，何況這樣多的巨變都集中在一年之內呢！

承《明報月刊》編者的好意，來函為一九七七年元旦號撰文，並指定要我討論中國問題，頗使我感到為難。我對於現實政治所知極為有限，而學歷史的人又最忌預言將來，這篇短文只表示我個人對於中國的近景和遠景的一些簡單的看法，而且所說的都是卑之無甚高論的話。與其說本文是根據以往的史實來推斷今後的客觀發展，倒不如說它是一個海外中國知識分子對故國所懷抱的一點主觀期望。

中國目前所遭遇的一切困難都必須要溯源到十餘年來的所謂「文化大革命」。我個人一向不認為「文化大革命」只是一個單純的權力鬥爭。這個運動至少在初起之時，確涵有革命理想主義的成分，否則它就不可能激起數以百萬計的青年人的狂熱。但無論青年人當初曾以何種理想主義的熱情來參加這次的「大革命」，運動的本身不幸很快地就變了質，成為林彪、江青之流的奪權工具。所以從客觀效果來看而不是從主觀動機來看，「文化大革命」的最大而同時也是最具體的成就，便是「四人幫」的惡勢力之興起及其迅速的發展。「四人幫」的無數罪惡誠亦不能完全由毛澤東本人負責，但毛澤東是使中國出現「四人幫」的最終極的根據，則畢竟是無可否認的事實。現在「四人幫」基本上已垮台了，這當然是「黨心大快、軍心大快、人心大快」之事。然而中共一方面狠批「四人幫」，一方面又想完全不損及毛澤東和「文化大革命」的完美形象，這在中國未來的發展上將不免會造成深刻的困擾。換句話說，「文化大革命」和「文化大革命」時代的毛澤東今後將成為中共的一個沉重的歷史包袱。就政治策略的運用來說，打著毛澤東和「文化大革命」的旗幟自有其暫時的方便，但長遠地看恐怕要得不償失。事實上毛澤東早在八年以前便已精明地預見這一點了。他在一九六八年七月八日給江青的一封長信上，曾判斷他死之後會發生右派政變，他說：

中國如果發生右派政變，我斷定他們是不得安寧的，很可能是短命的。……那時右派可能利用我的話得勢一時，左派則會利用我的某一些話組織起來，將右派打倒。

目前的局勢似乎正處在毛澤東所說的右派「利用我的話得勢一時」的階段。

周恩來、朱德、毛澤東的相繼去世，象徵著中共第一階段的領導階層的終結。現在的問題是如何從第一階段過渡到第二階段。這個過渡的階段是最容易發生嚴重的政治危機的，中國以往的歷史莫不如此。這是從打天下走向治天下的一個分水嶺。本來中共「治天下」的工作在劉少奇任國家主席的時期已經開始了，但不幸因「文化大革命」而中斷（這裡面當然牽涉到官僚主義的滋長、新特權階級的出現等種種問題，本文不能旁及）。「文化大革命」之後，周恩來所制定的「現代化」路線是「治天下」的再度嘗試，不幸又受阻於「四人幫」的「批孔」和「反右傾翻案風」。現在「四人幫」已崩潰，革命的第一代也已遵守新陳代謝的自然規律而讓位於第二代，治天下的機會從來沒有比今天更好的了。華國鋒的新領導能否鞏固地建立起來，主要就得看他和他支持者能不能超越毛澤東視野的限制而承擔起下一階段的歷史使命。

「民亦勞止、汔可小休。」我相信除了「四人幫」一夥以後，中國人無有不望治者。毛澤東所說的「天下大亂達到天下大治，過七、八年又來一次（大亂）」，決然是和中國人的普遍願望相反的。最近《人民日報》上已出現了一種說法，即要加倍努力於建設工作，把「四人幫」無理干擾所損失的時間找補回來。這確代表極大多數中國人對於所謂「文化大革命」的看法，不過說得非常含蓄而已。中共早已消滅了中國傳統的地主階級，以及近代新興的但力量極為薄弱的中產階級。「四人幫」在社會找不到鬥爭的對象之後，竟轉而將矛頭指向中國共產黨本身，一口咬定資產階級就在黨內，這真是荒謬絕倫的理論。這種人為的「一分為二」的分裂主義思想不但不合乎實際的客觀情況，而且也根本違背了辯證法。從黑格爾、馬克思到列寧，我們決找不出一種只有「反」而無「合」的辯證發展論。中共今後所面臨的歷史課題不是別的，正是如何轉入「治天下」的「合」的階段。

毛澤東曾對史諾說，他是「和尚打傘，無法無天」。毛澤東的精神的確在此。但這只是摧毀舊秩序的手段，而不足以成為建立新秩序的最後依據。中共新領導集團，絕不能再走毛澤東那條「無法無天」的路；他們只有在「治天下」方面獲得真實的成就才能使他們現在所擁有的權力合法化。中共自一九四九年開國之時即已強調「經濟建設高潮」和「文化建設高潮」。過去十餘年間，由於「四人幫」的干擾，經濟上雖有建設而談不上「高潮」，文化上則更是多見破壞而少見建設。在文化教育方面，「四人幫」的罪惡尤為重大。他們對舊知識分子極盡其侮辱之能事。中國的傳統是「士可殺不可辱」，而「四人幫」則偏偏反其道而行之，來一個「士可以不殺而必不可不辱」。史達林在一九三六至三九的「大整肅」（the Great Purge）期間也曾徹底的消除了俄國舊知識階層的殘餘分子，但是他至少還培養了一個新的「勞動知識階層」（toiling intelligentsia）。「四人幫」則更進一步，打爛了一九四九年以後的教育制度，並嚴重地損害了新一代的知識分子。這一方面的嚴重後果在短期內也許還不易充分地顯現出來，但國家元氣的損傷，恐怕不是二、三十年之內所能完全恢復的。

在政治方面，「四人幫」眼中根本就無所謂憲法和制度。他們濫用「資產階級法權」之名，把人民所餘無幾的一點基本權利也否定光了。中國並不像羅素所說的，是世界上一切原則的例外。現代的中國人同樣要求民主和基本人權，中共現有的憲法是否足以當憲法之名是另一回事；但惡法猶勝於無法，有了憲法便必須認真的實行。這是今後「治天下」第一步非走不可的路。要防止特權的滋長也只有通過立法創制的辦法，絕不能容許一個凌駕乎一切限制之上的特殊集團來隨時打爛國家的正常體制。「四人幫」的發展史證明，這種特殊集團的存在不但不能有效地消滅特權，而且只有使得特權更集中、更龐大。制度化、法治化是求得政治安定的唯一出路；也唯有在政治安定之後，才談得到經濟和文化的建設。

中共的新領導集團現在正面臨著一個歷史性的抉擇關頭，這一集團的權威必須建立在它對國家和人民的真實貢獻上面，清除「四人幫」只不過是工作的起點而已。最近《人民日報》和《解放軍報》上似乎有搞華國鋒個人崇拜的跡象，是否華國鋒已遭遇到「四人幫」以外的抗拒力，我們不得而知。無論內在的原因如何，個人崇拜都是一條充滿著危險的狹路。毛澤東以數十年革命領袖的威望尚且對個人崇拜有所警惕，用阮藉「世無英雄，遂使豎子成名」的話來自嘲。華國鋒又豈能僅靠來歷不明、真偽難辨的六字真言來坐穩第一把交椅？面臨「治天下」的新局面而乞靈於個人崇拜可以說是必敗之道。個人崇拜搞不成，則身敗名裂固不在話下，即使萬一僥倖成功也不過變成毛澤東二世，重回到「無法無天」的老路上去。然而客觀的形勢已變，中國和中國人如何能再受得了另一次「天下大亂」？

「四人幫」曾痛斥董仲舒「天不變道亦不變」的命題。我們不必以人廢言，不妨承認董氏之說已經有些不合時宜了。但我們也未嘗不可更進一步，用辯證唯物論來改造董仲舒的原有命題，於是我們就獲得一個嶄新的反命題，那便是：「天變，道亦變！」

一九七六年十二月十日

（原載《明報月刊》第十二卷第一期，一九七七年一月）

急不及待乎？——中國統一問題

編輯先生：

自從卡特先生於一個月前宣布中美關係正常化後，北京曾屢次向台北表示和解，提議通過接觸及談判來達成中國的統一。從現在開始我們大概可以想像到「統一」一詞，將會如「霸權主義」一樣，成為中共新聞公布中的主要慣用語。中共現在宣稱統一台灣於中國大陸，來替代以前解放台灣的說法。很多西方觀察家似乎認為這件事非常重要。

但是，若認為改稱「統一」乃理所當然的含有和平之意，不單是誤導的，亦是危險的。由於在中國文化傳統中，光是「死亡」一意，即可按各種不同的情形，以不止十二個字來表達它，因此字句中的取巧轉變，不足以視為行動上的可信表徵。鄧小平就曾清楚的表明，假若他的「和平之手」未能達致與台灣統一的目的，則他將會毫不遲疑地使用另外一隻手——「戰爭之手」。

表面看來，北京對台灣提出的和平條件非常慷慨，不僅可以維持政治及經濟現狀，甚至台灣的武裝軍隊亦可保留。但可惜一切這些慷慨，卻因一個簡單的附帶條件——台灣放棄主權及更改國旗——而頓成泡影。

任何一個了解中國政治的人都知道，假如歷史可作為借鑑的話，更改國旗乃表示全面投降，對和平根本絕無保證。

一個歷史上有名的例證，就是宋室的征服南唐。南唐是一個以今日的南京為首都的地方政權。公元九七一年，南唐放棄其獨立主權，屈服於宋室之下作為一個附庸國，但在三年後即被武力併吞。當宋太祖被問及他的軍事行動之理由時，宋太祖說：「江南亦有何罪，但天下一家，臥榻之側，豈容他人鼾睡耶。」

我們不禁要問，現今這種政治心理是否仍然存在，令人不無疑慮。

中國人對統一具有熱烈的信念，並視為主要的政治價值，故中國的兩個部分，最後將會統一，那是無可置疑的。但在我們這個民主主義的時代，統一本身根本不用再加辯論，因為最後的分析，關鍵完全在於統一能否使台灣的一千七百萬中國人獲得更佳的生活。

北京可以在立憲的民主制度下，完全及堅固地建立基本人權，以吸引台灣的中國人來統一，正好這也就是台灣對岸九億中國人民的夙願。最近在中國各地的大字報中已廣泛地湧現這個問題。當這一天來臨時，我相信「主權」或「國旗」就再不會構成為統一的任何障礙。

另一方面，台灣的安全，除了其他因素之外，亦端視乎其政府是否不斷努力，依循正當的民主程序、藉不斷擴大及制度化的方式，來取得領導權，來獲得民眾的支持。

中國人顯然不需要用內戰來解決歧見。北京近日談及「統一」時，那種急不及待、以及威嚇的語調，只能引起我們的疑慮及警戒。據我的見解，民主的競爭是兩個中國政府之間的唯一出路。

一九七九年一月二十六日

（原載《明報月刊》第十四卷第三期，一九七九年三月。
譯自一九七九年一月二十六日《紐約時報》）

輯二——一九八〇年代

「水能載舟，亦能覆舟」

《明報月刊》的編者來函，希望我就中共修憲問題表示一點個人的觀點。慚愧得很，我對於這個問題一向沒有認真研究過，實在無發言的資格。為了勉答編者一再敦促的好意，只好說幾句一般性的感想。文不對題之處，只好請編者和讀者原諒。

中共這次修憲頗受到海內外人士的關注，我想主要是因為大家都想知道在毛澤東個人統治結束之後，中共對於「法治」的問題究竟抱著什麼態度。經過了二、三十年「無法無天」的慘痛教訓之後，我們願意相信中共領導階層中確有人真心希望通過憲法來建立一個安定的社會秩序。我們也有理由判斷，新憲法必然會比舊憲法包含著較多的合理成分。但是我個人並不特別重視修訂後的憲法所將具有的具體條文。任何具有民主意義的憲法都是在實際生活中成長起來的；它一方面規範著人民的生活，另一方面則又是人民生活的真實反映。因此一部憲法的重要性不在於它的條文是否完備或完美，而在於它是否能發揮上述的雙重作用。法國大革命以後所制定的憲法（一七九五年）在形式上極不完備，連人民的基本權利也未曾一一列出，但這個憲法確實發揮了它的功能，而不是一紙空文。美國的聯邦憲法（一七八七）二百年來隨著社會的演進而不斷增補；英國的憲法，自一二一五年《大憲章》以來，更是一步一步發展起來的，其中且包括了不少不成文的習慣。所以從歷史的觀點看，憲法自始即不可能是完美無缺的，而憲法的制定更不可能是一勞永逸之事。相反地，一部憲法無論設計得如何面面俱到，如果和實際生活脫了節，則依然是一張廢紙而已。一九一九年德國的《魏瑪憲法》（*Weimar Constitution*）便是最好的史例。在這部憲法的起草過程中，當時德國社會學大師韋伯（Max Weber）曾費了不少心血。作為一個抽象的文件來說，它是無懈可擊的，但是由於它完全脫離了現實，因此通過之後便立刻為德國人民拋棄在一邊了。

中共現在肯認真地修憲當然是一件好事。但是我個人對這部新憲法的前途卻仍不能不抱著相當保留的態度。上面所列舉的西方各國的前例，在共產黨人看來，都是所謂「資產階級的憲法」，是所謂「資產階級專政的工具」。對於這種憲法，他們當然是不屑一顧的。他們所要的則是所謂「無產階級的憲法」，是「無產階級專政的工具」。無產階級當然不能整體地參與專政，所以專政的責任就必然落到了無產階級革命先鋒隊——即共產黨——的身上。世界上自從出現了無產階級專政和共產黨領導的「憲法」之後，憲法這個名詞的意義便完全改變了。一九三六年蘇聯頒布的所謂社會主義新憲法便是最好的說明。史大林一方面在進行「大整肅」，一方面卻在國際上大肆宣傳他的「新憲法」，其向西方搞統戰的意向是十分明顯的。他是要向西方國家證明，蘇聯是站在反對法西斯主義的一邊的。僅就條文而言，蘇聯的「新憲法」當然也是十分保障「人權」的，其中且明白地載有不得侵犯私人住宅和私人通信一項。可是事實上在這個「憲法」頒布之後，私人住宅被侵犯和私人通信被檢查的事例日有所聞。因為共產黨只要給任何人扣上一頂「無產階級的敵人」的大帽子，就立刻可以把他當作「專政」的對象，因而取消他在憲法上所享有的一切權利。

如果說中共的修憲是玩當年史大林的把戲，那也許是不很公平的。我已說過，我願意相信中共領導階層中有一部分人確有建立「法治」的誠意。但是不可否認，中共修憲也自有其統戰的動機：對國內不滿意的人（特別是知識分子）統戰，對台灣統戰，對西方國家統戰，不過動機並不重要。一個人或一個團體做一件事的主觀願望和客觀效果應該分別看待。如果中共修憲之後，弄假成真，確實照憲法辦事，那麼無論其最初的動機如何都是一樣值得稱讚的。

但是我很懷疑中共今天具備了實行憲法的主觀和客觀條件。客觀地說，中共的權力結構和其他共產國家完全一樣，即一切權力都集中在共產黨的手裡，社會上已沒有任何有形的壓力集團足以發生制衡的作用。中共消滅了傳統的統治階層——地主階級（包括近代的但為數甚少的中產階級），但同時也繼承了傳統統治階層的所有的「封建特權」。三十年的驕縱自恣早已使中共從一個革命政黨墮落成一個腐化的官僚集團。馬克思對歷史上階級關係的批判雖然深刻，但是他不可能預見吉拉斯所說的現代「新階級」是怎樣一種情況。在共產黨專政的社會裡，階級制度不是建立在生產關係上面，而是建立在權力關係上面。社會上不再有「資產階級」和「無產階級」之分，只有「有權階級」和「無權階級」之別。宋慶齡說：

「共產黨給位是很慷慨的，給權就不那麼慷慨了。」這是過來人一針見血的沉痛證詞，值得我們深思。

就滿足人的私欲而言，權力比財富事實上來得更直接、更有效。財富必須通過一道法律的手續才能發揮作用，因此是間接的；權力則可以使它的持有人在他的行使範圍之內，予取予求，因此是直接的。在唯權主義的社會裡，法律是沒有基本約束力的。權力有大有小，正如財富之有多有少一樣。不用說，權力愈大的人便愈可以超越法律的限制。所以有權階級本身必形成一個金字塔式的權力結構。有權階級如果沒有完全喪失理性，當然也不能不需要法律來維持其權力結構的穩定性。但是進一步分析，我們就會發現，這種社會的法律在實際運作過程中也必然是金字塔式的。因為只有這樣的法律系統才能和它的權力結構配合無間。資本主義社會以財富的競爭為其特色；唯權主義社會則永遠有「奪權」的活動。由於權力已完全集中在有權階級的手上，所以奪權鬥爭主要是在共產黨內部進行，但一般人民卻因此而不免要遭受池魚之殃了。這種特性並不限於中共，而是一切共產黨專政國家所普遍具有的。但是由於各國文化社會背景的差異，具體的表現自然也各有不同。

現在中共領導階層中一部分比較開明的人士希望通過憲法來重建秩序，他們必然會遭到黨內保守派的強烈抗拒。這種抗拒將隨著修憲、頒憲和行憲而步步升級，尤以實行階段為然。這個保守派是當前唯一能直接威脅著中共領導階層的壓力集團，因而不可能不對它妥協讓步。中國有權階級保守分子總數至少在兩、三千萬人以上，他們盤踞在從中央到地方的多種大大小小的權力崗位上，真正實行憲法就是限制他們對權力的使用。這何異乎與虎謀皮？

從主觀方面說，中國共產黨，包括現在比較開明的領導階層在內，依然在一個落後、虛幻、而又僵化的意識形態的支配之下。這可以從中共今天奉之為最高政治綱領的「四項堅持」得到證明。四項中的第一項——社會主義是比較有彈性的，鄧小平最近也說世界上有一百多種社會主義，如果中共所要堅持的是以民主法治為基礎的社會主義，那自然沒有什麼不合理的地方。中國並沒有什麼資本主義，而資本主義也根本不是每一個社會所必經歷史階段。馬克思一八七七年在答覆米蓋洛夫斯基（Mikhailovsky）的信中，便反對把他從研究西歐歷史經驗所獲得的結論轉化為一種全面性的歷史哲學學說，而應用於俄國社會發展的分析。中國本來便有一個政府壟斷經濟權力的傳統，從鹽鐵專賣到王田和均田制度都是明證。從事於工商業的人一直是受歧視的。因此近代社會主義的理想很容易激動中國人的傳統心靈，中國選擇社會主義的道路也是很順理成章的。

但是其他三項堅持則不能與社會主義同日而語。「無產階級專政」和「馬列主義毛澤東思想」都是破了產的政治神話；現在連中共黨員中恐怕也找不出幾個真正相信的人了。然而由於「共產黨領導」一項完全建築在這種神話的基礎之上，所以無論如何不能不「堅持」下去。根據馬克思主義的解釋，「無產階級」只能是指工人階級，絕不能包括農民。而中國百分之八十以上的人口仍是農民。我們姑且拋開這名詞上的混亂不談。前面已指出，自史大林以來，所謂「無產階級專政」，事實上即是「共產黨領導」的同義語。共產黨代表工人階級的利益之說，在三十年前也許曾迷惑過不少人，但今天卻已經沒有市場了。最近波蘭成立「團結」（Solidarity）工聯和農民組織，針鋒相對地與共產黨抗衡。這是世界共產主義運動史上一件驚天動地的大事；它公開而正式地宣布了「無產階級專政」神話的破產。共產黨不但不能代表工人階級和農民階級，而且恰恰站在他們的利益的對立面。如果說馬克思主義今天還有活力，那也是在思想批判的一方面，而且批判的對象首先就是當權的共產黨，所以波蘭出色的馬克思主義思想家柯拉考斯基（Leszek Kolakowski）把馬克思主義劃分為兩類，一是思想方面的馬克思主義（Intellectual Marxism），一是建制方面的馬克思主義（Institutional Marxism）。前者是活的，是散布在各種學術領域內的一種思想方式；後者則已僵化，是共產黨官方的一種宗教。

中共的四項堅持，嚴格地說，其核心只有一點，即共產黨的領導權問題。現在大陸上知識分子，特別是青年人，已普遍地懷疑共產黨的領導資格。在有些大學學生會的競選活動中，如果台上的候選人宣布他不是共產黨員，便立刻贏得台下熱烈的掌聲。兩、三年來，我個人有機會和很多大陸的知識青年談話，我還沒有發現其中任何一個是對共產黨的領導有信心的。中共現在為「否定黨的領導」問題整天在那裡擔心害怕是完全可以理解的。但是領導權不是靠政治神話便能維持得住的。政治神話在中國早有傳統，那便是歷代統治階級用來維持傳統秩序的名教綱常。名教即是以「名」為「教」，三綱五常尤其著者。但傳統中國的「名」與「實」多少還有相應之處，因此名教才能維繫社會秩序至兩千年之久。到了晚清，名教已完全與社會現實脫了節。經過譚嗣同首倡衝決名教的網羅，繼之以「五四」人物高喊「打倒孔家店」，傳統的政治神話終於徹底崩潰。三十年來中共一直靠馬家店的新名教綱常維持其統治；「無產階級」、「資產階級」、「階級鬥爭」、「人民民主專政」、「反動」、「進步」、「唯心」、「唯物」、「紅」、「專」、「左」、「右」之類口號都是這個新名教綱常的重要組成部分。我們只要看中共對「綱」這個字的偏愛，便不難發現新舊名教之間的歷史淵源和心理關聯。但是新名教中之「名」幾乎自始即很少能與「實」相應；而十幾年的所謂「文化大革命」更徹底暴露了新名教的虛幻性。今天中共如果不從最根本之地開始反省，而只圖利用破了產的新名教來挽救「三信危機」，其前途將是不能樂觀的。中共現在還真能相信自己的政權是所謂「無產階級專政」或「人民民主專政」嗎？還能相信「無產階級」出身的人必然具有高尚的道德品質，而一切腐化都來自「資產階級」嗎？「自由化傾向」一定是「資產階級」的屬性嗎？這不過是在新名教的框框內搞語言遊戲而已，和中共近來標榜的「實事求是」簡直有如南轅之於北轍。新名教雖然沒有任何說服力，但到今天為止它依然是許多黨員「奪權」、「保位」的唯一精神憑藉。只要新名教能繼續維持著官方神學的地位，黨員們便可以理直氣壯地以「特殊材料」自居，而凌駕於人民之上。這種情況如果不發生基本改變，任何完美的憲法也不能不流為一張廢紙。

我個人對中國大陸所面臨的種種困難從無絲毫幸災樂禍之心。上面所說的話一點也沒危言聳聽的意思。而且我深信，中共領導階層中的開明人士對這些問題的認識要比我深刻得多、親切得多。不過他們為新名教所拘，為內部壓力所制，不敢暢所欲言而已。百餘年來，中國已經歷了太多次的劇烈動盪，現在再也受不了另一個翻天覆地的變革了。中共政權如何通過和平的方式向民主法治的途徑自我轉化，這是當前中共領導階層所面臨的最大課題；其中心關鍵端在中共能不能進行如康德所說的「自我立法」，把黨權置於憲法之下。我不但希望中共修憲成功，而且更希望它能認真地實行憲法。「民無信不立」，這是中共政權的最後一個機會了。

《明報》社長查良鏞訪問大陸歸來，認為中國現在還看不見一個可以代替共產黨的力量。他的意思好像是說，中共大可不必為領導權問題而過分擔心。我很願意相信我的老朋友的觀察能力。但是我以為這句話只能看作一個事實陳述詞，而不是一個價值判斷。中國內部目前誠然不存在任何可以代替共產黨的現成力量；我也不相信有些政治宣傳所說的，中共政權的下面是一個即將爆發的大火山。幾千年來中國人民慣於逆來順受，其歷史性格不是火的而是水的。然而古人早就說過，「水能載舟，亦能覆舟」。歷史上強大政權而最後淹沒在這片大水裡的並不少見。所以從歷史的觀點看，存在和不存在同樣是沒有必然的保證的！

（原載《明報月刊》第十七卷第一期，一九八二年一月）

香港問題私議

香港問題已成為國際上最受注目的焦點之一；海外的華人社會更是特別關切著整個事態發展的動向。英國首相戴卓爾夫人最近訪問北京更把這一事件推向一個高潮。照中英雙方所發表的正式言論來看，彼此之間的距離極為遙遠，幾乎沒有商談的餘地。戴卓爾九月二十七日在香港發表談話，強調十九世紀英國與清廷所簽訂的三項條約繼續有效。但九月三十日北京外交部的聲明則重申中國絕不承認英國與清廷所簽訂的不平等條約，香港主權之屬於中國是不容爭辯的。這種兩極化的官方立場自然只是表面的分歧，問題的實質並不在此。

這次香港問題的爆發可以說是起於中英雙方基本觀念的不同。中共從來就不承認香港是英國的殖民地，也不承認新界的租約，如果英國人不提期限問題，含含糊糊地過日子，則目前香港的局面依然可以不定限地延長下去。所以從中共方面看，英國政府一定要公開地逼中共攤牌完全是庸人自擾。試問一八九八年的租借條約既屬無效，則何來所謂一九九七年租約將滿的問題？但是另一方面，英國人是最看重法律、相信法律的；他們不可能在完全沒有法律保障的情況下生活，也不可能在完全沒有「預斷性」（predictability）的情況下從事任何經常性的工作。當然，這些不僅是英國人的習慣，也是現代世界的普遍特徵。正因為如此，英國人才不能不特別看重「一九九七」這個日子，他們必須在期滿以前重新獲得關於他們在香港的權益的法律保證。中、英雙方在表面上幾乎南轅北轍，其故即在於此。

但是問題一經正式提出，中共便不能再閃躲它，而必須求得一個確定的解答。所有跡象都顯示，中共領導人對香港問題似乎從來沒有好好地考慮過。同時又由於種種不同層次的顧慮（從國際形象、實際經濟利益、政治影響到意識形態等，本文都無法涉及），他們在處理這一問題上頗顯得舉棋不定。最明顯的是中共竟在有意無意之間承認「一九九七」這一年確代表一個關鍵性的期限。這是十分荒謬的，因為默認一九九七年的特殊意義便等於承認中英不平等條約具有法律上的拘束力。

如果我們稍有歷史的眼光和辯證的觀點，便不難看出香港從一八四二年到今天早已經歷了一番從「量變」到「質變」的過程。尤其第二次世界大戰結束以來，香港形式上雖仍是英國的「殖民地」，而實質上則已逐漸成為一個以華人為主的獨立而自由的經濟實體。香港的一般經濟社會狀況很像新加坡，但由於歷史的、地理的與政治的原因，不能宣告獨立而已。在第二次世界大戰以前，香港的存在確是中國恥辱的象徵，但今天已沒有人能把香港看作中國受帝國主義壓迫的證據了（只有意識形態僵化了的人才能持此見解）。香港近三十多年來的歷史發展只說明了一項事實，即中國人憑著傳統的勤儉精神能夠在自由體制與現代企業經營方式之下創造經濟的奇蹟。我們絕不能把香港的奇蹟完全歸功於英國人，不過英國所提供的法制基礎與自由環境構成香港經濟發展的重要因素。聽說中共領導人曾有「英國人能辦得到的，我們中國人為什麼辦不到」的豪語。這句話便表示他們完全不了解香港的真況。香港的奇蹟主要便是中國人自己創造出來的，中共何能把這個功勞全部加在英國人頭上？英國人所提供的則是上面所舉的法制與自由兩大要素，這恰是中共管轄下的中國所最為缺乏的。中共收回香港以後也許會創造出無數其他的奇蹟，但香港將不復為香港則是可以斷言的。

香港作為一個經濟實體和三個方面最有切身利益的關係：第一是香港五百萬居民，第二是中國大陸，第三是英國。但是決定香港命運的實際上卻只片面地來自中國政府。這裡姑置「公平」與否的問題不談。純從利害觀點出發，中共在未來決策中如果對香港的現狀有任何改變都將是最不智的自毀行為。中共最近的意向似乎是「收回主權，維持現狀」。我可以肯定地說，這兩句口號是互不相容的。「主權」當然可以有不同程度地「收回」法，其最象徵式的辦法則是僅僅改變旗幟而中共並不直接派人來管治。但問題是一旦「主權」回歸中國之後，中共政府勢不能再容忍香港有完全的言論自由，特別是批評和反對中共的言論。中共領導人只能了解到經濟自由所帶來的外匯的價值，但是他們至少目前還不能完全了解言論思想自由與經濟繁榮之間的內在關聯。甚至香港一般工商界的人士也未必對這一點都能有深刻的認識。事實上，香港這樣一個小地方如果失去了思想言論的充分自由，則人民將不再能具有創發與開新的智力。在思路閉塞的狀態下，縱使資金與人才完全不外流也將無法發揮其原有的功能，更不必說資金與人才也不可能完全留在香港了。

我不能對香港問題的解決提出任何具體的建議。我只覺得即使僅為中共的利益著想，中國目前最好還是一方面重申保有香港的「最後主權」並取得英國政府的正式認可，而另一方面則與英國政府商定一種具有彈性的辦法，說明香港問題可以展延到三十或五十年以後再求得正式的解決。如此則中共絕不致招致「喪權辱國」的批評，而同時又能加速本身現代化的進行。當然，我深知我這裡所提出的書生之見是難免迂腐之譏的；但這確是經過理性思考後所得到的一種結論。至於理性在歷史的實際進程中究竟能否發生正面的作用，那就不是作者個人所能估量得出來的了。

一九八二年十月七日

（原載《明報月刊》第十七卷第十一期，一九八二年十一月）

二次戰後人類社會的變遷與調適

第二次世界大戰結束已四十年了。這四十年中人類社會所經歷的變遷，遠超過以往數百年，甚至數千年的速度。在這一遽速的變遷中，人類如何適應新的社會情勢，顯然已成為今天最迫切的問題。

這四十年間，世界的變動既廣且深。限於篇幅，本文只想提出兩點我認為是最重要的現代人類的動向：第一是科學與技術的空前成就；第二是人民大眾的普遍覺醒。毫無疑義地，這兩點都具有正面的積極的文化意義，然而也同時帶來了很大的困惑。

科學與技術在最近四十年中的出色表現，已是有目共睹的事實，不必詳述。憑藉科技之力，人類已登陸月球，進入太空，初步擺脫了地球的限制。兩千年前的阿幾米德（Archimedes）想在地球之外尋找一個立足點而終無術以致之。這個立足點如今已由現代的科技（即「科學的技術」〔scientific technology〕，下同）提供了。再就科技發展對人類社會的直接衝擊而言，如原子能的應用、自動化、電腦的普及之類，不但直接促進了經濟的發展，而且也將影響到社會的結構和人際的關係。科技對於工業發展和促進落後地區的「現代化」尤其息息相關，所以在一般用法中，「現代化」幾乎和「發展或採用最新的科技」成為同義語了。

今後的人類社會將愈來愈依賴科技，這是一個無可挽回的歷史趨勢。從正面來看，科技確給人類帶來了無限的福祉和希望；三百年來無數的人歌頌科學的發展、讚美技術的進步，都是有充足的理由的。今天如果仍有人想抗拒科技、排斥科學，則其人必屬瘋狂一流。伊朗的何梅尼雖代表極端保守的伊斯蘭教派對現代化的一種強烈抗拒與反動，但他也不敢與現代科技正面為敵。六十年前甘地運用印度文化和民族的力量來對抗英國，功績甚大，然而他所提倡的以手工紡織來對抗機器紡織最後卻是徹底失敗的。所以我們今後的經濟生活必須一心一意地走向科技化，此外更無他途。

我們完全肯定了科技在現代生活中的地位之後，進一步便要反省科技給我們所帶來的困擾。我們常常在台灣的報章雜誌中談到關於鼓吹科技發展的言論，特別是許多參與經濟設計的人在這一方面的積極意見。純從經濟發展的觀點說，這些言論自然是適當而正確的。自由中國的前途主要確繫於尖端科技的引進和生根。但是如果從更全面、更長遠的觀點來看，一個社會究竟怎樣消化科技，才能蒙其利而不受其害，則是更值得深思的問題。關於這一點，由於西方社會早已深切地感受到科技的負面作用，一般人民和知識界都轉而採取一種嚴厲的批判態度了。一般西方人民強烈地反對現代毀滅性的武器競賽固不在話下，他們對原子能工業、危險的化學工業也懷有普遍的恐懼和敵意。最近印度傷亡數千人的大悲劇更給這種恐懼和敵意提供了一個最堅強的證據。至於對自然生態的破壞和環境污染等，所發生的焦慮，幾乎每天都可以從報章電視上讀到或聽到。相形之下，中國人對科技所已經和可能帶來的危害性仍缺乏較為深刻的認識。

西方知識界對科技的懷疑卻更為深刻，也更為根本。這是一個必須專著才能說清楚的大問題，此處只能提出一、兩個主要論點來談之。第二次大戰以後，最早對科技問題進行深度反省的是海德格。海氏首先把科學和科技分開，否認科技只是「實用科學」之說，因為在他看來，二者有本質上的不同。科學要求對自然界作純客觀的了解，科技則把自然界看作資源而加以利用。科技雖不能不依靠科學研究的成果，但科技與科學畢竟各代表一種思路、一種態度。

而照海氏的看法，實際上支配著現代西方人的是科技觀點，而不是科學觀點。科技觀點則具有全面的宰制性格：外則宰制天地萬物，內則宰制社會和人本身。其結果是把天地萬物和人本身都化為宰制的對象而喪失其本性。依海氏的看法，西方科技所帶來的危機即在這一根本態度，而這一根本態度則集中地表現在西方傳統的「形上學」之中。他之所以一再強調要「克服形上學」，其故即在此。海氏的思想頗以費解著稱，但是若從他的時代關懷著眼，也未嘗不能找到理解的線索。科技問題即是線索之一。

另一對科技提出嚴重批評的思想流派是德國的「抵制理論」。這些理論家的看法在細節上雖互有出入，但大體上都從「工具理性」的觀點對現代科技施以猛烈的攻擊。科技並非真正中立性的。科技不但將自然化為利用與控制的對象，同時也使佔有並操縱科技的少數人把多數人當作利用與控制的對象。

以世界各地區經濟發展的情況而言，擁有科技優勢的國家則將多數落後地區視為利用與控制的對象。尤其嚴重的是，工具理性氾濫的結果，幾乎使人完全失去了認識自己、反省自己的思考能力。許多人都不免要從科技觀點來看問題，甚至把一切人生與社會的根本問題也化約為技術性的問題。這種批評和海德格之批評現代人的「不思不想」是消息相通。

海德格曾主張以詩藝濟科技之窮。其說是否可行是另一問題，但由此可見他的基本用心是想用人文學術來平衡科技的偏向。這一點大致已成為現代的共識，雖自然科學家也不例外。美國「國家人文基金會」最近特別鼓勵大學通識教育課本的撰寫，並且提倡大學生研究西方古典學術（希臘、拉丁文學），都多少反映了西方社會在科技宰制下的危機感。

二十年來，中華民國的經濟發展已使台灣進入了科技時代，但西方現代文化不平衡的危機也相隨而來。不但如此，這一危機在中國比在西方似乎還更來得嚴重。西方現代的人文研究雖然在聲勢上比不上自然科學和科技，但是人文學術各方面的傳統尚未中斷。無論是哲學、史學、文學、藝術不僅流派眾多，而且各有數百年以上的淵源。在這樣豐富的基礎之上，人文學術的推陳出新是較易見效的。相形之下，中國的經、史、子、集的舊傳統今天幾已蕩然無存，而西方的人文學術迄目前為止也還沒有在中國生根。如何發展人文研究以適應因現代科技而引起的社會變遷，確是中國學術思想界所面臨的最大課題。

基本科學的研究更重於科技的發展，這一點已為有識之士所共許。科學與科技大體上確是一種「體」與「用」的關係。科學與科技的後面雖隱然有兩種不同的精神在支配著，但是如果基本科學的研究方面不能有所突破，則科技的發展終究是有限度的。科學的出發點與科技不同，並不在追求實用，可以說根本與「用」無關。但是基本科學的研究一旦獲得真知識以後，往往自然會引生出各種意想不到的實際效用來。甚至有些科技的發明，也並非起於實用的要求。

科學史告訴我們，錶的發明最初也是起於科學實驗的「理論上的」需要，後來才成為日常生活上的用品。可見專講實用，其效果反而不及追求無用的知識。這也許合乎莊子所謂「無用之用」吧！人文學術比起自然科學來，距離實用更遠，因此更屬於「無用之用」的範圍。但是我們很難想像一個只有自然科學與現代科技而完全沒有人文學術的社會。即使有這樣一個社會出現，我們也無法想像人可以在這種完全失去了精神平衡的狀態下生活下去。

現在我們要接著談第二個問題，即第二次大戰以後，人民大眾的普遍覺醒。人民大眾的覺醒在歐美已有一、兩百年的歷史，不是最近幾十年的事。但是，以全世界而言，由於第二次世界大戰結束了，西方的舊殖民主義，亞洲和非洲許多被壓迫的民族都獲得了獨立。近幾十年來，這些地區的「新國家」（New States）的出現一直是政治學家（如Samuel P. Huntington）、社會學家（如Edward Shils）、人類學家（如Clifford Geertz）注視和研究的對象。在民族獨立和新國家建立的歷史過程中，人民大眾必然有一定程度的政治和社會參與。因此，他們比以前任何時代都更清楚地意識到自己在社會上的重要性。他們已逐漸改變了自己原來的被動地位，而或多或少地成為政治、社會行動的積極參與者了。

即使在共產黨執政的極權國家，人民大眾的覺醒仍然是一個無可否認的事實。我們都知道，各國共產黨在奪權時期都善於操縱人民大眾的情緒，而在當權之後，則更善於運用黨的嚴密組織來控制人民大眾的生活。但是共產黨的一切作為都必須假借「人民」的名義，這正好證明人民大眾確已普遍覺醒。雖然「人民的眼睛是雪亮的」這句話一向是共產黨最愛用的宣傳口號，我們卻不能因人廢言而否定其真實性。事實上，五〇年代的匈牙利，六〇年代的捷克，今天的波蘭，都證明了「人民的眼睛」的確是「雪亮的」。

在西方民主國家，第二次大戰後一般人民的政治社會意識也發展到前所未有的高度。近二、三十年來美國的民權運動的進展便是明證。今天美國社會上少數民族（特別是黑人）和婦女的人權保障，顯然比五〇年代已有大幅度的提高。自從聯合國《人權宣言》發表以來，「人權」這一觀念已進入世界各地人民的心中。誠然，「人權」這個名詞起源於西方文化，但是其他各大文化中也仍然可以找到類似「人權」的意識，不過不及「人權」明確而已。

我們可以毫不遲疑地說，人權現在已成為全人類所普遍接受的重要價值之一了，各共產國家的政府自然一概不承認「人權」之說，然而人民依然不斷地在要求人權。蘇聯、東歐如此，中國大陸也不例外。據鄧小平在一九七九年三月三十日一次講話所透露：大陸上有一個「中國人權小組」曾公開貼出大字報，要求美國總統「關懷」中國的人權（見《鄧小平文選》頁一六〇）。第二次世界大戰以來的世界人權運動，正是人民大眾普遍覺醒的必然歸趨。

但是人權意識的普遍興起尚不過是人民覺醒的一個方面，這不是本文討論的重心所在。

更值得重視的是人民的普遍覺醒也表現在社會和文化方面。這便是近二、三十年來西方學術思想所熱烈爭辯的所謂「大眾社會」（mass society）和「大眾文化」（mass culture）的問題。我在前面所說人民大眾的覺醒也帶來了困惑，主要便是指這個問題而言的。

在現代社會中人民既已普遍覺醒，他們不但有權利要求在政治上一人一票，他們同樣也有權利創造並欣賞適合自己口味的文化形式和內容。這一層實在已沒有爭論的餘地。但是問題發生在「大眾文化」本來是相對於「高級文化」（high culture）而來的觀念。在我們肯定了「大眾文化」的價值之後，我們究竟應該怎樣看待「上層文化」呢？

西方學者最初用「大眾社會」和「大眾文化」的名詞時，確含有一種輕視、貶斥的意味。但是最近二十年來一般學術界的態度幾乎有了一百八十度的轉變。不但人類學家、社會學家特別著重「大眾文化」，歷史學家也同樣認為「大眾文化」才是最值得研究的對象。相反地，高級文化卻遭到了普遍的冷落。因為在一般的觀念中，它是屬於有知識和教養的少數人的。由此可見，文化的概念在最近幾十年間已發生了革命性的變化。過去我們一向把上層文化當作文化傳統的主流。因此一提到西方文化，我們心中便浮起希臘羅馬的古典哲學和文學、中古的神學、近代的科學之類。一提到中國文化，我們首先想到的也是儒、釋、道以及禮樂詩書之類。難道幾千年來一直在各大文化系統中佔據中心地位的經典作品完全是虛幻的嗎？難道歷史上許多創教立說的聖哲都只能代表少數上層人士的思想，而和社會大眾的願望完全無關，甚至相反的嗎？

這些大問題此處自然無法深入討論。我們只能說，以各大宗教、哲學或倫理系統代表各民族的思想主流大致上還是能夠成立的，今天尚無充足的論據加以推翻。不但二十世紀上半葉的社會學家如韋伯、歷史學家如湯因比持此看法，即使第二次世界大戰以來的西方學人也仍然在這個共同認識之上討論文化的問題。甚至強調文化有上層與下層之別的人，也不得不承認這兩層文化不是截然分成兩橛的。相反地，二者之間是相互溝通、彼此影響的。

最近布克（Peter Burke）在一部研究早期歐洲民間文化的專著中（*Popular Culture in Early Modern Europe*, 1978），曾指出一些值得注意的文化現象。在一五〇〇年前後，歐洲所謂「民間文化」並不限於下層人民，上層貴族也同樣是積極參與者。最顯著的例子是嘉年華節（Carnival）。這是一個全民同歡的節日，貴族、僧侶也無不加入。所以十六世紀的歐洲，上層階級有兩個文化：一是與下層階級共有的民間文化，一是由學校中得來的希臘、拉丁古典文化，但下層人民則只有一個文化，即民間文化而已。

至於這兩個文化之間的交流，那更是十分自然的事，其例甚多。以意大利言，但丁的詩便流傳到了民間，成為民間仿效改寫的範本。上層文化之吸收人民的智慧與創造力，其例尤多。十七世紀匈牙利一首最著名的史詩（*The Sziget Disaster*）便是融合兩個文化傳統而成。直到十八世紀末期，歐洲的兩個文化才逐漸分開了，這主要是上層階級，由於種種原因，從民間文化中撤退的結果。

中國的情況和歐洲不同，雖有士大夫文化和民間文化之分，但更有遍及社會各階層的儒、釋、道文化。以儒家而言，其性質與古代希臘的思辨哲學不同，其中的道理並不是一家一人的私說，而是中國古代民族生活體驗的總結。一般不識字的人當然不能讀「五經」、

「四書」，但孝悌忠信等作人的道理他們比起士大夫來也許只有過之而無不及。其實不僅中國的儒家如此，西方的基督教又何嘗不是籠罩一切社會階層的文化力量。所以，陸象山才說：「不識一字，也要堂堂地作一個人。」而馬丁路德也說：「不識字的農民比神學博士還要更懂得上帝。」

以上的簡單討論，只在說明一項事實，即現在有些人把所謂高級文化和大眾文化截然劃分為兩種不相涉，甚至相對立的東西，顯然是太偏頗了。高級文化和大眾文化都是很概括籠統的名詞，如果細加分析，不但高級文化（即文化主流，亦可稱「大傳統」）永遠隨時代而改變，即在同一時代之內，專家之間也存在著理解或解釋的分歧。「大眾文化」（亦可稱「小傳統」）也是如此。它不但變遷的速度更快，其內容則更是五花八門，未可一言以盡。現代的社會是一個多元文化的社會。高級文化和大眾文化之間雖不能完全避免衝突，但畢竟是似相反而實相成的。

第二次大戰以後，西方，尤其是美國，因大眾傳播（如電視）的突飛猛進，大眾文化的發展已達到了前所未有的高度。據社會學家在十年前的估計，美國真正有機會受高級文化陶冶的人大概不會超過五十萬人，但通過電視等節目以接受大眾文化的人則每天至少有四千萬人左右（見甘斯〔Herbert Gans〕所著《民間文化與高級文化》一書，一九七四年出版，頁二一）。這個比例，今天也許還沒有重大的改變。

過去二、三十年間，西方的大眾文化曾受到守舊派和激烈派的兩面批評，守舊派認為大眾文化的流行，毀滅了高級文化。這種「毀滅」有兩個方面：一是把高級文化（如莎士比亞劇本）加以通俗化使神奇變為腐朽；一是大眾文化的庸俗性格使觀賞者逐漸失去創造高級文化的才能。激烈派則以為大眾文化純以娛樂為主，是一種麻醉的力量，使受壓迫的人喪失反抗的精神。但兩派對大眾文化的病源的診斷卻不謀而合，即大眾傳播的企業純從利潤（如電視廣告）的觀點出發，只知如何取悅觀眾的低級趣味，而根本不考慮社會與文化的後果。

這種批評並不是無的放矢，但對所謂大眾文化未免一筆抹殺稍欠公允。四十年來人民既已普遍地覺醒，則大眾文化的興起自是一個必然的歷史發展。何況大眾文化也具有健康的成分呢！現代的大眾文化以娛樂性、消閒性為其主要特色，這是不容否認的事實。但是在高度緊張而步調快速的工商業社會裡，正當的娛樂和消閒是具有正面文化的意義的。

在適當地肯定了大眾文化的意義之後，我們不能不指出，高級文化在今天確已面臨門庭冷落的危機。高級文化和大眾文化之間有質與量之別。大眾文化是通俗性的，可以老幼咸宜，雅俗共賞。但是人類的基本價值——如真、善、美——的追求與提高，則不能寄望於大眾文化。求真、求善、求美從來便是高級文化的領域。高級文化的不斷創新與提升雖然是少數人的事，但是高級文化的成果最後仍是為全社會所共享。所以把高級文化誤認作上層階級的專用品，是一個嚴重而危險的錯誤。這一點以自然科學為例比較容易講得清楚。

物理學上的真理誠能取決於少數物理學家的判斷，不但人民大眾沒有發言的資格，隔行的專家也同樣不能輕置可否。但是物理學上的真理，一旦驗證之後，它絕不僅屬於少數物理學家，更不是上層階級的專用品，而是全人類所共有的文化財產了。不僅自然真理如此，人文真理也是如此。宗教與道德（即善的問題）或文學與藝術（即美的問題）同樣有判斷的高下存乎其間。道德問題好像是人人都可以發言。《中庸》也說：「君子之道費而隱，雖夫婦之愚可以與知焉。及其至也，雖聖人亦有所不知焉。」但是我們必須注意：「夫婦之愚」的「知」和「聖人」的「知」究竟有高下之分。

又如「美」的判斷問題，有嚴格訓練的文學家、藝術家也必然比一般人深刻得多、高明得多。所不同者，在「真」的問題上，由於邏輯推理具有強迫性，一般人不能不承認科學家的結論。但是在「善」與「美」的領域內，專家的判斷並不以邏輯推理為主，他同時還得訴諸人的「同情」與「共感」。這種「同情」與「共感」雖為人人所具有，但是若不經過修養和體驗的工夫卻無從充分發展出來。

所以王陽明說他的「良知」兩字是從「百死千難」中得來的；康德論美感判斷，也強調哲學家的真知灼見不易處為一般人所共喻。總之，在人文、藝術、道德等領域內，即使同為專家，其間高下之分也有未可以道里計者；「曲高和寡」是一個極為普遍的現象（自然科學家亦未嘗不然）。大眾文化可以為高級文化提供源頭活水，但不能直接有助於高級文化的發展與提升。

文化和教育一樣，有普及與提高兩個方面，不容偏廢。大眾文化因為和現代商業社會的利潤已打成一片，我們只擔心它的品質是否會不斷提高，而不必憂慮它會衰落。對比之下，高級文化的情況則遠不如此樂觀。這裡所說「高級文化」當然是以哲學、文學、史學、藝術、宗教、道德等人文領域為限，自然科學並不包括在內。其理由很簡單：自然科學是科技的源頭，具有無限的實用潛能，這一點已逐漸為大家所認識。因此今天無論是哪一種社會，都肯在基本科學研究上面投入最大的人力和物力的資源。但是在人文領域內，多數社會都不大能了解高級文化的價值究竟何在。

美國最近幾年來已開始注意到這一偏向所可能帶來的文化危機。上面已提及，「美國國家人文基金會」（National Endowment for the Humanities）頗鼓勵西方古典（希臘、拉丁）的研究，各國經典作品的翻譯，以及通識教育課本的編寫等。而若干居於領導地位的大學也在加強人文教育的課程。高級文化的研究是提高大眾文化素質的一個最重要的途徑，這一點至少美國政府和教育界中的有識之士已深刻地感覺到了。但是僅僅政府與教育界的倡導尚不足以扭轉整個文化趨勢。整個社會的新的文化自覺才是關鍵之所在。如果家長仍然專從狹隘的功利觀點來左右子女的求學方向（如學醫或電腦），則文化遠景還是相當黯淡的。

中國高級文化的發展則更使人憂慮。以台灣而言，大眾文化雖頗有步西方（特別是美國）那種商業化、庸俗化的後塵之勢，但至少還有大眾文化可言。高級文化則不然。中國傳統文化的精粹部分已淹沒在幾十年來一股強大的反傳統潮流之中。而西方的高級文化卻又始終未能在台灣生根。一般地說，台灣社會上的政治意識遠比文化意識為強烈，而且政治意識幾乎完全掩蓋了文化意識。這並不是一種十分健康的現象。文化建設既不可能走「復古」的路，也不可能盡棄故我而「全盤西化」。如何擇善而取以創造新的高級文化，是值得有識之士深思的。

我們在上面檢討了四十年來人類社會變遷中的兩個主要動向及其適應之道。我們的結論則指向同一焦點，即人文研究確是今天的當務之急，但茲事體大，絕非少數人所能為力，而必有待於全社會的新覺醒。不但西方已面臨文化危機，中國的文化危機更是嚴重得多。這絕不是我個人的危言聳聽，也不是知識分子的迂闊之見。上面的討論事實上是綜合了西方許多學人的文化觀察而獲得的。但是文化危機雖然已很明顯，簡單的解決之道卻並不存在。本文的目的只在提出這一迫切的問題，以供有心人參考而已。

（原載《中央日報》，一九八五年三月十九日至三月二十日）

天下為公和領袖人才的培養

蔣總統經國先生最近和美國《時代週刊》記者談話，正式澄清了關於中華民國接班人的問題，這是一個非常明智的舉措，使近年來海內外種種流言蜚語，為之一掃而盡。以前社會上流傳的種種猜測原本不值識者一笑，但是中國社會一向有強固的家族傳統，這些猜測儘管毫無事實上的根據，卻容易為一般人所相信。這不僅在中國本土為然，即在其他海外的華人社會中，也未嘗不然。

我相信，此前關於中華民國接班人的種種流言，都是出於一般人心理的過度敏感，現在這個問題已經獲得徹底的澄清。這將有助於大家以正常而理性的態度，來看待所謂「接班人」的問題。我個人對台灣的現實政治問題，從來沒有接觸。因此不能對這人人關心的問題，表示任何具體意見。為了不辜負《聯合報》編者累次下問的好意，我只好在原則上說說我的看法。以下所論，都是就「理」上而言的，即不涉及事，更不涉及人。

首先我們想問，為什麼現代的中國人對政治領導權的「世襲」問題特別敏感，並且普遍的感到難以接受。其中一部分的原因，當然是因為我們已受到西方民主觀念的洗禮。然而又不盡然。西方民主國家也同樣有承受父兄餘蔭，而在政治事業上，得到特殊便利的情況。美國甘迺迪家族即是一例。只要當事人真有才能和貢獻，即使他在起步時，憑藉了世襲的勢力，也不會招致物議。可見中國人對這方面的敏感還另有自己文化的背景。儘管在實際上，中國傳統社會一向有「公私不分」的毛病，但在理論上公私或義利之辨確是相當嚴格的。「天下為公」的觀念早就深入人心。在儒家理想中，三代之所以不及五帝，主要便是因為五帝官天下，三王家天下。「家以傳子，官以傳賢」，自先秦兩漢時代「天下非一人之天下，乃天下人之天下」是各學派共同接受的看法。《呂氏春秋》、《太公六韜》皆有其說。亦不僅儒家為然。下至唐代白居易在新樂府中也強調「古人有言天下者，非是一人之天下」。明末黃宗羲的《明夷待訪錄·仁君》篇最為今人所稱道，以為是中國民主思想的新發展。其實，黃氏的思想也還是尚有所承，並非平地突起。即以制度而言，除君主世襲制當別論外，公私之間也是分得很清楚的。最明顯的如科舉考試。凡是父兄親戚任主考，則子弟必須迴避，以防徇私。這已超過了現代法治的要求。對於這些子弟而言，是剝奪他們的應試權利了。

「天下為公」所以在今天中國人的心中成為一種牢不可破的天經地義，主要應當歸功於孫中山先生的大力提倡。孫先生和他領導的國民黨推翻了二千年的世襲的帝制，創建了民主共和國。把儒家天下為公的理想變成為事實。從此以後，中國人不但不再能接受家天下的觀念，而且也不能承認天下是任何個別集團所得而私。所以雖以袁世凱之權勢薰天，他的洪憲帝制，終不能不失敗。以中共在五〇年代一黨專政的嚴厲，當時知識分子仍敢公然斥之為「反天下」。孫中山先生所提倡的天下為公的思想，由此可見一斑。

蔣經國總統這一次表現得明朗而誠懇的態度，正是他切實遵循孫中山先生「天下為公」之教的最好證明。這是中華民國史上值得大書特書的一件事。但這件事除了本身的重要意義之外，還具有更廣大的啟示性。在中國傳統社會中，政治所佔的比重非常大，所以天下為公這句話主要是針對政治上最高領導者而發的。當時的想法是只要皇帝有天下為公之心，政府官吏都出於「選賢與能」，那麼「天下」便能達到「大同」的理想了。今天的台灣社會已從傳統走向現代，愈來愈具有多元性格。在現代的多元社會中，政治的比重已大為降低。僅僅少數政治上的領袖人物，表現天下為公的胸襟已不足以使全社會走上合理的途徑。即使整個政府部門都能作到天下為公的境地，也還是不夠，換句話說，多元社會中各行各業的領袖人物都必須具備天下為公的識度。在一個多元社會中公私之間的界線已變得非常複雜難辨。每一個個人家庭或社會單位都同時具有多重的公和私的成分，傳統社會中個人自掃門前雪，不管他人瓦上霜的情況，早已一去不復返了。以台灣的經濟形態而言，它在大體上是屬於自由體制，私有企業佔有主導的地位，然而私有企業又何嘗真是「私」的呢？「企業」本身即屬於全社會的，是公的。企業愈大，其公的成分也愈高，現代台灣的大企業仍是以家族為本位。家族在經濟現代化的初期是有其積極的功能的。但是家族本位的企業不能化「私」為「公」，最後家族即成為發展的重大羈絆，甚至走向現代化的反面。所以西方大企業的經營基本上都是走的「官以傳賢」而不是「家以傳子」的道路。唯有如此，現代的私有企業才真能可大可久，相反的，經營現代企業的人不能超越家族之私，沒有一點天下為公的意思，則他的企業將無法跳出傳統的格局和命運。如果僅僅「創業」而不能「垂統」，其影響所及尚不過是一家一族。但現代的大企業和整個社會是息息相關的，一旦發生問題，則社會上無數的人都將直接或間接蒙受其害。最近台灣發生的十信弊案，便是一個最明顯的例證。所以，我希望這次蔣總統所表現天下為公的精神，能發生最廣泛的示範效果，使各界的領導階層都真切的認識一個真理，即天下為公的原則在現代多元社會中是具有普遍性的，絕不限於政府一個部門。台灣的社會能否走上健全的現代化大道，其關鍵便在這裡。今年六月，《天下雜誌》訪問我，談到領袖問題，我特別強調，現代社會必須培養各行各業各階層的領導人才，不能全部希望都寄託在少數思想界或政治界的大師身上。我的用意正是要大家從長期「家長制」下的依賴心理中解脫出來，但凡是處於領導地位的人——無論政治界、文化界或企業界——都必須首先具有天下為公的意識。這是一項顛撲不破的真理。

最後，讓我略談一談，關於「政治接班人」的問題。現代的西方民主國家是靠憲政制度來解決接班問題，因此不發生什麼領袖危機。另一方面，集權型的國家，包括中國大陸，則往往是由最高領導者在生前「指定」其繼承人。在集權而又落後的地區，這種「指定」，甚至會變成變相的「世襲制」（如北韓的金日成），但後一型的接班方式會有高度的不穩定性。中華民國已有一部民主憲法，自應走民主的道路。由於這三、四十年來，特殊的政治形勢，這部憲法還沒有機會能百分之百的發揮它的效用。今後的課題當然是怎樣使這部憲法全部變成現實。我記得在行憲之初，已故的蕭公權先生曾說過：「只要我們把這部憲法百分之百的實行起來，中華民國便可躋於世界民主國家之林，而毫無愧色。」我完全同意他的見解。但處於目前這種過渡的階段，台灣的政治接班人問題，恐怕還不能完全靠憲政制度本身來解決。不過無論如何，「指定」的方式則斷然不能適用於今日的台灣。共產政權的接班人可以用明或暗的「指定」方式產生，這是它一黨專政體制所使然。歷史上還有羅馬皇帝和回教教主也是通過指定，來解決帝位問題。這仍然是高度專制的結果。在台灣的中華民國正在一步一步的朝著民主憲政方向前進。正如許倬雲教授最近所說的：「接班問題的重點，因此並不在於個別人選，而在於如何依循制度，使領導中心得以在憲政體制下順利延續下去。」（引述自〈接力長跑的制度與條件〉）不過，在目前情況下，台灣似乎還是處在「徒法不足以自行」的階段。因此現在在位的領袖仍然有必要在培養繼起人才方面，多作些更積極的努力。所謂培養人才並不是「指定」，而是盡量給予有潛能的新一代人才以歷練和負責的機會。「指定」僅限於一人，「培養」卻不妨多幾個人。我承認領袖的才能有天賦的成分，我更承認，領袖高明與否，對全局是有影響的。但是我並不相信世間真有所謂「天縱英明」的人，自呱呱墜地之日起，便註定了要成為領導人物。古今各界的領袖人才基本上都是從後天磨練中產生的，也就是王陽明所謂「事上磨練」和孟子所說的「天將降大任於斯人」。政治領袖也不是例外。民主國家的政治領袖不能「指定」誰來繼承，但他還是有責任培養可能的「接班人」。羅斯福本人是一位高明的領袖，但是他並沒有盡到培養繼起領袖人才的責任，他還是不能免於後人的議論。諸葛亮也是中國史上少見的政治領袖，但是根據王船山的說法：由於他和劉備都是法家，不免事必躬親，察察為明。蜀漢後來之所以「無人」，用《讀通鑑論》的話說是「於長養人材，涵育薰陶之道，未之講也」。但是從另一方面說，在現代民主體制之下，領袖人才也不能一味消極的、被動的等待著在位的「提拔」。他們必須隨時隨地的自立自重，有作領導人的準備。民主社會的常態運作，絕不能依賴少數特出的領袖；它所需要是遍及於各種行業和各個階層的大批領袖人才。這亟有待於有志者的自我努力。孟子說：「待文王而後興者，凡民也；若夫豪傑之士雖無文王猶興。」這是非常富於現代意義的領袖論。台灣新一代的領導人才，應當三復斯言。

（原載《聯合報》，一九八五年八月二十七日）

中共接班運動的歷史意義

中共黨代表大會已在北京落幕，其中還有特別會議專門討論各領導階層的「年輕化」問題。據鄧小平今年七月二十日在北戴河和日本參議院議長木村睦男的談話：「我們不久要召開黨的代表會議。這次會議的中心議題就是使中央委員會、政治局、書記處年輕化一些，以保證我們政策的連續性。」事實上，不僅在中央如此，地方政府和軍隊中的「幹部年輕化」運動也早已在進行之中。據八月二日胡啟立向日本訪客表示，最近兩年來縣以下的黨幹部已有一百零八萬人換成了年輕人。九月八日美聯社電訊說，現在省籍領導幹部的平均年齡是五十三歲，比一九八三年底的平均年齡（五十七歲）已減低了四歲，在軍隊方面，中共的構想是大軍區以上的領導班子，六十、五十、四十歲上下的人各佔一定的數量，軍級的平均年齡在五十左右，師級四十左右，團級約三十左右。

從上面這些報導可以看出，中共領導階層的年輕化是一個全面性的改革運動，而且這幾年來已一直在全國各地逐步推展。細察有關大陸接班問題的各種報導，我們更不難發現除了「年輕化」之外，還有「知識化」也是接班的一個重要條件。這一點在所謂「第三梯次」的接班群中表現得最清楚：大學畢業的專業化可以說是人人必備的資格。嚴格地說，在鄧小平的接班政策中「知識化」遠比「年輕化」為重要。我們應該記得文革時期毛澤東用直升機提拔王洪文為黨的第二副主席，便已是「年輕化」的開端，而王洪文也一再表示要選拔三十幾歲的人作大軍區司令，所以僅就「年輕化」一端而言，鄧小平未必真是始作俑者。他在中共史上真正具有開創意義的作法則是正式樹立「知識化」為接班人的準則。唯有「知識化」才是他現行政策的連續性的確切保證。所謂「年輕化」雖然不是完全沒有獨立的意義，但更重要的則是它可以對「知識化」的接班運動，發生一種「瞞天過海」的妙用。

鄧小平為什麼不肯公開提出「知識化」的口號呢？這當然是出於意識形態的原因。至少在理論上，「四個堅持」現在仍是中共的最高指導原則；「社會主義」也仍是中共的基本體制，照道理說，在這一原則和體制下，中共選拔接班人的標準首先應該強調階級成分和政治立場（即所謂「紅」）。現在鄧小平所採用的標準實質上是「知識化」（即所謂「專」）。換句話說自第三梯次起，中共今後的領導班子將以知識分子為主體了。儘管自鄧小平復出以後，已一再強調知識分子也是「工人階級」或「無產階級」的一個組成部分，但是中共內部無數以「無產階級」自居的幹部是不是都已心悅誠服地接受了這一解釋，恐怕還是一個很大的問題。在這種情況之下，為了避免給黨的保守派以「修正主義」或「走資」的口實，鄧小平勢必不能公開打出「知識化」的旗幟。「年輕化」則在意識形態上具有中立的性質，只有借「年輕化」之名才能行「知識化」之實。這一點，並不是我個人的推測，而是有文獻可徵的。鄧小平在一九七九年十一月二日在中共中央黨、政、軍機關副部長以上幹部會上的報告中說：

一九七五年我就想到過這個問題（按：指選拔年輕的幹部接班），那時候毛主席要我來主持中央工作，王洪文就跑到上海去跟人說，十年後再看。當時我跟李先念同志談過這個事情，十年後我們這些人變成什麼樣子了？從年齡來說，我們鬥不過他們呀！在座的同志也鬥不過他們。如果堅持「四人幫」思想體系的人將來掌權，你們也鬥不過他們，你們能活多久啊？即使生命還在，腦袋也不管用了，這是自然規律。

可見分析到最後，問題並不在於沒有年輕人接班，而在於將有什麼樣的「思想體系」的年輕人來接班。

現在經過了五、六年的部署，鄧小平終於在全國範圍內黨政上解決了第二、第三梯次的接班問題。我們都知道，中共的正式會議都是長期準備的結果，等到開會的時候，一切有爭論的問題早已成為過去。開會不過是完成一道合法化的手續而已。此次在北京召開的會議當然也不是例外。因此，我們不必重視這次會議的本身，而必須重視它所代表的歷史意義。

無論鄧小平這次關於接班人「知識化」的努力是否會產生他所預期的結果，它都不失為中共史上一次最基本而全面的改變。這當然不是說鄧小平和他的支持者已放棄了社會主義的想法，更不是說他們已放鬆了共產黨「一黨專政」的體制。這兩點他們都是要繼續「堅持」下去的。現在的問題是中共領導人包括鄧小平在內，對於什麼是「社會主義」已沒有明確而統一的概念。近幾年來，從鄉村到城市一連串的「經濟改革」來看，鄧小平的想法是首先要把中國大陸的經濟發展弄好再說。為了弄好經濟發展，中共便不能不對外向西方開放，對內修改以前的計畫體制。後者最主要的包括縮小價格管制的範圍和擴大市場調節的範圍。如果外面所傳屬實，陳雲代表保守的一派，即希望以五〇年代的計畫經濟為基本模式而略事調整，那麼鄧小平的眼光則望之遠遠超出這一套陳舊的格套而敢於邁向一個不甚可知的未來。他的現行政策，用最簡單的話來說，便是在經濟上逐漸作有限度的「放鬆」。由於經濟放鬆，其他方面的管制自然也不能不隨著有所開放。他對待知識分子的政策便是一個十分顯著的例證。以自由世界的標準來說，大陸的學術研究和一般思想言論的自由還相去甚遠。但以中共過去三十多年的歷史來看，大陸知識分子今天所享有的自由可以說是空前的，甚至是他們以前所不敢想像的。這一點是我個人近年來和大陸各種不同年齡和不同專業的知識分子廣泛接觸後所獲得的深刻印象。我的判斷也許不一定準確，但也不至於相差太遠。

總而言之，我認為鄧小平現在所推行的路線是他在體制內進行改革所能達到的最大限度。客觀而公平地說，這種眼光和氣魄在中共的最高領導階層之內，確是非常少見的。這次接班人「知識化」的部署所要保證的便是這一有限度的「開放」政策。

以上的話是專從鄧小平一派人的主觀願望和見地（vision）而言的。我這樣說，絕不表示中共已走上「民主」、「自由」的途徑，他們的最中心的關懷仍是怎樣繼續維持中共的一黨專政，使百孔千瘡的黨，在重重危機之下獲得新的生機。他們對真正的民主和自由是沒有任何興趣的。他們也沒有改變一貫對於「資產階級民主」那種輕視不屑的態度。但是鄧小平和他的支持者總算認清了一個事實，即除了「對外開放、對內搞活」以外，中共再沒有別的出路了。

主觀願望是一件事，客觀效果則又是一件事。中共過去五、六年來的農村改革是相當成功的，而最近一年多來的城市改革顯然困難重重，一直在「一放即亂」和「一亂即收」之間舉棋不定。關於這些實際情況，海外專家已說得很多，我個人不是大陸觀察家，對於這一方面的問題沒有發言的資格。研究歷史的不能預言，鄧小平的政策究竟將成功到何種程度？或失敗到何種程度？以及他一旦死後目前的政策究竟有沒有繼續下去的保證？對於這些重要的問題，我更是缺乏可靠的判斷的根據。以下我只想從中國歷史的觀點談一談中共這一「知識化」、「年輕化」的接班運動代表何種意義。

首先，我想指出，像這樣一個全國性的「年輕化」、「知識化」的接班運動在中國史上是前所未有的。但是，這並不表示中共這一方面有什麼「創新」；相反地，它恰好說明中共奪得政權以後的政治生活太不正常，比歷史上任何一個王朝都要不正常得多。中國自秦漢大一統的王朝建立以來，用人行政一直都有一套比較確定的制度。所以，王朝雖然不斷地更換，政治制度卻具有高度的連續性。這是研究中國政治史與制度史大不相同的地方。以入仕和退休的年齡而言，兩千年來大體上也有明白的規定，即所謂「四十強仕」和「七十致仕」。換句話說，四十歲已是作官的最適年齡，七十歲則必須退休了。中國傳統社會一向有尊老的習慣，因此，在政治負重大責任的人選，必要到四十、五十以上才有可能。除了王朝開創和大改革的時期之外，二、三十歲的人不容易登上最高領導層次。例外當然還是不少，最有名的故事是宋太宗想大用寇準而嫌他年紀「太少」（三十餘歲），據說後來寇準服了某種草藥，使得鬚髮變白才獲得「拜相」。這個故事一方面固然說明中國人社會不大信任至少看起來太年輕的人，另一方面也顯示有政治眼光的中國皇帝無不為年齡所限。中共雖是建立新王朝的集團，但由於他們的革命時期相當長，到掌權的時候都已在四、五十歲以上。這批老人之中，有的到了七十、八十以上仍然表示要效法諸葛亮「鞠躬盡瘁，死而後已」。這在中國傳統政治上叫作「戀棧」，是最被人看不起的。他們忘了諸葛亮死時才五十四歲，赤壁之戰時僅二十七歲。在中國史上從來沒有出現過像中共這樣一個全國性的「老人統治」的時代。

至於官吏的選拔任遷，中國自古以來便逐漸發展出一套相當客觀的標準和辦法，至秦漢統一政府成立則更趨完備。《史記》說韓信少時「家貧無行，不得推擇為吏」。這已可看出秦代選拔地方幹部有「推」與「擇」兩重手續，「推」是由地方上的人民薦舉，「擇」是由政府領導人作最後「選擇」。韓信家貧不能入選是因為當時仍用財產為標準之一。這大概是防止家貧的人處理地方財務發生舞弊問題或有虧欠時不能償補。以「家貲」為選人的標準當然是一種階級偏見，是不合理的。所以漢代董仲舒才提出公開的批評，並主張地方官薦舉賢才到中央為郎官，即學習政事，然後出而為地方官吏。這便是漢代郎吏制度的起源。「孝廉」、「秀才」從此成為用人的兩大重要的標準。「孝廉」是指操守好，「秀才」是指能力強。但是操守和能力都必須通過教育才能獲得。因此，董仲舒又有設立太學的建議。這些建議都為漢廷所接受，這便是中國史上「接班人知識化」的開始。但是，鄉舉里選，以及地方、中央領導人的任用仍難免有主觀成分，以致到了東漢便有左雄提出加以考試的辦法。隋唐以下的科舉已淵源於此。中間只有魏晉南北朝一段是一逆轉階段。九品官人法保障了一個特殊的門第階級。當時高門子弟仗家世背景，很年輕時便得到政府的高位，因而有所謂「上車不落，則著作，體中何如則秘書」的現象。但隋唐以後，特別宋以後，中國的科舉考試還是回到以「知識」的客觀標準來選拔幹部。

科舉的「知識」內容，在今天看來當然是太不行了。但內容可以隨時代而變更（例如清末科舉試題之中便有重視商人功用的）。這一套客觀而嚴格的考試方法還是非常高明的行政設計，西方近代的文官考試制度便受了中國的影響。這一點已由專門研究予以證實，絕非我的誇大。孫中山先生在五權構想中特別保留了「考試」一項，是很有道理的。這樣看來，中國行政制度很早便走上了「知識化」的正常途徑，韋伯（Max Weber）論近代官僚制度特別注意「正規化」（routinization），這在中國史上至少可說已有了一個相當好的開始。隋唐以下朝代儘管屢更，考試內容也隨時代而異，但這套制度的本身是一直延續了下來的。

以此為背景，反觀中共這次「知識化」的接班運動，我們不能不說它還未見有制度化、正規化的跡象，我們並不清楚中共這次選拔是怎樣進行的。外電中謂係有「獨立的意見調查」（independent polling）一項，其詳尚不得而知，我們甚至不知道它是否已達到了漢代「鄉舉里選」的水平。但有一點已十分明顯，即基層接班人中有很大一部分是「高幹子弟」。這些子弟過去在教育方面是享有特權的人，他們自然合乎「知識化」和「年輕化」的雙重標準。中共這樣做在目前也許是為事實所迫，不得不然。因此，我不想在這一方面過分加以責難。但問題在於這次全面性的接班運動顯然仍是「人治」的結果，不但與現代民主政治下的人事制度相隔有如天淵；而且，即使以中國傳統的標準來衡量也還有一大段距離。現在的選拔全靠當權的領導人的主觀去取，並未訂下任何正規化的客觀人事制度。難道三、四十年後第二、第三梯次的接班人又同樣照現在的辦法再來一次，以選拔他們的繼承人嗎？照中共現在的方式選拔接班人，很難不重蹈東漢選舉「取年少能報恩」的覆轍。而且，即使行之有效，最多也不過是魏晉的九品中正制，其結果是「上品無寒門，下品無勢族」。

我早已說過，中共社會只有兩個階級：有權階級和無權階級。所謂「無產階級專政」，不過是二十世紀的政治神話而已。漢高祖、明太祖初建王朝的時候，又何嘗不有一大批功臣是販夫屠狗之輩的「無產階級」？一、兩代傳下去，這些「無產階級」就順理成章地變成「豪門世族」了。中共三、四千萬的「有權階級」怎樣擴大他們的社會基礎，和九億多的「無產階級」之間取得「政通人和」的關係，這恐怕是今後一個最嚴重的課題。

總之，中共以「知識化」和「年輕化」的標準而進行的接班運動，在它自己這三十多年的統治歷史上，不能不算是一大「躍進」；但從中國史的觀點看，這一運動所能達到的制度水平尚停留在魏晉南北朝的階段，較隋唐以下尚為落後，若從現代民主政治的眼光來衡量，那就更如峨嵋之在天半了。

（原載《中國時報》，一九八五年九月二十五日至九月二十六日）

「星星之火，可以燎原！」

最近三個月來，從「九、一八」到「一二、九」，中國大陸上的學潮有如火如荼之勢。綜合外電的報導，我們大致可以看到：反對日本經濟侵略是其中最重要的一個導火線。但是更值得注意的則是由此而引申出來的一些口號，如反貪污腐化、反官僚制度、反賣國求榮、反通貨膨脹，以至反對因對外開放而來的經濟改革之類。此外他們還有關於「民主」和「自由」的正面要求。

中共是以搞學生運動起家的，面對著這種「為人剃頭者，人亦剃其頭」的局面，自然要使出渾身解數來應付。據說中共書記處書記兼國務院副總理李鵬是「應變」機構的主持人，國務院教育委員會曾通知全國各地大學當局，嚴密監視學生行動，防止他們在十二月八日舉行集會遊行。各大學校長、院長並於十二月七日通宵辦公，以期能緊急應變。十一月二十七日中共中央顧問委員會也召開了紀念「一二、九」運動五十週年座談會，與會者包括當年

「一二、九」的參加者和北京高等院校的一百多名學生。這一切防範和疏導工作似乎已發生了相當的效果。現在「一二、九」已過去了，我們並沒有聽到任何學生暴動的消息。

關於最近的大陸學潮，海外曾有種種不同的推測和報導。據本年十二月分在香港出版的《爭鳴》雜誌說：北京從九、一八到一二、九學潮的主要發動者是北大、清華兩校的研究生。他們大體都是九月間中共黨代會期間被迫下台的高幹的子弟。由於他們的父輩失去了權力和隨權力而來的種種「革命特權」，他們自然對鄧、胡的政制和對外開放政策極為不滿。《爭鳴》並提出了一個有力的「證據」。據說在大學生的「一二、九」行動指揮部所發出的「號召書」中，列舉了不少中共被日本商人欺騙的材料。

而這些材料顯然都是中共的高度「機密」的文件，絕非普通大學生所能獲見的。這一報導如屬確實，我們當然可信這次運動有中共內部派系鬥爭的背景。此外當然還有其他海外報章，特別強調中國大學生對民主的強烈要求。

我們身在海外的人對大陸學潮的實際情況不易知其詳。如果各憑主觀願望去妄加猜測則不是很妥當的辦法。發動學潮者的個人動機尤其不能僅憑一些零星的報導而任意斷定。我們唯一可靠的根據是學潮所提出的若干口號；因為這些口號已由不同來源的外電予以證實了。通過對這些口號的分析，我們可以大致把握住這次學潮的性質。

這次學潮的正面口號是反對日本的經濟侵略。我們相信這是中國學生發自內心的一種民族情感，因為日本經濟對世界各國（包括美國在內）都造成了很大的威脅，因此自然引起了各國人民的普遍不滿。第二次大戰以前日本用武力所未能實現的侵略目的，現在差不多都可以靠經濟的力量來獲得了。中國人對於日本的反感則較之其他國家的人民自然更為深刻。在日本軍國主義侵略的時代，中國是受害最深的國家。如果不是由於一八八四年以來的日本武力侵略，特別是一九三七至四五的全面侵華戰爭，今天中國的現代化必已具有相當的規模。往事姑且不論。日本政府一直到現在為止似乎仍無真正懺悔的心理。兩年前修改歷史教科書所激起的世界公憤，以及最近中曾根參拜「靖國神社」之舉，都表示日本執政者並不承認第二次大戰以前的軍國主義侵略政策是錯誤的。日本在可見的將來已不可能再發動侵略戰爭，但是它的經濟侵略則更是無孔不入，使人防不勝防。以近來中共官方人員對外國人的謙卑作風而言，日本商人在中國大陸上所受到的種種禮遇必然引起青年人的極端憤慨。不管發動學潮的人中有沒有其他不可告人的動機，我深信中國學生的反日情緒一定是出乎內心的和自發的。

根據西方記者的報導，「九、一八」那天北京學生在天安門的示威可能得到中共政府的批准和支持。如果這個說法可信，那麼中共領導人的可能動機有二：第一是由官方採取主動，則可以稍稍化解青年人的憤怒。第二是中共領導人也可能對日本政府有所不滿，正好藉學生示威向日本顯示一點顏色。這兩個動機當然是並行不悖的。由於一個偶然的機會，我最近曾從一位美國的日本專家那裡聽到了中曾根對鄧小平的看法。據說中曾根最佩服的是毛澤東，而最看不起的反而是鄧小平。他認為毛澤東還多少代表了某種風格和原則，而鄧小平則完全不成氣候。所以他私下談到鄧小平時，永遠稱之為「那個矮子」。這位日本專家和中曾根私交很深，他的話是十分可靠的。我初聞此說，頗覺意外。但後來想想，這正合乎中曾根那種軍國主義者「英雄崇拜」的心理（他的參拜「靖國神社」即出於這種心理）。中曾根的見解如何，另當別論。但是我相信他對鄧小平的鄙視多少會有所流露，而鄧小平本人也未必毫無所覺。如果我的推測不誤，則中共領導層在某種程度上也有反日的傾向。

總結地說，最近大陸的學潮至少可能有三層成分。第一層是「反日」，這是最表面而同時也是最普遍的一層。中共領導人、失權高幹的子弟，和所有學生都可以在「反日」的大前提下統一起來。第二層是利用「反日」的口號來反對鄧小平所推行的「對外開放」政策。這是失權高幹子弟的所特有的動機，而為中共領導階層所反對的。一般的學生對這一點是否同情則很難判斷，但很可能有些學生受到了影響。《紐約時報》七十四年十一月二十六日的報導說：中共的老幹部認為學生的愛國主義發生了「混亂」，因為他們應該支持而不是反對「對外開放」。這一說法恰好證實了以上的分析。

第三層則是學生們藉「反日」的題目表示對中共一黨專政的懷疑和不滿。他們不但在消極方面反對中共的官僚體系，而且在積極方面要求「民主」和「自由」。在這一層面上，學生們和中共是完全處於對立的地位。在整個學潮的發展，中共似乎對這一點最為忌憚。十一月二十日中共的公安人員在天安門前以擴音器命令數百名學生解散，其故或即在此。這和九月十八日警務人員在示威之前代學生清理天安門場地，以及在示威進行時從旁維持秩序，恰形成明顯的對照。中共高級幹部在疏導學生時特別強調「堅定地跟著共產黨走」和「應當堅持社會主義方向、社會主義民主」，這種提法正反映學生對中共和它的「社會主義」已缺乏充足的信心。

我們雖然可以在這次學潮的後面隱約地察覺到各種層次不同的可能動機，但整個地看，這次學潮似乎確是自動自發的表現了這一代知識青年對大陸現狀的普遍不滿。儘管中共內部的各種人（如中共領導層和失權高幹）都企圖把學潮引導至於己有利的方向，這種政治操縱的成就畢竟是有限的。只要青年人不滿的現實根源存在一天，學潮便不會完全息止。這次「反日」的風潮暫時已告一段落，但長遠地看，這恐怕正是新的學生運動的開始，而不是終結。

我們稱這次學潮為「新的學生運動」是有理由的。因為，它在性質上和打倒「四人幫」以後的「大字報」、「民主牆」的運動不同。那時的許多「運動」雖也有自發的成分，但更重要的則是鄧小平等要利用青年的聲音來達到黨內奪權的目的。而且當時大陸上的大學生活尚未恢復正常，在「民主牆」上貼大字報的群眾並非以學生為主體。現在是大學制度基本上已正規化，學生們也早已在安心讀書了。現在他們在讀書之餘，忽然對國家大事表現出這樣熱烈的關懷，其意義是極為不尋常的。中共領導人這次一再引「文革」的動亂為戒，其實是牛頭不對馬嘴的。我們完全看不出這次學潮是「文革」之風的延續。相反地，以中共統治大陸三十多年的歷史來說，這次學潮倒是和一九五七年「鳴放」時代的學生運動較為近似。那一時期的學生運動也是對中共的一黨專政表示不滿。再追溯上去，我們便要想到「五四運動」，甚至中國傳統上的學生干政了。

學生運動在整個西方是相當遲的現象。西方學者最早只能把它的起源上溯至十九世紀末期俄國知識階層（intelligentsia）「到民間去」的運動。這是因為大規模的「大學」在西方是一個所謂「現代的現象」。但中國的大學（太學）在西漢末期已發展到萬人左右，在東漢中晚期則多至三萬餘人。所以西漢哀帝時已有博士弟員王咸等千餘人「伏闕上書」，東漢太學生附范滂者在萬人以上，卒成所謂「黨錮」之禍。以大規模的學生運動而言，中國比世界各國都要領先至一、兩千年以上。而且學生運動早已在中國形成一個源遠流長的傳統。每當社會腐化或國家危亡之際，學生運動便應時而起。北宋末年金人兵臨汴梁城下，遂有太學生陳東等所領導的壯烈的救國運動。其中有一次聲勢最大，軍民參加者在數萬人以上，終於造成慘案，領袖陳東也因此被殺。此後終南宋一代，太學生運動仍不絕如縷。

這一傳統在中國近代更獲得發揚光大。民國八年北京大學學生因反對《凡爾賽條約》所激起的「五四」運動便是一個最顯著的例證。據當時學生領袖傅斯年的回憶，「五四」運動完全是自動自發的，並無任何人在後面操縱或利用。這和宋代陳東等人的太學生愛國風潮是一脈相承的。從一切跡象來看，今天大陸上的新學運又回到了北宋、「五四」的大傳統之內了。但北宋之末的學潮有「軍民」的支持，「五四」更有全國各大城市市民的普遍熱烈響應，因此才能取得顯著的社會效果。今後中國大陸的學運究竟能否有成就，則要看學生們能否獲得廣大人民的積極支持了。但是中共的權力結構和嚴密組織遠非北宋和北洋軍閥的統治可比，「五四」運動的再來似乎是不大可能的幻想。

三〇年代學生的抗日運動確曾發生了推動歷史的作用。當時抗日青年的愛國情感也無疑是發自內心的。那麼今天的大陸學潮會不會也發展成三〇年代的狀態呢？以我個人的判斷，這是無法相提並論的兩件事。我們必須記住，三〇年代的學潮雖然是自發的，但運動的方向則一直是由中共在暗中操縱的。在「一二、九」紀念會上，中共已經公開承認，「一二、九」是由中共地下組織所一手導演的傑作。中共靠操縱民族主義起家，他們善於利用青年人的愛國情緒以為自身謀政治出路。所以「一二、九」和「五四」雖然同是愛國運動，二者的政治背景已大不相同。

然而這又不等於說中共今後仍能靠權謀手段使學潮完全消於無形。今天中國大陸學生的普遍要求是「民主」和「自由」，在這一基本要求得不到最低限度的滿足以前，學潮是永遠不會息止的。我們早已說過，中共近幾年來的採取了一種「經濟開放、政治收緊」的矛盾政策，這是邏輯上不可能而實際上辦不到的事。經濟和科技的「現代化」勢必導出政治現代化的要求——即是民主。中共過去在未當權以前可以用語言魔術來混亂青年人的民主觀念，例如利用「民主專政」、「人民民主」之類的口號，並醜化真正的「民主」為資產階級的「假民主」。但是今天的中國青年人已不再這樣容易受騙了。我們不相信中共領導階層所大聲疾呼的「社會主義民主」可以對他們發生眩惑的作用。中共如果真正想化解學潮，現在只有一條路可走，即隨著經濟自由化而逐漸走向政治自由化。要求中國大陸一步跳到民主的階段是不現實的。但中共可以從一黨專政轉向「開明專制」，再由「開明專制」轉向民主憲政。這是西方民主演進史的一條正軌。唯有如此中共才有可能把今後學潮的破壞力量轉化為建設力量。在這個問題上，一切政治權謀是無所施其技的。

據外電報導，北大和河北大學的當局都在用改善學生伙食的方法來安撫學生。這是南宋賈似道「加太學餐錢」的故技，是非常幼稚而可笑的。學生們要求民主、自由的精神絕不是這點小恩小惠所能消滅掉的。中共也許可以在短期內對學潮有某種程度的控制能力，但從長遠的發展來看，除了徹底的改弦易轍、逐步走向政治自由、思想自由的道路以外，新的學生運動是不會中斷的，但這一切又都繫於中共的經濟改革是否有實質的成就。一旦改革失敗，保守派重新抬頭，則整個大陸將是另一歷史階段的開始。到了那時學生運動便不免要演成「星星之火，可以燎原」之勢了。

（原載《中國時報》，一九八六年一月一日）

對國民黨三中全會的期待

國民黨的三中全會即將在本月底召開。這是一個萬方矚目的會議，近幾個月來已不斷有人在報刊上加以推測和討論了。我們現在當然還不知道這次會議究竟將獲得什麼具體的結果，但僅僅從海內外的一般人的期待而言，顯見這次會議是具有特殊意義的。

自一九四九年國府播遷台灣以後，國民黨確已發生了不少改變。這些改變，就整個方向來說，是表現了一種進步。如果在一九四九年以前的國民黨能夠像它在台灣時代一樣，我敢斷言整個大陸的形勢是不會倉皇地逆轉的。這三十多年來台灣社會的安定和經濟的繁榮，主要雖然是台灣人民自身的努力所致，但是我們也不能不承認國民黨的領導是有貢獻的：它為台灣的地區提供了一個穩定的秩序，也為台灣的發展提供了一個健康的方向，我們必須首先肯定這一點，才能公平地評估國民黨的歷史的成就和未來的任務。

國民黨的執政時期是相當悠久的。從民國十六年北伐算起，已快要六十年了；僅以台灣一地而言，則從抗戰勝利開始到今天也已有四十年之久。在這樣長期執政過程中，社會上有一部分人士對它有所不滿自是情理之中的事。即專以台灣時代而言，我們先後已看到了各種不同的批評。這些批評有許多是理性的、健康的，也有一些不免流於情緒化。但無論批評本身的價值如何，對於執政的國民黨而言，都是有益的。我說國民黨在台灣有了實質的進步，主要即是指它比較能注意並且重視社會人士對它的批評，一個長期執政黨如果不受在野黨和社會輿論的監督和批評，無論其原來性質如何，都不可避免地會在不知不覺之間走上專斷自是的途徑。何況依照孫中山先生的原始設計，國民黨基本上是和西方民主憲政式的政黨是屬於同一類型的。

依照以往的習慣，國民黨在召開中央全會之前，基本問題和未來計畫大致都已醞釀並討論成熟，開會期間不過是在形式上完成合法手續而已。因此在開會前夕對國民黨再有任何建言，已經為時過遲。我個人本來不想對這次三中全會說任何話，但由於《民眾日報》的好意，堅邀發言，不忍過拂雅意，姑且妄說幾句話。但我的話不屬於建言的範圍。我想說的只是一點意思，即為什麼海內外中國人對這次會有這樣高的期待。

我覺得今天國民黨又面臨到中國歷史發展的一個重要轉捩點。這是由於大陸上中共近幾年來的大變化所引起來的。從一九四九起的三十年間，中共一直是採取了對外面世界關門的政策。因此中華民國在國際社會上的一切發展從未受到過嚴重的干擾。在以往閉關時代，中共口頭上，雖然常針對台灣大放厥詞，但事實上它無力也無興趣對台灣進行「統戰」或顛覆活動。今天情形不同，它的力量固然仍不足以威脅台灣，可是中共確是用盡一切心機想吞沒台灣；威脅和利誘，無所不用其極。

在中共採取積極攻勢的情況之下，國民黨絕不能再憑以前三十年在台灣的經驗，專以「見怪不怪」、「視若無睹」的方式來應付海峽對岸的敵人了。面對中共今天的新的挑戰，只有積極地、主動地去尋求新的方向才能脫出困境，並創造新的契機。所以，今天的國民黨的歷史處境，是一個要求它開創新局面的關頭，用傳統的觀點說，即是「創業」而不是「守成」。海內外各方之所以特別重視這次三中全會，其主要原因便在這裡。

所謂「創業」而不「守成」，並不是說不重視以往三十多年來國民黨在台灣建設方面所取得的重大成績，而是說，不能以此為滿足，必須在既有成就的基礎之上更求自我超越。今天國民黨所面臨的國內外情勢是十分複雜的。如果隨事應付，則每一件事討論起來都可以無窮無盡，並且不容易得到確定的結論。因此關鍵在於必須制定一套行動的綱領，有了一套合乎新的實際的綱領，然後才能「得其環中，以應無窮」。我們所期待於三中全會者，首先即在於能看到一套新綱領的出現。

我們局外人自然無法，而且也不必要去妄測三中全會的新綱領究將具有什麼內容。就大處著眼，國民黨今天最需要的是盡量吸收並容納國內各階層人民的意見，使它的政綱基本上能代表大多數人的願望。另一方面，對於距離過遠的少數意見也必須設法取得溝通，縱使不能接受，也仍然要有深度的了解和大度的容忍。「舉國一致」只是政治神話，事實上是不可能的，但多數的支持則是民主政治的必需而又充足的條件。能夠做到這一點，國民黨的領導便已建立在堅固的基礎之上，有了這個基礎，國民黨在應付一切外在困難時（包括中共的挑戰）便可以毫無內顧之憂。「內」重於「外」，這是當前形勢對國民黨的根本要求。

像日本、新加坡等國家一樣，國民黨在中華民國所在地的台灣是「一黨獨大」的局面。這個局面是歷史上自然形成的，批評國民黨的人也不必過分在這一點上力加渲染。將來民主憲政逐漸發展，兩黨或多黨的情況仍然是可以出現的。但是這種新局面的產生需要時間與和平安定的環境。一切勉強追求這種形式的努力則只會帶來動盪和混亂，這是今天的台灣所萬萬禁不起的。從國民黨一方面說，由於它是一黨獨大，因此必須超越黨的觀點；即必須從全社會、全民族的整體方面去考慮一切問題，而不應唯一黨的利害是從。

但是就國民黨以外持不同見解的人士而言，他們也同樣應該從「大公」的觀點出發。在合法範圍內監督、批評國民黨是他們目前的主要任務；其次則是在各層次和國民黨展開和平競選。中國政治之所以沒有完全走上憲政的軌道，其中一個最重要原因即是中國人還沒有養成在法律程序內與異己者競爭的習慣。台灣最近十幾年來在這一方面已有很大的進步，真正關心中國民主政治前途的人必須珍惜現在已累積起來的一點民主經驗，然後再求逐步擴張這一經驗。

有兩條路是絕對走不得的：第一是所謂「台灣獨立」，尤其在這一「獨立」之中加上狹隘的地方觀念。任何這一類的活動都會招致極大的災難。中共正在等待著這一可能的機會。第二是在中共的「馬列主義」堅持之下進行「統一」的活動，這更會使台灣人民陷於萬劫不復之境。大陸和台灣最後是會統一的，但必須待大陸社會的性格基本上改變了之後。這一點在六、七年前幾乎不可想像，但今天看來則未嘗不可能出現。所以在台灣的中國人，尤其是執政的國民黨，應該注意怎樣才能促成大陸政權和社會的轉向，而不是把一切希望寄託在大陸愈來愈糟的假定之上。這一點，我也希望三中全會的決議會表現出明智的抉擇。

（原載《民眾日報》，一九八六年三月二十五日）

民主政治正常化邁開了一大步

執政黨和黨外人士在前天進行了一場成功的團體溝通。這次溝通，確立了尊重憲法、依據憲法繼續推動民主的原則，不僅緩和了政治對立與緊張的情勢，也為台灣民主憲政的實踐跨出了重要的一步。

民主的過程是緩慢而艱辛的。成功的政治團體間的溝通，僅僅是民主進程中的一環，展望未來，積極待為者仍多。就執政黨而言，對於黨外人士結社和組織政黨的行動，應當依循憲法，逐漸放鬆管制。就黨外公政會而言，則應以理性替代情緒語言來從事政治活動。雙方果能以自律自許，以容忍異議為重，那麼，借用理性將我國的政治體系一步步導向民主憲政的境界，當是可以預期的。

民主政治的實施，有其主觀和客觀的條件。台灣的社會的發展迄今，經濟富庶，國民所得分配平均，教育普及，中產階級興起，實施民主政治的客觀條件可說是已然具備。不過，這些客觀條件只是成功民主政治的必要條件，而不是充分條件，民主政治的成功，還需要若干主觀條件的配合。這些主觀條件，牽涉到民主觀念、心理、人格的有無，亦是民主生活方式的問題。從中國歷史傳統來看，現代中國民主的建立，最關緊要的問題莫過於法治不彰和權威的錯置。

民主和法治須臾不可分，離開了法律，民主政治就將墮落為暴民政治。中國法律的傳統不及西方深厚，人們習常以人情論事，不以法律斷事，守法的習慣也還沒有建立起來。這對民主政治的施行，是極為不利的，必須要透過實踐力行逐漸培養社會大眾及政治人物崇法、守法的習慣。

其次，關於權威，也是一個重要問題，任何一個社會必須有權威（authority），無權威則社會秩序不存，混亂併生，社會就將墮落為無政府狀態。權威與權威心態（authoritarian attitude）不同，在民主政治裡，前者是在人人平等的前提下所樹立的一套行為規範，在這套規範下，真實的政治權威是建立在理性的基礎上，它必須是合法的、正當的、不被濫用的。至於權威心態，則是非理性的，它一方面會形成不容異己的專斷，一方面形成唯唯諾諾的佞倖。顯然地，權威心態是與民主不相容的。

進一步論，民主的權威不是源於個人，而是源於一定的職位以及職位所被賦予的權責。在中國傳統裡，我們常混淆了個人的權威和職位的權威，在政治上則造成了家長式的政治權威。就台灣民主政治的發展而言，家長式政治權威一日不減弱，權威心態不但會發生在執政黨中，也會發生在黨外人士的陣營裡，這對雙方的繼續溝通、協調，自然是不利的。

前面提及，權威是秩序的泉源。由於理性的權威是法律規約下的結果，因此，權威與自由是不衝突的。民主社會靠權威維繫秩序，卻不濫用權威限制自由。民主的自由是有一定的界限的。這種自由必須是以不妨礙他人或團體的自由為標竿，必須是以不違背社會整體利益為範限。法律所規約的自由既能獲致，法律的尊嚴亦可樹立，基於職位權責的權威自然也就可以成形。擁有這些主觀條件，民主政治才能達成，民主的生活才可期的。

民主是現今人類世界裡，比較合理、比較理想的一種政治生活方式。也是中華民國政治發展唯一可求的境界。理性民主的生活，有賴民主人格的養成，而民主人格的養成，就必經祛除權威心態，培養容忍異議，和而不同的政治態度。另一方面，法治觀念和合理權威的建立，也是非常重要的課題。

準此而觀，此次執政黨和黨外人士的團體溝通，對新的、和諧的、合理的團體政治生活與秩序之建立，是有所助益的，民主政治秩序與生活的獲致，需要有一套監督批判的社會標準，無庸說，這套標準的運作，必須是合理公平的。

在民主政治裡，無論執政黨或在野黨，都有可能透過選舉的途徑取得執政的機會。這些政治團體對於民主政治與秩序的建立，同樣負有責任，因此政治競技場之外的社會勢力，不能因在野黨派尚未執政而特別予以同情寬貸，也不能因執政黨的執政而特別予以苛求嚴責。如果，我們期望合理政治生活出現，一般社會中間勢力——大眾傳播媒體，教育團體，知識分子——就必須善盡監督批判的責任，特別是要督促從事政治活動的人士和團體，不論其為在朝或在野，促使他們擺脫情緒的、非理性的、狹隘的觀念。庶幾執政政黨和尚未形成政黨的政治競爭者，都能養成民主人格，過理性的民主生活。畢竟，沒有民主修養，不足以造就好的政治家。沒有民主修養的從政者，只是貪得無厭的權力追逐者。

政治不是你輸我贏的問題，民主政治尤其如此，民主政治最終的關切還在於透過選舉，使人類的政治生活更上軌道，不使貪贓枉法，以私害公的行為，見容於社會裡。

台灣民主政治的最大成就在於選舉的持續舉行，選舉已成為台灣政治生活裡不可或缺的。然而，有選舉，猶有不足，過去台灣的選舉，基本上是一個政黨與許多個人的競爭，在這種情勢下，大家同情黨外人士，不忍苛責他們的行為，是可以理解的，從今天起，政治競爭的形態走上了團體競爭的正軌，參與政治競賽的團體與個人，就必須共同遵循一定的規範。這個競賽規範，形諸於種種法律，而其原則只有一個：民主競爭的目標就是公益，公益之外的私利和隱私都不應成為政治競賽的標的物。

執政黨與黨外團體溝通的初步成功，我個人的感覺是喜悅和欣慰的。然而，喜悅之外，對台灣民主政治的前途，仍不能不有幾分憂慮。憂慮的來源無他，即是隱隱約約存在於台灣政治環境裡的地域觀念。

衷心擁戴民主的人士都了解，真正的民主是不能夾纏任何歧視的，儘管，省籍和地域觀念在台灣已不成為一個社會性問題，但是，在歷次選舉中，我們仍然可以看到省籍偏見或明或暗地作為政治訴求的對象，這種偏狹的地域觀念，最易造成分裂，導致政治衝突，斷非遵守憲法之道。

人類的政治歷史顯示，凡是以地域省籍為號召的政治競爭，必然導致理性的喪失，走上流血的悲劇。就台灣的處境而言，狹隘省籍意識的突顯，或是盲目走上台灣獨立的道路，不僅會造成內部的紛亂，更會招致共黨的侵襲。今天，中共沒有進犯台灣，最最重要的還在於台灣內部政治穩定，也未曾有脫離中國的企圖，使得中共無用武犯台的藉口。這點，海內外通達明理之士，自然是能默察於心的。

現在，執政黨已以開放的胸襟應允黨外公政會成立分會，承諾台灣的民主政治可有更大的成長空間，顯示執政黨並未將黨外人士的行為視為奪權的行動，相對於執政黨，公政會自當不以地域觀念自囿，不以多數壓服少數為鵠的。更重要的是，我們不能也不應把地域省籍和個別的政黨等同觀之，因為，在民主政治裡，以地域觀念自限的團體不足以稱之為政黨，政黨所追求的是整體社會的共同利益，而非小團體的利益；而民主的開展，也絕不是兩個地區族群的衝突。

台灣民主政治的發展，必須要袪除省籍地域觀念的陰影，必須讓各個政治團體深切了解生活在台灣一千九百萬中國人的共同利益，從而在共通利益下，透過種種民主的程序，協調不同的意見，形成政策。為了最大多數人的最大利益和快樂，執政黨也罷，在野黨派也罷，都不能將自我團體的存在看成比台灣自由社會的存在還要重要！

執政黨和黨外的成功溝通，開啟了台灣民主政治正常化的第一步，這第一步，在中國民主政治的發展歷程上，無疑的，是值得大大欣喜和驕傲的。然而，為中國最終民主成果計，為中國人民最終幸福謀，我們還有許多步伐要邁出，有更多的挑戰和考驗要去肩負。含淚撒種的，必將歡呼收割，中國民主憲政的發展在已臻成熟的社會經濟條件中，在政治智慧和理性的導引下，必將結成纍纍的果實。這點，是我個人始終深信不疑的。

（原載《中國時報》，一九八六年五月十二日）

消融歧見，相忍謀國

這兩個星期之內，台灣當局做了兩件大事，獲得海內外輿論界的一致喝采。第一是華航和中共的「中國民航」進行談判，使華航貨機問題得以圓滿解決。第二件大事是國民黨與無黨籍人士組成的公政會，進行了有效的溝通，並在原則上同意公政會在各地成立分會。

這兩件事都說明了政府和執政黨的領導人有膽有識，一變以往消極逃避的態度為積極進取的態度。台灣當局不但已擺脫了恐共症的陰影，而且更表現出對全面推行憲政民主的決心和誠意。這無疑是國民黨在政治上旋乾轉坤以開闢新局的大手筆。我深信這兩件事將來在中國歷史上都會獲得極高的評價。

從歷史上看，現實政治永遠是一個不斷衝突、不斷妥協的過程，而不是任何一方面得以完全從心所欲的實現其理想，這是由政治的本質所決定的。孫中山先生說，政治是管理眾人之事，這是一個非常有智慧的定義。但是沒有一個社會的「眾人」是利害完全一致的。社會上永遠有不同的階層和團體，彼此之間的利益自不免有衝突。因此，對如何管理眾人之事，大家卻不可能取得意見上的完全一致，而且也沒有任何一個黨派的政治綱領，可以滿足全民的一切願望。英美的民主傳統，是建立在最大多數人的最大幸福上面，這是比較合乎現實的，然而也不是沒有困難：因為我們並無最可靠的方法發現最可靠的政治綱領，符合最大多數人的最大幸福。民主選舉是唯一的有效方式，但仍然不能免於有集體犯錯的可能。不過由於民主選舉的錯誤，是人民自己投票決定的，其後果只有自己承擔起來，等待下次選舉時再改正，而不能怨怪別人。所以到今天為止，民主仍然是解決政治問題的不二法門。民主必須預設各種政治團體彼此妥協，而絕不能容許任何一方的一意孤行。西方民主政治固是如此，中國的傳統政治亦非例外。中國政治制度史上，一向有所謂「廷議」（秦、漢、唐三代尤然），九卿會議（明清），大明會典的禮部項下且設有「會議」的專條，這些會議便是要徵求不同的意見，然後取得一種協調。在中國傳統中，民間的意見也不是完全沒有上達的機會。漢代的三老，明清的鄉紳等，多少都代表各地方的利益，向政府說話。只有在近代極權體系中，我們才看到一種神話，認為某一黨派（如納粹或共產黨）可以獨佔「人民意志」，對於一切反對者，則一概視為「異己分子」或「階級敵人」，而用暴力加以撲滅。近三十多年來，中國大陸上的最大悲劇，便是在這一錯誤信仰下演出的。這一慘痛的教訓，是值得我們關心中國前途的人深思的。

但社會上既然永遠有衝突，為什麼又不能不妥協呢？這是因為利害不盡相同的階層或團體，同時又必須共存。每一個社會總可以找到一些求其共存的共同根據，以中華民國而言，我們至少可以想到有兩個共存的共同根據：第一是社會安全，第二是社會開放。這兩者互為因果，難分軒輊。台灣失去安定，則無以存在，這個道理應該是稍有理性的人都看得見的，不必多說。但安定並不是一灘死水式的不動，而必須是動態的，是隨時隨地在動態中取得一種平衡。只有這種動態的安定，才能保障一種持之永遠的社會秩序，這就必須要求台灣的社會有開放的性格。現在國民黨努力邁向民主憲政的正軌，而無黨籍人士也願循憲法途徑爭取民主的自由，就實在是一個最令人鼓舞的新發展。也是中國前途「貞下啟元」的重要關鍵，我希望雙方都珍惜這個百年難得一遇的機緣，不要因為一點小問題，而使此一發展陷於僵局。

以我這幾十年來在海外冷眼旁觀之所見，我始終深信，所謂「台灣問題」，只是中國問題的一部分。「台灣問題」只能相對的獨立於「中國問題」之外，但絕不可能離開整個的「中國問題」，而獲得單獨的解決。我所謂「中國」，不單是一個單純的政治或地理名詞，而是指一個廣大的文化世界，即中國世界。這個意義的「中國」，包括中國大陸，也包括台灣、香港，及海外的華人社會。毫無疑問地，在這一個中國的文化世界中，只有在中國大陸的社會開始朝理性的方向轉變時，整個中國的問題，才有獲得徹底解決的希望。我們不能想像，在海峽對岸的政權，仍然堅持「四個堅持」，並不放棄「以武力統一台灣」的情形下，台灣一地竟能通過某種政治魔術，而單獨變成一個充滿自足的天堂。從此再也不受外敵的威脅。所以根據我的判斷，凡是想利用地方情結，公開或暗地以「台灣獨立」為號召的政治活動，都足以使台灣人民陷於萬劫不復之境。個人的政治野心是一回事，但任何有品格的政治家都不應該以犧牲人民的政治利益，為實現個人野心的代價。

但是另一方面，政府和執政黨，也必須認真的考慮到目前的中華民國，事實上只限於台灣一地。從明末以來遷置台灣的中國人，遠比抗戰勝利後遷居台灣的中國人為多，這些早期中國移民後裔的利益，必須依照比例受到更多的照顧，所以有步驟的全面實行民主憲政，是中華民國唯一的政治出路。

中國大陸今天正在醞釀著變化，其結局一時尚看不清楚，但至少從完全橫蠻無理的絕境中邁出了第一步，中華民國有責任積極的促進大陸社會的合理轉化。

因此之故，台灣必不能降低為一個地方性的政權。中華民國在台灣維持中央體制，是絕對必要的，也是符合所有在台灣的中國人的利益的。唯有具此身分，台灣才能在促進中國大陸的現代化方面，發揮積極的影響力。但是政治又必須妥協，政府和執政黨同時也要盡一切努力，爭取大多數在台灣的中國人的認同，對於無黨籍人士，政府和執政黨應以最大的誠意，予以容忍，也就是在憲政軌道內，和他們進行公開而自由的競爭。

在無黨籍人士的一方，我尤其盼望他們能擺脫一切地方主義的狹隘觀點，承認自己是在台灣的中國人。他們應該有更廣大的胸襟和氣魄，不必把民主化運動的推行，侷限於台灣一地，還有責任把民主自由的制度推廣到整個中國。

執政黨和無黨籍人士，應該互相承認對方的合法性，以理性和容忍謀取彼此的了解，並消融歧見，相忍謀國，這不但是台灣之前途所繫，也是整個中國走向新起點的關鍵。

（原載《聯合報》，一九八六年五月二十六日）

和衷共濟，建立新秩序

聽到蔣經國總統逝世的消息，使我無限震驚和傷悼。這十幾年中，蔣總統排除萬難，把中華民國引導上民主憲政的方向。他的領導，一方面表現了堅定不移的開放原則，另一方面，則又是穩健溫和的步驟，特別是最近兩年，他斷然地廢除了戒嚴令，解除了黨禁、報禁，把國民黨變成了一個正常憲政體制下的民主政黨。這是開創性的永恆功勳，同時，他又以最嚴正的態度堅持中國最後必須統一，不容任何形式的分裂。這更是對中國文化和民族最偉大的貢獻，僅憑這兩大成就，經國先生已足以成為中國史上不朽人物。

就中華民國而言，蔣經國先生的離去，真太不是時機了，自由中國正需要他的堅強領導，民主改革才剛剛開頭，中國的統一還沒有真正起步，國家遽失重心，真不能不使一切關心中國前途的人，無限哀痛，無限焦慮。

我們現在只有寄望於朝野上下，撇開一切偏見和私利，和衷共濟，以度過這個階段。李登輝總統的穩重，俞國華院長的謹慎，加上政府和國民黨各方面領袖的才智，應該可以使政府繼續蔣總統的領導遺規，而不至於出現混亂。台灣的社會現在已達到相當成熟的境地，只要大家不慌亂，在短期內一定可以建立新的秩序。

（原載《聯合報》，一九八八年一月十四日）

吾見其進，未見其止
——經國先生的現實與理想

蔣經國總統逝世已一星期了。這一週來，我在東南亞和美國的英文報章上讀到了無數報導和評論的文字，其基調都是讚揚經國先生的政績的。最近的一篇是《紐約時報》昨天（一月十八日）的社論，題目是〈在遺產上建設台灣〉。這當然是指經國先生所留下的寶貴遺產了。

國際上對經國先生的讚揚尤其集中在他晚年的兩大突破性的成就上：第一是全力推動民主改革，第二是開放大陸探親的政策。這和國內的輿論大體上是一致的，尤可見公道自在人心。見諸報章的頌詞還多少帶有官式的或禮貌性的意味，遠不及人民私下對他的哀悼更能說明經國先生的非凡成就。一月十五日上午，我在新加坡隨同友人到中華民國商務代辦處的禮堂向經國先生致敬，在那裡遇到了一些別的祭客。其中有兩位年輕的女士，也許是從台灣來的，自始至終飲泣不已。她們的雙目紅腫，顯然是一路哭泣而來的，這完全是發自內心的哀痛，我們看了都十分感動。「遺愛在民」這句傳統的套語突然浮現在我的腦際，並且變得親切生動起來了。

《中央日報》最近幾天推出「追思與前瞻」系列的紀念專欄，要我參加一份。我雖然已在別處寫過幾篇悼念文字，但深感編者邀約的誠意，仍勉力再成此篇，以申未盡之意。在這篇短文中，我將收拾起情感，而盡量以客觀平靜的筆觸回顧經國先生的業績，展望中華民國的前景。這是因為經國先生既成為歷史人物，浮詞頌揚對他已無所增益，只有實事求是的分析才能使我們懂得他為什麼最後成為一位「遺愛在民」的領袖，更重要的，我們怎樣去理解他的遺志並促其實現。

回顧經國先生在近四十年來所踏過的足跡，我們清楚地看到他的一生是不斷自我超越、不斷進步的一生。

遠在大陸的時代，經國先生已經在政治上初顯才能。抗戰初期「新贛南」的建設和民國三十七年在上海經濟管制區的霹靂手段，在當時都是大家耳熟能詳的。但是經國先生擔任全國性的領導工作，成為老總統的一位重要助手，則是民國三十八年政府遷台以後的事。在遷台後的最初十幾年中，經國先生的工作偏重在黨務方面。當時老總統總攬全局，而以陳辭修先生為輔弼；「耕者有其田」的政策和財經事務的獨立決策，都是在這個時期實行的，為此後的經濟發展奠定了基礎。但從民國五〇年代末期開始，經國先生便逐步挑起了承先啟後的全國重任。民國六十一年接任行政院長的時候，他已是一位十分成熟而有遠見的政治領袖了。最近二十年中，經濟奇蹟和政治奇蹟在台灣相繼出現，是和他的領導絕對分不開的。

毫無可疑，他的領導曾為中華民國的經濟成功提供了最重要的主觀條件。但在這一方面，他多少還上有所承。而晚年的民主改革則完全是他個人自出手眼的創舉，也是民國史上值得特筆大書的頭等大事。我們特別可以從這件事上看到他自我超越、不斷進步的高尚品質。

經國先生一生在政治思想上有過兩次重大的自我超越。第一次超越發生在早年。他從十六歲到二十八歲這段期間是在蘇聯度過的，共產主義的「理想」當然對他有重大的影響。但他在蘇聯的經歷同時也使他體驗到共產黨組織的殘酷和黑暗。因此他在民國二十六年回國時已從共產主義轉向三民主義，特別是民族主義的立場。他曾告訴我們一個故事：他在民國三十五年到莫斯科與史達林會談時，注意到史達林辦公室中所懸掛的已不是列寧而是彼得大帝的畫像了。這個故事不但說明了史達林的轉變，同時也顯示了經國先生自己的思想變化，他能如此觀察入微，便透露出他的民族意識的深厚。

他的第二次自我超越則發生在晚年，即全心全力推動民主改革。這次轉變始於何時，恐怕要等到將來史料齊備之後才能完全確定。但是我深信這絕不是最後兩、三年內的事，最遲在民國六十七年始任總統之日，他似已下定決心要在他的任內完成民主憲政的部署了。我現在必須很嚴肅地指出，經國先生這一轉變在他個人的生命史上尤其是最有光彩的一頁，比第一次的自我超越更為難能而可貴。

經國先生在中年以前很少有機會深入西方民主思想的主流。在大陸時代，以「民主」、「自由」、「人權」等口號為號召的知識分子，最後又大批地為中共的「統戰」所眩惑，變成了中共的「同路人」。其中尤以抗戰後期的「民主同盟」分子為然。這些年來，從當時中共地下黨員所寫的回憶錄中，我們已清楚地看到：中共的確早已滲透了「民主同盟」的組織。由於這一沉痛的經驗，國民黨遷台以後，對於提倡「民主」、「自由」的知識分子最初是抱著高度的警惕的。這一疑忌的心理是可以理解的，儘管真正信仰民主、自由的人其實必然也是反共最為堅決的人。經國先生在遷台初期大概也不免和其他國民黨人懷著同樣的疑懼。

但是在最後十幾年中，經國先生終於完全超越了以往經驗所加給他的限制，他認清了民主政治的真實價值，也抓住了中山先生民權主義的精義所在。他毅然解除戒嚴令，便說明了他決心要讓一般人民和反對黨派都能在正常的民主秩序下享有集會、言論、出版各種自由。經國先生這一轉變，大有石破天驚的氣概，然而並不是沒有來由的。他是一位名符其實的「親民」領袖，一生喜歡和老百姓交往。他真正懂得老百姓的要求，而且他自己也早已成為一個道道地地的老百姓了。民主並不是什麼神奇高妙的東西，而正是從老百姓的日常生活要求上發展出來的。真正能為尋常百姓的痛苦和幸福著想，而不是把他們當作滿足自己野心的工具，這樣的人，無論是中國傳統時代的所謂「清官」，還是現代的政治領袖，都是不難和民主認同的，更不會覺得民主是可怕的。所以推源溯始，經國先生最後對民主的堅定信仰，主要是來自具體的生活實踐，而不是抽象的理論。他是一位和易近人的人，無論對高級知識分子或一般老百姓都是如此。但終其一生，他無疑和一般老百姓更能相處得水乳交融。

作為一個政治家，他的精神境界始終在不斷地升進之中，這真可以說是「吾見其進，未見其止」。

在經國先生的遺囑中，他念念不忘民主改革和中國統一。這裡透露出他的政治家的智慧，既能掌握現實，又能不忘理想。今天人人都歌頌民主，但動機和目的可以大不相同。這一期美國《時代週刊》（一月二十五日出版）上有一篇報導，稱經國先生為「現實主義者」（realist）。這一名詞本身並不含有貶義，但不免錯認了人。經國先生推行民主改革不是完全向台灣的社會現實求取妥協與適應。他集大權於一身，而從不濫用權力，甚至容忍極少數人對他個人的無理辱罵。我不相信這是由於他為客觀形勢所逼而不得不示弱。相反地，他是為了民主理想的實現而寧願付出這一點無足輕重的代價。在一個社會從封閉走向開放的最初階段，這種混亂現象是不容易完全避免的。「見怪不怪，其怪自敗」是一句最富於智慧的中國成語。

經國先生晚年全力推動民主也不是為了使中華民國苟安於台灣一地。在這一方面，我們更不能把他看作一個「現實主義者」。他一方面當然在尋求台灣的繁榮與安定之道，但另一方面他深知今天台灣絕無可以苟安之理。中共從來沒有放棄過用武的企圖，根據某些流傳出來的大陸軍方的「秘件」，中共內部一直有「以戰迫和」的攻台計畫。姑不論這些「秘件」是否可信，台灣絕不可完全沒有「防人之心」。台灣的經濟力量、國際局勢、海內外的人心，還有所謂中共領導人的私下保證，都是無一可恃的。台灣安全的唯一保障是中國大陸的理性化，逐漸走上自由開放的道路。而台灣在這一點上恰恰是能夠發揮積極功效的。一方面台灣內部必須通過民主改革而完全安定下來，另一方面，台灣又必須對整個大陸發生「火車頭」式的帶動作用。經國先生最後開放大陸探親政策，除了出於人道精神以外，恐怕也涵有「攻心」的微妙用意。無論如何，這一政策在客觀上確已產生了如此的效果。福建地區的中共部隊中，最近展開了「反攻心」的運動，便明明是針對著「三民主義統一中國」的政策而設計出來的。

「推己及人」從來是中國人的理想，對於他國皆然，何況是大陸上的十億同胞？在台灣的中國人應該以最大的誠意和善意促使中國大陸早日走向富裕和開放，唯有如此，和平的統一才有實現的可能。「己欲立而立人，己欲達而達人」，自了漢是做不成的。經國先生掌握現實的本領固然值得欽佩，但是他對於高遠理想的執著，則更值得後人的效法。

一月二十日於美國普城

（原載《中央日報》，一九八八年一月二十六日）

一篇有血有淚的動人文字
——項武忠〈釣運的片段回憶並寄語青年朋友〉讀後感

最近項武忠多次和我談到台灣的政局，對於目前的一些亂象表示了深切的憂慮。他並且以他過去參加釣魚台運動的親身體驗為例，說明在激昂的政治運動中，在群眾的喝采聲中，一個自以為是、非常理性的知識分子也會在不知不覺中失落了自我。他覺得他的經驗有值得今天台灣的青年朋友參考的地方，我鼓勵他把這一段經過公開發表出來，其結果便是這篇有血有淚的動人文字。

武忠這篇文字的重點不在客觀地報導整個保釣運動，而在於展示他個人的心路歷程，令人讀來特別有一種親切之感。武忠是數學家，他的專業屬於一個不涉實際經驗的抽象世界。但他同時又是一個有理想、有熱情、有血性的知識分子，因此他愛社會、愛正義，更關心他的故國和同胞。十七年前他為釣魚台事件拍案而起，不惜犧牲兩年的寶貴光陰從事「保衛國土」的群眾運動，其根本動力正來自他的中國知識分子的情操。這是中國文化的特殊產品，但同時也體現了現代知識人的普遍的「社會良知」。只知道追求個人成就或地位的專業學人是不肯幹這種傻事的。

保釣運動在今天已成為歷史上一場小小的悲劇或喜劇（究竟是悲是喜，則因人而異）。當時參加運動的人有的消沉了，有的變質了，大概只有極少數的人還能保持著當年的理想和熱情。武忠正是其中之一，這是尤為難能可貴的。他今天執筆寫這篇文字，毫無諱飾與顧忌，這足以證明他的知識分子的豪情仍在，不過以今視昔，更為成熟了，更為深沉了。他在此文中所表現的見解也許不是人人都能同意的，但是我相信沒有人能夠不承認：他所說的句句是出自肺腑的真話。

武忠和許多海外華人一樣，對近一、兩年來台灣的民主發展抱著無限的希望，也感到莫大的興奮。中國知識分子提倡民主政治的理想已整整一個世紀了，到今天我們才真正在台灣這個地區看見了民主實踐的曙光。大陸來美的學人和學生尤其期待著台灣在整個中國民主化的歷程中發揮帶頭的作用。

近十餘年來台灣經濟的發展和中產階級的出現是今天民主實踐的基礎。但僅僅具有富裕和中產階級並不能必然保證民主秩序的產生。第二次大戰前的德國和日本便是顯例。民主還需要一股精神力量，即清澈而超越的理性。這絕不是現代人所說的「工具理性」；相反地，超越的理性要求把一切別人都看作目的，而不是實現一己野心的工具。舉凡現代文化中所重視的基本價值如對人的尊重（人權）和對異己的容忍（自由）等，都可以說是從這一超越理性中派生出來的。民主的理想也不是例外。正因如此，狂熱的激情及隨之而來的暴力才是民主的最大的敵人，歷史已反覆地證明了這一條真理。十六世紀加爾文（Calvin）的宗教統治、法國革命、俄國革命、中共的「文革」、以至伊朗的革命都是前車之鑑。相反地，英國之所以被看作民主政治的典型，正因為它的「革命」是不流血的，是盡量避免運用暴力的。老子說：「聖人不仁，以百姓為芻狗。」我們更可以說：「革命領袖不仁，以群眾為芻狗。」毛澤東不就公開地承認自己「不仁」而且沾沾自喜嗎？

民主新秩序的建立當然需要一個過程，在這個過程中，群眾的參與也是必要的一環。但是群眾的暴力化則必須盡量避免。凡是以暴力奪得的政權，不管它喊著什麼響亮而動人的口號，最後必然要用更大的暴力來維持其政權。這是「以暴易暴」的鐵則。以台灣的政治現況而言，憲政民主的實現完全沒有使用暴力的必要。執政黨已初步實踐了開放政權的諾言，反對黨和言論、集會的自由也開始出現了。人民完全有可能通過和平的合法途徑，逐步爭取民主的充分實現。民主是一種生活方式，也是一種秩序，因此它必須以法治為基礎。法律也同樣是理性的產物。現行的法律自然有不盡合理的地方，但改變之道仍然是正當的合法程序，而絕不能訴諸「無法無天」。法律本身具有客觀的超越性，無論是政府或是人民都有責任維護法律的尊嚴。「法」的觀念一旦被摧毀，這個社會不但不可能有民主的秩序，而且根本不可能有任何秩序。漫無限制地運用群眾暴力正是走向玩「法」、毀「法」的絕路。其結果只是給極少數的野心家製造「亂中奪權」的機會，參與的群眾最後不過成了野心家的「芻狗」而已。

狂熱的群眾運動最後必然淹沒了理性，也必然導向領導權的爭奪和分裂。武忠在這篇現身說法的文字中給我們提供了生動的實例。為了保持群眾的狂熱以達到奪權的目的，領導者必須在口號和行動的激烈化方面步步升級、無限上綱。這樣的政治運動如果僥倖地成功了，其結局必然是極權統治的全面建立，而民主秩序將從此與這個社會絕緣。

誠如武忠所言，一個民主政黨如果要獲得人民的信任，它只有提出遠大而又切實的政綱，並不斷以實際的業績表現它的領導能力。我們深信絕大多數的人民都具有理性，而以中產階級為主體的社會首先便要求安定而自由的秩序。在任何社會中，政治上的積極分子永遠是極少數。多數的人所要求的不過是一個正常平凡的生活環境。

因此政治上的聲音往往來自少數的積極分子，絕大多數的人民則是沉默的，但他們最後會用行動來表示他們理性的抉擇。這些人正是所謂「沉默的大多數」。「沉默的大多數」並不是現代西方人發明的觀念，中國人早在十一世紀便已正式提出了。蘇東坡在〈思治論〉中曾說：「從眾者，非從眾多之口，從其所不言而同然者耳。」民主政治正是「從眾」的政治，但所從的應該是「不言而同然者」，而不僅僅是「眾多之口」。我們深望台灣的執政黨和反對黨都能體會蘇東坡的政治智慧，用建設性的實績來爭取人民的同情。執政黨必須盡速完成憲政革新，特別是國會議員的全面選舉，而不能自恃以往執政的經驗，一味與反對黨鬥機變之巧。反對黨也必須走向理性的道路，絕不能動輒挾群眾暴力以事要脅。「玩人喪德」，玩弄群眾更如縱火。我想，「火炎崑岡，玉石俱焚」的結局是任何有理性的人所不願意見到的。

（原載《中國時報》，一九八八年六月二日）

大陸民主運動的新突破

——布希北平之行的意外收穫

布希總統這次趁參加日本天皇葬禮之便順道訪問中國大陸，本來只是一種「個人外交」，並無特殊重要的意義。但是誰也沒有料到，布希此行竟成為大陸民主運動發展的一個關鍵性的大事件。

在布希訪問之前，由於受到美國國內支持大陸民主運動的輿論壓力，已決定在北京招待大陸人士的正式宴會中邀請方勵之參加。這是一項在政治上具有突破性的重大決定。在此之前，據說美國大使館也曾破例宴請過方勵之，顯示出美國政府對大陸上的「政治異端分子」開始重視了。

美國官方一向以「人權」的維護者自許，特別是在和蘇聯交涉時，「人權問題」往往是美國的銳利武器。通過傳播媒介的廣泛宣揚，蘇聯人權的代言人沙卡洛夫在美國久已成為家喻戶曉的人物。但是美國政府為了拉攏中共，卻對中國大陸上的人權問題保持緘默。最近幾個月來，由於方勵之的勇敢議論和中共禁止他出國訪問，再加上劉賓雁一年來在美國的艱苦奮鬥，終於使美國學術界和新聞界都認識到大陸人民對於人權的強烈願望，最近《紐約時報》和電視新聞都已承認方勵之是中國的沙卡洛夫了。正是在這種輿論空氣之下，美國政府才改變了以往那種冷漠的態度。

美國官方迴避中國大陸的人權問題曾引起中國知識分子的強烈反感。不久以前，劉賓雁在《紐約時報》上便抨擊了美國的「雙重標準」。昨天（二月二十五日）美國國家廣播公司晚間新聞主持人布洛考特別就布希邀宴之事訪問了北京的方勵之。方氏表示很高興，他認為這一行動足以說明美國已放棄了「雙重標準」。所以布希此次訪問北京，美國新聞界已將注視的焦點轉移到人權和「政治異端」問題上面來了。

今天美國三大電視網在晚間的全國新聞中竟不約而同地從北京傳來了出人意外的消息。方勵之赴宴的汽車在中途受阻，終於未能參加布希的晚宴。其中國家廣播公司（NBC）和哥倫比亞廣播公司（CBS）的兩位節目主持人並且分別訪問了方勵之。方氏以布希請帖出示記者，說明中共的阻撓是怕他在宴會中向布希提出人權的問題。在電視上我也看見了友人林培瑞（Perry Link，現正在北京工作，今年秋天將轉來普大東亞系講授中文與中國現代文學）。他是和方勵之同車赴宴的，所以他很氣憤地向記者描繪交通警察和公安人員怎樣無理阻攔，使他們的座車無法通行，不得不頹然而返。

這一意外的發展簡直使人無法置信，其意義是非常重大的。從中共方面說，應付布希邀宴方勵之一事本可有上、中、下三策。上策是採取蘇聯戈巴契夫處理沙卡洛夫的方式，即對方勵之加以大度的優容，並公開表示願意改善中國大陸的人權狀況。這樣做，不但對外可以博得世界輿論的讚揚，而且對內更可以收拾日益渙散的人心。中策是讓方勵之參加宴會，但出之以冷淡的態度。在這種數百人的宴會場合，方勵之根本不可能和布希有深談的機會，布希也不可能因此而提出尖銳的人權問題，使中共官方難堪，因為那樣做便失去了此次「個人外交」的全部意義了。事過境遷，大家也就淡忘了。下策是以美國不得干涉中國內政為理由，反對布希邀請方勵之，如反對無效，則公開聲明將不允許方氏赴宴。這個強橫的辦法必然會引起國內外的強烈反應，故屬下策。但這畢竟是一個大國政府所應保持的體統，故仍不失為一策。現在中共既不肯公開表態，卻在方勵之接受邀宴之後，示意警察和公安人員在交通問題上加以刁難，使方氏和同車赴宴的美國教授中途折回，這只能稱之為「無策」了。中共自毛澤東以來，一直標榜「要光明正大，不要搞陰謀詭計」，而事實上則往往適得其反。這次事件又再一次讓中共露出了政治本相。用他們的術語說，這是所謂「搞小動作」，品格是低得無可再低了。最使我們驚訝的不是別的，而是中共領導階層何以在今天仍然愚昧無知到這種程度。一九七二年尼克森總統初訪大陸時，中共也曾搞了許多「小動作」，例如派人在長城上打橋牌，在西子湖畔欣賞收音機中播放的音樂之類。這些把戲當時即已為隨訪的美國記者戳穿了。但其時中共與外面的世界隔絕得太久了，雖荒謬可笑，尚情有可原。整整十七年過去了，中共對外界不可能再陌生了，何以今天仍然如此的不長進？中國有十億多人，中共也有四千多萬黨員，具有政治常識以至政治智慧的人才應該比比皆是，為什麼竟沒有一個能在這次決策上發揮影響力呢？這件事所反映的中共當前領導階層的品質和結構是極其深刻的。

從大陸民主運動的一方面看，這一事件反而使人有「塞翁失馬」之感。從中共這種倒行逆施的表現，我們似乎看到他們在目前民主運動的新形勢面前已大為驚慌失措了。前幾天大陸上三十三位文化界領袖簽名響應方勵之釋放政治犯的呼籲，同時海外中國知識分子（其實仍以來自大陸者為主體）也發表了一個要求民主改革的宣言。這兩個不謀而合的事件已激起巨大的迴響，而且波動尚在繼續擴大之中。這在大陸民主運動中標誌著一個新的里程碑，因為其中包括了兩項突破：第一是知識分子公開在最敏感的政治問題上——以人權為根據要求釋放政治犯——表現出鮮明的立場；第二是中年和老年的文化界領袖以最大的道德勇氣，絲毫不計後果，向中共爭取民主。

現在中共以「小動作」阻撓方勵之赴布希的宴會；這是中共明白地在全國知識分子前面表示他們害怕民主，而害怕到不惜威信全失、道德破產的地步。對於已決心獻身民主運動的人，這將使他們的信心更為堅定；對於尚在徘徊猶豫的人，這將使他們更容易作出決斷；對於大多數不願積極參與政治的人，這也將使他們的同情心逐漸投向民主運動。知識分子是社會的良心，在中國尤其如此，一部中國史早已一再地證明：知識分子的心投向何處，中國遲早便會走向何處。中共阻止方勵之會見布希是成功了，但是這種政治小動作的成功正是給自己政治領導的失敗埋下了種子。

以國際輿論而言，大陸的人權問題通過這次布希的訪問而獲得一次最成功的宣傳。在今天美國的三大電視台的全國性新聞報導中，我們所看到的布希訪大陸的鏡頭好像只是環繞著方勵之和人權問題而轉動，美國電視記者從來沒有對大陸的「政治異端分子」表現過這樣深厚的興趣。誠然，布希在整個宴會中並沒有提到敏感的人權問題。在當晚的宴會過程中，布希也不可能了解到方勵之缺席的真實原因。但是美國是一個民主國家，總統最後必須服從民意，而不能長久地操縱民意。從現在起，美國新聞界、知識界對於中國人權的關懷勢必像冤魂不散那樣纏繞著布希，使他絕無可能長期迴避這個尖銳的問題。美國人民眼前也許還不完全清楚中國大陸的人權情況。但是人權、民主、政治異端等問題既已提上了美國新聞界的議事日程，方勵之的國際形象在最近的將來便會和沙卡洛夫並駕齊驅了。與中共的主觀願望恰恰相反，他們竟以自己最擅長的政治慣技——「搞小動作」——為中國大陸的民主運動作出了最偉大的貢獻。

一九八九年二月二十六日於普林斯頓

（原載《聯合報》，一九八九年二月二十八日）

四十年的矛盾與悲劇

——一個集權的政黨正在解體之中

首先我要提出來的是共產黨「建國」這個概念，我不承認所謂「共產黨建國」這個命題。中華民國建國結束了兩千年的中央王朝的系統，成立了共和，這是改變了國體，而不僅僅是改朝換代。中華民國建國不只是國民黨一黨之事，同時也得到了清朝的承認和國際的承認，所以它是合法的。共產黨有自己一套理論，認為自己是代表工農推翻了資產階級共和國，但是共產黨的「建國」只是新的政權取代了舊政權，而國家早在一九四九年以前就存在了。另外一個問題是「解放」，共產黨有一套用來獲取合法性的語言魔術，但是如果我們接受了一九四九年共產黨奪權成功是「解放」的話，現在爭取民主、自由的行動都沒有意義了。

那麼四十年來中國發生了什麼事呢？簡言之，就是共產黨推翻了國民黨的一黨專政，成立了新的政權。但是國家還是同一個國家。共產黨認為自己領導民族資產階級、小資產階級、工人階級和農民階級，但是這四個階級其實是很模糊的。共產黨在五〇年代中經過了短暫的社會主義改造後，便很快地向社會主義過渡。但是社會主義又是什麼呢？簡言之，就是取消所有的私有財產。不過，如果把社會主義等同於取消私有財產制度的話，那問題就很多了。但是，實際上共產黨把所有的生產資料集中在黨的手中，而共產黨所控制的政府並不是民意授與產生的，根本無權奪取人民的財產。

私有財產是文明的基礎。在西方國家，私有財產是受到法律限制和稅則約束的，擁有財富的人既非一成不變，又不能為所欲為。共產黨用的是政治強力把工商業和農民的財產都收歸到手中，在黨內誰有政治權力誰就有財產，政治權力的大小和對財富支配力量的大小是成比例的。共產黨如果腐敗起來是很可怕的，在資本主義國家公司的老板要胡作非為的話，他的公司就要垮掉。但是共產黨的腐敗並不受到市場的約束，它對軍隊、警察力量的壟斷使它可以為所欲為，這種對財富的支配並沒有法律作為依據的。林彪說過，你擁有權力就擁有一切，如果沒有權力那一切都沒有了。所以一九四九年以後中國大陸社會的劃分是以權力為標準的，有「有權的階級」和「無權的階級」，吉拉斯講的新階級就是這樣的。

在一九四九年共產黨用武力推翻了一個腐敗的政府，它還可以說「沒有人民的支持，我們不會勝利」。但是這種通過暴力革命而得到的合法性是不會持久的。現在的政府必須不斷地通過選舉來維持或強化它的合法性，在這個意思上，共產黨和傳統的王朝並無不同之處，它只是一個王朝的現代化。但是共產黨統治也有外來的因素，諸如列寧黨式的組織原則、金字塔的結構、馬克思主義的意識形態等，這些因素使得人民在革命之後再也沒有表達他們支持或反對共產黨的意志的機會。社會的組織完全被摧毀了。

一方面來說，中國自辛亥革命之後，王朝的系統還是在暗中發揮作用。國民黨也是如此，只是國民黨更像傳統王朝罷了，社會組織、工商界它不敢碰，抗戰時期國民黨中有人說，周朝有八百年，我們國民黨至少有一千年吧！這完全是一種王朝的心態。國、共兩黨都有家天下的傾向，但是共產黨更像的是清朝，清朝不是一家而是一族統治全國。傳統王朝均有「普天之下，莫非王土」的想法，而共產黨也有分配財產的權力，這是共產黨政權和傳統間一種不甚明顯的關聯。

不過在共產黨一黨宰割天下的情況下，經濟一場糊塗，百姓因為沒有私產而完全沒有生產的願望。經濟的問題迫使共產黨做出改變。鄧小平以為經濟改革使人民生活改善後，人民會對共產黨更加支持。豈知事實正好相反。就如在蘇聯波蘭一樣，石頭一滾下來，就非滾到平地不可。不過我們也要了解，在中共黨內支持鄧小平的人也非常多。包括了若干開明派知識分子在內的許多人，在這次六四事件中都支持黨，對他們來說，要消滅共產黨就好像要打倒某個王朝一樣，那會毀了他們的命根子。對於這樣一個政權，我不願意很簡單地說它是社會主義或共產主義政權，也不願意很簡單地說共產主義或社會主義在過去四十年的實踐是不是有成效，共產主義只是一個名，我們不能被這樣一個名所惑。如果仔細看它實質的一面，我們會發現共產主義是一個大災難，因為它摧毀了所有傳統社會中自發的組織。它以為摧毀了傳統社會組織就可以創造一個新社會，這完全是烏托邦的想法。科學的社會主義比烏托邦社會主義還要烏托邦。共產黨改革中的一個大問題就是它不能恢復如私有財產制度那些傳統，因為恢復了私有財產，政權就很可能因此而失去合法性。

造成共產黨興起的主要原因之一是中國近代的民族主義，而對民族主義感受最深的是知識分子和城市的居民。早期參加共產黨的知識分子如李大釗、陳獨秀都是很好的例子，但是像陳獨秀終究脫黨，即最後還是相信自由和民主。另一個好的例子是瞿秋白，瞿秋白認為自己這樣一個喜歡文藝的人參加政治活動是一個「歷史的錯誤」。推動共產主義的理想來自知識分子，但是知識分子沒有辦法通過組織來推動實踐。日本侵略中國使知識分子忍無可忍，但是國民黨不會利用這種情結，而共產黨卻懂得利用，所以毛澤東繼續得到知識分子的支持。我們可以說共產黨是利用民族主義的。毛澤東在天安門上的講話「中國人民站起來了」打動了許多人的心。民族主義是幫助了共產黨，但是共產黨並沒有使中國人民站起來，共產黨提的民族主義是一套假象，它真正關心的是一個集團的長治久安。

一般來說，我認為要繼續一黨專政，統統公有制在共產主義社會中是愈來愈無法做到。中國大陸也不例外。趙紫陽在四川省首先進行的農業改革其實就是偷偷摸摸地恢復私有制，但名之為「使國權」而非所有權，改革創造了兩千萬個個體戶，這是中共自己無法消滅的，因此它要繼續改革開放。共產黨發現自己對社會的控制力發生了變化，但是一個集權的政黨再也不能集中權力是一個最大的悲劇。我認為中國大陸的共產主義制度正處於一個解體過程之中，中央的力量愈來愈弱，地方的勢力逐漸抬頭。等到共產黨的最後一個強人死了以後，中國大陸就會分崩離析。也許表面上共產黨會繼續存在，但是地方的軍隊會和地方的經濟結合成為一種地方主義、區域主義，這種分權化、地方化的過程會造成一些知識分子、反對派活動的空間。共產黨已經再也無法利用危機意識來維持政權，一般人民族主義的觀念愈來愈弱。十億人要求生存的本能是誰也壓不住的。

（原載《中國時報》，一九八九年九月二十七日）

「以仁心說，以學心聽，以公心辯」

——一個舊聞記者與新聞記者共勉

美國《紐約時報》以「刊載一切適於報導的新聞」為號召。這句話初看起來好像是宣揚無限制的新聞自由，其實此中「適於」兩字是大有講究的。這句話的真正涵意毋寧是在強調新聞和言論的責任。什麼新聞才「適於」報導？什麼言論才「適於」宣揚？這當然要涉及編者和記者的主觀判斷。主觀判斷在一張報紙中既佔著這樣重要的地位，我們自不能不對報紙編者和記者的學養抱著很高的期待了。「學養」指兩個方面：「學」是知識方面的事，學識愈豐富的人便愈能作出正確的判斷；「養」是道德方面的事，道德修養愈高的人便愈能具有公平的心理。這兩方面合起來，「適」還是「不適」便不難有一個準則了。

自解嚴兩年以來，台灣的新聞自由幾乎已到了毫無限制的境地。但是自由是與責任成正比的，編者和記者是不是也同樣發展了責任感，似乎還是一個可以討論的課題。台灣現在正處在一個轉型的階段，從權威型的社會轉向自由開放型的社會。亂象是不可避免的。但正因如此，報紙的責任也特別重大。台灣究竟將長期亂下去，還是終能在亂中發展出一種秩序，這是海內外的中國人都極其關心的問題。報紙的特殊重要性便在這裡顯現出來了。報紙是「大眾傳播」一項重要的媒介物，而台灣也進入了「大眾社會」的階段。在「大眾社會」裡，傳播界的「最大誘惑」，但也是「最大危險」，便在於「譁眾取寵」。我個人的印象是這兩年來台灣的報紙多少具有「譁眾取寵」的傾向，這是很令人憂慮的。

我不大相信報紙能完全如實的「反映客觀現象」，也不認為「客觀反映現實」——即使可能的話——便盡了報紙的最大功能。特別是在轉型期的台灣，報紙同時應該還有在亂中尋求秩序的絕大責任。每一家報紙都可以，而且也不能避免，採取某種立場，或趨於創新，或趨於保守。這種立場往往在社論和選材中透顯出來。但是這種主觀判斷仍然要以事實和理據為其基礎。新聞事實的報導還是有它客觀性的一面。主觀和客觀在這裡是一體的。編者和記者的「學養」之所以重要也由此可見。

我是學歷史的人，歷史在中國也稱作「舊聞」。新聞和舊聞其實是一類的，不過在時間上略有先後之分而已。中國史學強調史才、史學、史識和史德。這四大要素也完全可以適用於報紙的編者和記者。怎樣才能養成才、學、識、德呢？讓我姑且引用荀子的話作為努力的始點：

以仁心說，以學心聽，以公心辯。

我以舊聞記者的資格，特此三語與新聞記者共勉！

（原載《中時晚報》，一九九〇年三月五日）

輯三

一九九〇年代

待從頭，收拾舊山河

在一〇〇〇年的前一、兩年，歐洲正處於基督教思想深入人心的時期，那時歐洲人心惶惶，都以為世界末日將至，因為當時盛傳一〇〇〇年是「最後審判」的日子。現在二〇〇〇年離我們只有十年了，許多中國人，特別是知識分子卻都對二十一世紀的降臨抱著無限的憧憬和期待。這一對照是十分有趣的。

最近幾年我們常常在報章雜誌上看到「二十一世紀是中國人的世紀」這樣的自我恭維之辭。這句話的來源大概是六〇年代湯因比（Arnold Toynbee）和日本思想家的對話。那時西方的危機重重，湯因比因此對亞洲文化有所嚮往，自是人情之常。但時至今日，亞洲只有一個日本在經濟上贏得了「世界第一」的稱號。中國則由於真相畢現而使湯因比的預言徹底破產了。

二十一世紀的中國不大可能有光輝前景，因為中國人自己在二十世紀造下的罪孽太深重了。從一部中國史來看，二十世紀是最混亂、最黑暗的時代。無論是「五胡亂華」、「五代十國」或「蒙古入主」較之二十世紀的中國都是微不足道的。上述幾個中國史上的「黑暗」和「混亂」時期不過是一時外患造成的，並沒有傷及中國文化和社會的根本。所以接著還有唐、宋、明的文化新生。二十世紀中國則是一連串而且步步升級的「革命」；這是中國人自己為了「破舊立新」所作的努力。二十世紀的中國「革命」不但在觀念上是由知識分子提供的，而且最初的發動者也往往是知識分子。但「革命」的結果則是中國社會的邊緣人物（如地痞、流氓、光棍、無賴、不第秀才之流）佔據了中心的地位、支配著中國的命運，而原來在社會上舉足輕重的知識分子則反而邊緣化了（「邊緣化」用大陸上流行的話說，便是「靠邊站」）。知識分子的相對邊緣化本是現代多元社會的普遍現象，不僅中國為然。但中國的情況則十分特殊：邊緣人物形成了一個變相世襲的「新階級」（吉拉斯說）；邊緣人「新階級」不但不代表任何社會階層（士、農、工、商）的利益，而且和所有階層的利益都是處於完全相反的地位。知識分子所持徹底「革命」的理論，使邊緣分子得以輕而易舉地摧毀了一切傳統的社會和文化組織和人倫關係，代之而起的則是一個絕對宰制性的單一政治組織，從中央一直貫穿到每一個家庭，甚至個人。在所有現代化的社會中，傳統的組織和關係都經過了程度不同的變化，但是這種變化必須通過一個自然發展的歷程，而不能採用揠苗助長的方式。中國邊緣人的「新階級」出於「奪權」和「保權」的動機則更有甚於「揠苗助長」者，他們竟用暴力把中國舊有的民間組織一掃而光。這就斷絕了整個民族的生機，使現代「民間社會」（civil society）的成長成為永不可能的事了。

今天，邊緣人的「新統治階級」雖已隨著絕對權力的絕對腐蝕而呈現土崩瓦解之象，但已被徹底摧毀的傳統組織和關係卻已無從復舊觀。二十一世紀中國所面臨的最大課題便是怎樣在二十世紀的廢墟上重建民間社會，使一個比較合理的新秩序得以逐漸實現。這是人類史上從來沒有過的最嚴重的挑戰，我們簡直不能想像這一重建的工作將從何處著手。現在東歐已開始嘗到了這一劑苦藥，但較之中國仍不可同日而語，因為東歐的「新階級」主要是由外力強加而來的，民間社會的傳統（如宗教）並沒有完全消失。

二十一世紀將是中國知識分子贖罪的世紀。儘管他們已處在邊緣的地位，他們在思想上的徹底反省仍然是收拾中國破碎山河的一個始點。如果他們繼續堅持中國的問題是由於「封建傳統」還沒有破壞乾淨，那麼二十一世紀的中國人便只好準備接受「最後的審判」了。「待從頭，收拾舊山河。」這是二十一世紀給中國人所規定的歷史任務。

（原載《二十一世紀》第二期，一九九〇年十二月）

海洋中國的尖端：台灣

《天下雜誌》在一九九一年十一月十八日出版了「發現台灣，一六二〇—一九四五」的特刊，我讀後非常感動。這不僅因為它的取材廣博、觀點新鮮、敘事生動，更重要的是我覺得它是一首史詩，而且是由三百多年來中國人的汗、淚和血交織而成的史詩。

「發現台灣」是「從歷史出發」的一個新構想，因此我在下面想說的話也將從歷史的觀點出發。

「發現台灣」的專輯是以「追溯台灣三百年政經發展史為經，探討國家現代化的條件為緯」而設計出來的。在這個設計之下，編者把一六二〇到一九四五這三百年的台灣史劃分為三個階段：第一個階段是從大陸漢族開始向台灣移民到鴉片戰爭；第二個階段是從中國的門戶被西方打開以後到甲午戰爭；第三個階段則是台灣淪為日本殖民地的五十年。這三個階段，層次分明，大有助於一般讀者對台灣史的理解。

我現在想把台灣崛起的歷史背景推得更廣更遠一些。我曾經說過，從中國史的長程上看，三百多年來台灣一直扮演著海洋中國的尖端的角色。今天不少中外史學家都承認自十六世紀以來，中國已不僅僅是一個內陸農業的文明秩序，另一個海洋中國也開始出現了。海洋中國的出現有政治史的背景，更有經濟史的背景，我們不可能也不必在這裡細說。非常概略地講，政治史的背景是內陸亞細亞的少數民族（中國史上所謂「胡人」）從漢末以來此起彼伏地向中原漢族政權施壓力，把北方的中國人不斷推向東南沿海地區。東晉和南宋的兩次所謂「南渡」便對中國人口從北向南遷徙起了最重要的作用。例如今天台灣新竹的饒平林氏宗族，其祖先最初是在東晉初年從北方南渡到福建，成為閩林的一世始祖，後來在南宋之末又由福建汀洲遷至潮州饒平。林氏後代最後在乾隆年間渡海來台。舉此一例，即可見台灣的發展史並不真的是從十七世紀初年才開始的，其中有些因素甚至必須上溯到一千五、六百年以前。

經濟史的背景則可分為消極和積極兩個方面。消極方面，中國大陸的土地利用在十二世紀已達到了極限，而人口的壓力則在不斷加重。因此福建和廣東沿海的人開始向海外謀生，有的經商，有的開墾。積極方面，海外貿易的巨大利潤不但吸引了一般人，而且也使許多豪門巨室趨之若鶩。明代法律雖嚴禁人民「下海通番」，但十六世紀以來違禁者愈來愈多。及至隆慶（一五六七—七二）「除販夷之律」以後，海禁便比較放鬆了。福建沿海的人民正是在這種新的歷史情況下「發現台灣」的。根據《明史》（「外國四」雞籠山條）的記述，好像十六世紀末便有福建漁船到達基隆並「往來通販，以為常」。稍後荷蘭人佔據了台灣，中國貧民已開始前來墾荒。中國官方在崇禎中更曾有計畫地運送大批福建饑民到台灣開闢耕地，由於收成非常好，消息傳回福建之後，「漳、泉之人赴之如歸市」。

總之，我們必須從十六世紀中國向海外發展的那股巨大的動力中去認識當時中國人「發現台灣」的歷史意義。我們當然不能在這裡進行任何具體的論證，但是我們只要稍稍翻閱一下張燮的《東西洋考》、張萱的《西園聞見錄》、張瀚的《松窗夢語》、何喬遠的《名山藏》和《閩書》，以及《明經》三十六編中許多有關「開海禁」的奏疏，我們便不難對這股中國史上的新動力有一個概括的印象了。在中國史上，從來沒有這樣多的官吏和士人為海外貿易公開鼓吹的。有人甚至把海外通商所獲得大量金錢說成「公私兼賴，其殆天子之南庫也」。「天子之南庫」是一個嶄新的觀念，只有在東南海市大興以後才能出現。

「發現台灣」以「台灣三百年政經發展史為經」，這是很有眼光的處理方式。我們在上面雖然分別說到政治史和經濟史，但這是為了分析的方便而設。在現實生活上，政治和經濟當然是分不開的。台灣進入中國政治史的長流始於鄭成功時建立明鄭王朝，然而他的政治憑藉並不僅僅是武力，而恰恰是十六世紀以來的新的歷史動力——海上貿易。鄭芝龍、成功父子兩代當時壟斷了中國的海上貿易，他們的戰艦最初也是為了保護商船而發展出來的。所以這是中國史上第一次完全靠海上商業力量建立的政權，它象徵了現代海洋中國的開始。

由於滿清王朝比後期的明代帶著更濃厚的內陸取向，海洋中國的發展在十七、十八世紀受到了嚴重的政治阻撓。清代嚴禁人民渡海入台便是一個最明顯的例子。但是海洋中國的潛力畢竟不是政治力量所能長期壓制的。在康熙、雍正、乾隆三朝，福建和廣東沿海偷渡來台的活動始終沒有停止過。因此，據一份官方報告，乾隆四十七年（一七八二）「台灣府屬實在土著，流寓民戶，男婦大小共九十一萬二千九百二十名口」。這比清初的人口增加了好幾十倍。由於乾隆末年禁令放寬了，嘉慶十六年（一八一一）的台灣人口已增至二百萬。可見短短三十年中至少有一百萬人從大陸移民到了台灣。這一重要事實為海洋中國的巨大動力提供了一項最清楚的指標。

歷史有時是奇詭的。近三、四百年來，中國內陸取向的政權雖然千方百計阻撓著海洋中國的成長，但傳統的內陸文化，特別是家庭組織和勤勞節儉的工作倫理，卻是中國人海外發展的主要精神憑藉。東南亞華僑社會的出現和成長以及台灣的移民史都提供了生動的見證。脫離了內陸政治的羈絆，中國的傳統文化反而能在新的經濟領域中發揮得更為暢快。這部「發現台灣」中也包含了無數可歌可泣的故事，足以說明這一發人深思的現象。

「發現台灣」的敘事到一九四五年為止。但是台灣真正成為海洋中國的尖端則是最近四十多年的事。這又是歷史表現了一次奇詭。五〇年代初期的台灣政治史看來幾乎是三百年前的翻版。然而歷史畢竟不重複自己。一方面，二十世紀中葉的海洋中國已發展成熟；另一方面，它和海洋世界也全融成一片。內陸取向的大陸政權再也沒力量阻止海洋中國前進的步伐了。不但如此，我們還有理由相信，海洋中國的尖端已大有助於扭轉內陸政權的原有取向；八〇年代以後，中國大陸也不得不轉變為海洋取向了。如果說三百多年來的台灣發展給我們提供了什麼歷史的教訓，那麼我們不妨說，文化和經濟的力量是比較長久而深刻的，而政治的力量則是比較短暫而浮面的。但是海洋中國仍然是從中國文化的長期演進中孕育出來的。讀了「發現台灣」，台灣的中國人似乎應該想想，究竟怎樣才能培養出超政治的胸襟，努力建設一個海洋取向的中國文化的新秩序。

（原載《聯合報》，一九九二年二月一日）

民主化重新整裝待發

——從中國國家與社會關係看二十一世紀中國民主化的前途

「國家」與「社會」，嚴格地說，都是西方近代史上出現的概念，如果我們用這一對概念來檢討中國的傳統情況，我們可以說：中國過去也有「國家」與「社會」的分別，但界線遠不若現代西方那樣清楚。這一歷史的背景對於中國現代的民主發展具有深遠的影響，不能不先作一簡單的說明。

社會是無所不包的，嚴格言之，國家也在其中，即社會中的政治系統。近來西方流行「公民社會」的觀念，好像與國家形成了對立的狀態。其實這是由於二十世紀出現了極權國家的緣故。在共產黨統治之下，政治系統無限擴大，以致吞沒了整個社會，這才引起大家重新認識「公民社會」的重要。一九九一年前蘇聯的極權統治在一夜之間崩潰了，當時莫斯科的一個俄國人在電視前大聲喊道：「公民社會今夜在莫斯科再生了！」這個鏡頭生動地說明了「國家」和「社會」為什麼今天竟成為兩個敵對的觀念。但是在中國傳統中，國家與社會則主要是相連續，而不是勢不兩立的。荀子說：「儒者在本朝則美政，在下位則美俗。」這裡「本朝」即相當於「國家」，「下位」則相當於「社會」。然而儒家更重視「社會」，所以「移風易俗」成為師儒的最大責任。「美政」的基礎正在於「美俗」。詩人如杜甫、陸游無不再三致意於「風俗」，更是中國傳統重社會尤過於國家之證。

中國過去一直是一個中央集權式的統一帝國，國家的力量確遠比社會的力量為強大。但是兩千多年中，中國仍然有一個民間社會的存在，雖不足與帝力正面抗衡，卻未嘗不曾為個人和私人團體提供了庇護之所。從長期的演變來看，中國傳統的國家與社會之間也存在著一種隱蔽的緊張：在野的知識人往往傾向於儒家與道家，即欲以社會的力量對抗國家的力量。而朝廷方面則陰尊法家，因為法家但知有國家而不知有社會。歷代帝王表面上固然都推崇儒學，究其動機則是為了籠絡和控制社會。中國專制朝廷不能與現代極權國家相提並論，它沒有消滅社會的野心，也沒有這種組織的能力。由於法家所倡導的國家權力不能深入社會，朝廷必須借重士人以增強其統治；明太祖「寰宇士大夫不為君用」的罪律最能說明這一問題。

這一緊張到了二十世紀從隱蔽轉變為公開；中國近代民主化過程的艱難恰和這一歷史背景有密切的關係。近代中國知識分子在接受西方民主觀念時所表現的開放胸襟是極為少見的。無論是早期的變法派或稍後的革命派，對於民主的原則都是全心全意接受的。我想這是因為他們深受傳統的薰陶，重視社會與人民遠過於國家與政府。更可注意的是，清末民初之際中國知識分子中有許多人都為西方的無政府主義所吸引，並進而以先秦老莊與魏晉無君論相比附。甚至早期中國的共產主義信徒也往往誤以為共產主義的終極目的是無政府主義。他們所嚮往的是一個最自由、最平等、也最民主的烏托邦社會，而不是一個強大的國家。

但二十世紀的歷史又對中國提出了一個恰恰相反的要求，即為了救亡圖存，中國必須成為一個有組織、有力量的現代國家。用當時通行的名詞說，便是所謂「富國強兵」。這一要求則與兩千年統一大帝國的政治傳統一脈相承。由於二十世紀中國的政權一直都掌握在邊緣人集團的手中，知識分子永遠處於權力的外圈，其結果則是「國家」逐步吞蝕了「社會」。一九四九年中共極權體制的建立便是這一系列發展的最後歸趨。二十世紀前半葉中國民主化的努力至此已徹底失敗了。

今天已到了二十世紀的結尾。民主化運動在全中國的範圍內又重新整裝待發。我們展望二十一世紀，中國民主化的前景究竟如何呢？中國現在分成了三個地區，各有不同的情況，必須分別討論。第一是台灣，這是中國民主化最有成績的地區。一九八八年國民黨正式解除了戒嚴令，開放了黨禁和報禁，台灣才真正踏出了民主憲政的第一步。自一九二四年改組以來，國民黨以「革命政黨」自居，它的主要目的是要通過「一黨專政」來建立一個強大的國家。所以「國家至上」曾是它的最響亮的口號之一。所幸國民黨的「專政」，根據孫中山的理論，只是暫時性的，最後它必須「還政於民」，回到憲政的正流。國民黨並沒有消滅社會的終極企圖。但無可諱言的，在「專政」期間，國民黨曾以「國家」來壓制「社會」。今天國民黨以行動實踐了「還政於民」的諾言，這是一項最值得稱道的重大成就。而國民黨之所以能作到這一點，則顯然是因為台灣的民間社會未經革命暴力的摧殘，四十年來這一傳統的民間社會已逐漸蛻化成現代的公民社會。這是台灣民主化的基本動力。只要台灣能循著現有的憲政軌道走下去，逐漸擺脫轉型時期的亂象，進入成熟和理性的階段，民主的前途應該是相當光明的。如果說，台灣潛伏著什麼危機，這危機毋寧是在「國家認同」的上面。台灣現在已具有一個憲政體制的國家，這是和民主化的社會恰好相輔相成的。所以認同於這一性質的國家是符合台灣最大多數人的最大利益的。相反的，如果台灣今天爆發「國家認同」的危機，則災難性的後果可以立至。此中利害至明，但我們無法在這篇短文中一一指陳。

香港是另一個民主運動急遽發展的中國地區，和台灣一樣，香港也是未經革命暴力摧殘的社會。因此也已具有公民社會的雛形。但是香港一直是英國的殖民地，不具備「國家」的條件。我們可以說，它是一個但有「社會」而無「國家」的地方。一九九七年以後，香港的民主化前途即將和中國大陸連成一體，因此更帶有高度的不確定性，不過香港社會的民主潛力仍不容輕視。今年六四紀念日，香港還有四、五萬人參加遊行示威，這是令人起敬的壯舉。九七以後即使中共極權國家的本質不變，它也未必敢輕易地用天安門屠殺的方式對香港人的民主要求橫加鎮壓。

最後讓我們對大陸的民主遠景略作推測。從世界共產黨政權的全面崩解，我們不難看到，以橫暴的國家權力來徹底消滅社會的空間終究是不可能的。中共最初三十年的極權統治確曾有效地摧毀了中國傳統的民間社會——其關鍵即在沒收一切私有財產和禁絕一切民間組織——然而其代價則是切斷了社會的一切生機。八〇年代以後中共的「開放」和「改革」是因為其政權也已到了不復能持續下去的境地。民間社會也像詩人筆下的草木一樣，是所謂「野火燒不盡，春風吹又生」的。「開放」、「改革」並沒有依照鄧小平的如意算盤進行——「經濟放鬆、政治加緊」。相反地，三十年來被歪曲、被壓抑的民間社會的生機很快地復甦了。社會的意識一旦重新抬頭，民主的要求便馬上跟著出現。所以在短短十年之間，大陸民主運動便從魏京生等少數知識分子的大字報發展為天安門前百萬群眾的和平遊行。但是大陸的民間社會畢竟是在再度萌芽的階段，而中共的極權國家雖已是強弩之末，卻仍有餘力足以暫時扼殺民主的幼苗。最近這一年來，由於市場經濟的急速成長，中共政權基本上已失去了以前那種收縱自如的統治能力。今天大陸上，極權國家與再生社會兩股力量之間正處於一消一長的關鍵時刻。極權國家的全面解體必在最後一個「強人」消逝之後，所以一場巨變的風暴正盤旋在中國大陸的上空。這場巨變的具體面貌此時尚無從預測，但無論如何，它將為民主運動提供一個新的機運。很可能的，大陸的民主化將與二十一世紀同時起步。

中國雖在目前分成三個地區，但這三個地區的民主化的命運卻是共同的、分不開的。台灣的民主化開始得最早，基礎也最為堅實，如果運用得當，未嘗不能在全中國範圍內發生示範作用。但其先決條件是台灣本身必須建立起一個穩定的新秩序。

總結地說，依照中國傳統的理論，社會與國家之間必須維持一種動態的平衡。這是和西方關於民主的看法相當接近的，但二十世紀的中國，國家與社會之間發生了高度的緊張，民主化因此而遭到嚴重的挫折。今天台灣首先找到了重新平衡國家與社會的途徑，大陸則仍在探索的階段。二十一世紀的中國是否能走上全面民主化的道路，大體上決定於台灣的民主發展能不能避免國家認同的危機，以及大陸的民間社會能不能轉化為現代的公民社會並從而制約國家的橫暴權力。但是中國民主的前途將首先在香港受到一次最嚴重的考驗。九七以後香港究竟能不能維持其自由傳統不變，現在正為各方所注視。從近來中共通過親共企業界收買和封殺批評性報刊的情況來看，我們已不能不有「風雨欲來」的敏感。此中關鍵繫於香港企業界和文化界人士是否會為了小我的打算而甘願放棄自由社會的基本原則。「個別擊破」正是中共「統戰」以往屢次得逞的主要原因。中國作為一個現代化的國家必須擺脫傳統王朝的集權陰影，中國作為一個現代化的社會則必須擺脫以往那種「一盤散沙」的格局。二十一世紀中國民主化的前途將繫於這兩個基本條件上。

（原載《聯合報》，一九九三年十二月二十八日）

當前關於文化爭議的新啟示

所謂「當前關於文化的爭議」事實上包含著兩層意思：第一是「世界各文明之間的衝突」的問題。這是一個最老的問題，但去年（一九九三）夏天由杭廷頓（Samuel P. Huntington）以新的方式再提出來，引起全世界的學術界和新聞界的注意，爭議至今未息。杭氏的文章本身並沒有多大的學術價值，甚至可以說是「興到亂語」，但它能引起這樣廣泛的興趣則大有探討的價值。杭氏的文章是一個信號，表示西方社會科學主流對於「文明」、「文化」等概念已開始有了與以前較為不同的理解。這一點特別可以從他把「文明」界定為「文化實體」上看得很清楚。（"A civilization is a cultural entity."）

要想了解主流社會科學界何以有此轉變，我們便不能不追溯到最近一、二十年間人文和社會科學界的若干新動向。這便涉及「文化爭議」的第二層意思。這一層次的「文化爭議」在美國學術界一般稱之為「文化戰爭」（cultural wars），主要指文化和思想方面的衝突。

這場「戰爭」的規模浩大，遍及於史學、文學批評、哲學……以及各門社會科學；它的內容也十分複雜，涉及詮釋學（hermeneutics）對實證論（positivism）的挑戰、文化多元論的抬頭、對於西方「經典」（canon）的拒斥、哲學上知識論的中心地位受到懷疑、史學上「新文化史」的興起…等。我們自然不可能在這裡討論這一「文化戰爭」的全部內容，而且也無此必要。我僅僅想指出，杭廷頓的「文明衝突」說，在思想上是從「文化戰爭」的背景中發展出來的。以前在實證論主導下的社會科學家往往接受社會經濟的化約論（reductionism）或決定論（determinism），又大體相信人類社會是直線進步的，因此現存的不同社會只有「先進」與「落後」的分別，即處於不同的歷史發展的階段。西方社會當然最「先進」，非西方的社會則各有不同程度的「落後」。這一化約論的思維模式中，「文化」不過是一個「殘餘範疇」（residual category），並無重要的意義。從十九世紀末到二十世紀中葉，在人文、社會科學的主流思潮中，所謂「文明衝突」基本上被看作是「先進」社會與「落後」社會之間的衝突。「落後」社會通過「現代化」最後終將走向「先進」階段。當然，在這一期間，並不是沒有人主張世界各文明有本質的差異，不能從「歷史進化階段」的觀點加以區別（如中國有梁漱溟、湯用彤、陳寅恪等人，西方最著名的例子是史賓格勒、湯恩比等），但持這一看法的人不僅人數甚少，而且不為學術界主流所重視；他們不免被譏刺為「落伍者」、「不科學」。今天像杭廷頓之類的人也開始承認「文化」、「文明」有其獨立的意義，不能簡單地化約為社會經濟結構的寄生物或附生物，這是一個不小的變化（杭氏所用「文明」一詞即直接取自湯恩比）。換句話說，今天我們才能認真討論「東西文化的衝擊」

這樣的問題。

關於「東西文化的衝擊」，我們也要略作分疏。嚴格言之，這兩、三百年來，主要是西方文化衝擊非西方地區，包括東方（近東與遠東）在內。以中國而論，我們對西方文化的衝擊有深刻的體認，但到今天為止，我們還不易確切指出：中國文化對西方有什麼顯著的「衝擊」。西方人今天感到東方文化的衝擊並不來自中國，而主要是近東的伊斯蘭教的「本旨派」（fundamentalism）與民族主義。自前蘇聯崩潰，冷戰結束以後，世界局勢為之大變。資本主義與社會主義之間的意識形態之爭已成過去。代之而起的是民族與文化的衝突到處再現，而且較之十九世紀更為尖銳。民族主義與宗教（文化之一主要形態）的力量大有席捲全世界的趨勢。這和啟蒙運動以來西方主流思想的認識幾乎背道而馳；理性並未能征服非理性，反而是非理性在人生中的作用益為彰顯。西方敏感的知識分子對此感到很大的威脅。這是「文明衝突論」再現的現實背景。

由於「文化爭議」的啟示，我們現在似乎可以在新的思想基礎之上重提東亞文明對西方文明的影響問題。但日本的影響至今仍遠在中國之上：日本的企業經營方式，以及日本在有關自然生態的科技方面的發展都已給予西方以深刻的刺激。它的資本主義與科技當然都源於西方，但它的文化傳統又反過來規範了這些借來的東西的運作與發展。由於種種原因，中國文化還沒有對西方發生衝擊的作用。但當前的文化爭議告訴我們：文化的中心問題是「意義」（meaning）的問題，這不是純客觀的研究所能解答的。亞里斯多德所提出的「如何生活」（How to live）的問題正是有關人生的意義。這個問題在西方文化史上後來為希伯來的宗教吸收了過去。在「上帝死亡」（尼采語）以後的現代西方人，人生意義已出現了危機。最近Charles Taylor寫了一本大書論「自我的來源」（Sources of self）最後仍乞靈於基督教，但信心已不十分充足。事實上，每一民族和文化都曾對「如何生活」的問題作過不同的探索，提出過不同的答案。人類如果真有和平共處或世界大同的一天，這些不同的「意義」之間也必須互相觀察、相互溝通。中國人在「意義」的尋求上曾作過長期的努力，也積累了無數的經驗。通過現代的整理和再創造，這些文化經驗也未嘗不能提供其他文化傳統中人的參考，包括西方人在內。西方現代文化有不少優點，但它的缺點也愈來愈暴露出來，美國的極端個人主義便是一個最顯著的例子。不少有識之士也已主張從多元文化的局面中謀求救弊補偏之道。對於「群體」（community）的重視即由此而起。貝拉（Robert Bellah）和他的同道配合寫的《好社會》（*The Good Society*, 1991）特重社會制度的作用；麥金泰（Alasdair MacIntyre）回到亞里斯多德的立場，重申「共同利益」的重要性。阿麻提亞・森（Amartya Sen，原為印度籍）論救荒問題，提出「以工代賑」的見解，這些都與中國傳統的政治社會思想大有相契合之處。「群」的觀念（communitarianism）今天在西方與個人主義已取得互爭雄長的地位，如果不推演太過，未始不能發揮正面的功能。

（本文為第二十二次院士會議中發表之公開演講題綱）

（原載《聯合報》，一九九四年七月八日）

鄧小平時代及其終結

鄧小平的健康急遽惡化最近成為海內外新聞報導的焦點，引起了相當普遍的關注。這項消息並不是空穴來風，《紐約時報》在本年一月十三日刊出了鄧的女兒蕭榕的訪問記，直接證實了鄧的病情。這篇長達八十分鐘的訪問記是頗不尋常的，似乎蕭榕已有意向外界透露她父親將不久於人世了。訪問記中甚至涉及了政治上最敏感的問題——八九年天安門的屠殺。這只能解釋為一種未雨綢繆的措施。

鄧小平今年已九十歲，他的來日無多本不待他的女兒證實。因此這一、兩年來，世界各地的政治圈子中，早已熱烈地討論過「鄧後中國」局勢將怎樣演變的問題。在這些討論中，我們大致可以看到兩種相反的推測：第一種推測認為鄧小平對於接班人問題早已作了妥當的安排，經過這五、六年來他在幕後的操作，死後當不致有劇烈的政治動盪。第二種推測則認為鄧死後中共黨內將重蹈權力鬥爭的舊轍，中國大陸恐難免有較長時期的不安。當然，在這兩極之間，各家的推測還有種種程度不同的判斷。但是從歷史的觀點看，這兩種推測雖然各有根據，其準確性都很有限。即使有人猜中了，也不過是像賭色子押紅黑一樣，不足為憑。這是因為歷史發展中總有許多偶然的、潛在的因素，在未顯現之前，是誰也看不見的。舉一個最顯著的例子，我們對於中共軍方的動態可以說毫無所知。誰能保證在鄧死以後，中共黨權與軍權之間的傳統關係一定不會發生基本的變化呢？在這篇短論中，我不想參加猜紅黑的遊戲。相反的，我只想根據已確定的事實談談「鄧小平時代」及其終結的歷史意義。限於篇幅，我只能從大處落墨，不能提供詳細的論證。

中共統治中國大陸今天已進入第四十六年，在這四十六年中，一九四九至七六是毛澤東的時代，一九七七年以後則是鄧小平的時代。今天幾乎所有觀察家都強調這兩個時代的不同，毛澤東採取鎖國政策，以「階級鬥爭」為綱，導致了一波高於一波的天下大亂。鄧小平在大亂之後復出，以「撥亂反正」為號召，推行了「改革」和「開放」的路線，終於開創了一個比較安定的新局面，市場經濟的發展更是其中一項突出的成就。

這一對比自然有事實的根據，但如果論毛、鄧兩個時代僅止於此，則不免犯了見異不見同，以偏概全的毛病。毛、鄧雖然分屬兩個不同的時代，卻統一於一個更高的整體，即共產黨的極權統治。他們之間的差異屬於內部矛盾；在大目標上，他們則是完全一致的。這是為什麼鄧小平要首先強調「四個堅持」——包括毛澤東思想和共產黨領導。他的「改革」和「開放」是以「四個堅持」為前提的。忘記了這一點，我們便根本不能了解「鄧小平時代」的意義。我們尤其不能忘記，在「毛澤東時代」，鄧小平曾是毛的路線的忠實執行人。

一九五六至五七的「反右」主要是鄧小平替毛澤東完成的，今天連他的女兒也承認當時毛和鄧都「頭腦發熱」，製造了幾十萬知識分子的「右派」冤獄（見上引《紐約時報》的訪問）。一九七三年鄧小平復出之後，他又同樣賣力地執行毛的「批孔」政策。他曾公開向日本人道歉，說中國有兩件事對不起日本：第一是把孔子的學說傳至日本，第二是誤導日本人採用了漢字。他說這兩件事都嚴重地阻礙了日本的「現代化」。所以我們首先必須認清「鄧小平時代」是「毛澤東時代」的延續，然後才能進一步分辨這兩個時代的不同。

鄧小平和毛澤東之間自始便存在著內部的矛盾：毛澤東在奪得政權之後，仍然要繼續把大權抓在他個人的手上，因此他堅決拒絕使個人的革命權威正規化。為了實現他隨心所欲的浪漫憧憬，毛不惜運用「個人崇拜」的威力來鬥垮國家機器和黨組織。鄧則是正規化的積極推動者，他所嚮往的是共產黨專政的徹底制度化——此即所謂史達林體制。與毛相比，鄧少了一點浪漫，但卻多了一分剛狠和決斷。他能毅然走「改革」和「開放」的路線者，以此；他能斷然下令天安門屠殺者，也以此。

一九七七年鄧小平第二次復出，開始了一個「改革」和「開放」的時代。這是為了挽救危機而不得不然的措施，當時中共面臨的最大困難有二：一是華國鋒所代表的「兩個凡是」派捆住了鄧小平的手腳，使他施展不開。另一則是在經濟上已陷入山窮水盡的境地，不能不作根本性的政策轉向。但在一九八〇年以前，鄧小平為了從華國鋒集團那邊奪取領導權，曾一度提倡過「民主」，甚至主張「資產階級民主的好東西要大大發揚」（一九七九年一月的講話）。因此他不但鼓勵「黨內民主」，而且也援引北京西單民主牆上的群眾言論以為己助。在一個極短時間內，他的「改革」和「開放」好像包括了「民主」在內。後來事實證明：這只是假象，只是一時的策略。等到大權在握之後，他就立刻把魏京生送進牢獄中去了。所以我一向認為鄧小平的所謂「改革」和「開放」可以歸納為「經濟放鬆，政治加緊」八字。而且「經濟放鬆」也是為了「政治加緊」——共產黨專政。就「經濟放鬆」而言，鄧小平時代是有別於毛澤東時代的，但以更重要的「政治加緊」而言，鄧時代則是毛時代的延續。

「政治加緊」和「經濟放鬆」兩個目標自然是互相矛盾的，但鄧小平對此並無深刻的認識。他以為毛的失誤僅在於過分強調「階級鬥爭」，以致把中國弄得窮困不堪。現在他決心把經濟改革從農村一直推行到城市，人民生活將得到改善。這樣一來人民便會感激「黨」的再生之德，從此更將心甘情願地接受「專政」了。至於改革和開放所必將帶來的知識分子的思想「自由化」和幹部的普遍腐化，他在開始時至少是沒有充分的心理準備的。這一矛盾終於激化為六四天安門的屠殺。

六四悲劇可以說是鄧小平時代最有象徵意義的歷史事件，正如「文化大革命」之象徵毛澤東時代一樣。社會是一整體，沒有任何力量可以使它一部分放鬆而另一部分加緊。毛時代是全面加緊，結果是把中國帶到了經濟崩潰的邊緣，鄧小平想用經濟放鬆來挽救極權統治的危機，但很快地又碰到了政治自由的要求緊隨著經濟放鬆而來的難局。六四以後，一方面「改革」和「開放」陷於停頓，但另一方面個體戶和鄉鎮企業等民間經濟的力量則已發展到不能消滅的地步。所以從八九年到九二年中共處於進退維谷的狀態。九二年所謂「南巡講話」是鄧小平的最後一擊，因為他晚年政治生命的賭注已全部投在「改革」、「開放」上面（即中共宣傳的「改革開放的總設計師」）。拋棄「改革」與「開放」便沒有什麼鄧小平時代了。但六四已成為鄧小平的最大的政治包袱，使他在政治上完全失去了主動的能力。所以在最後一擊中，他的「改革」、「開放」僅僅發生了一個作用，即引發市場經濟的洪流破堤而出，使逆轉成為不可能。然而在政治上他卻已動彈不得，只能要求黨內兩派不再爭姓「社」、姓「資」而已。這樣一來，所謂「改革」僅虛存其名，不但政治制度、法律制度原封不動，即使是經濟制度也不敢再碰。至於「開放」，也只剩下對外資開放這一點意義了。

現在鄧小平時代已到了終結的前夕，經濟放鬆和政治加緊仍然是中共奉行的最高原則。但是經濟放鬆畢竟帶來了一個意外的後果，即民間社會開始在政治隙縫中曲折地復甦。這並不在「總設計師」的工程圖樣之內，卻已成為愈來愈顯著的事實。有些觀察家說，大陸已接近蔣經國逝世前的台灣；鄧小平是中共政權的最後一個「強人」，他的時代終結以後，極權體制也逃不了解體的命運。這個看法不能說毫無根據，但未免樂觀了一點。我可以舉出三個理由說明鄧後大陸尚不能與八〇年代後期的台灣相提並論。第一是台灣的民間社會從未經革命暴力的摧殘，並且在八〇年代已出現多元化景觀；傳統的民間社會已在向公民社會轉化。第二是台灣早有一個合法而強大的中產階級，這和大陸的私有財產尚無法律保障的情況截然不同。第三是蔣經國在最後兩、三年中採取了解嚴、開放報禁、黨禁等一系列的政治措施，為結束一黨專政奠定了基礎。這一點和鄧小平的鎮壓民主運動尤其形成了強烈的對照。僅僅根據這三點來判斷，鄧後的大陸將仍然處於一個舉棋不定的過渡時期。

鄧小平時代的意義本質上是放鬆一部分經濟的控制來換取極權統治的穩定。在他的最初設想中，國有化企業仍然是主體，不過輔之以小規模的個體經營而已。所以經濟放鬆自始便是有限度的。這是他所謂的「具有中國特色的社會主義」。然而事與願違，市場經濟的力量不像中國老百姓那樣聽話，很快地便衝破了他所設的堤防，終於造成了今天這種不可收拾的局面。從他的主觀意圖說，鄧小平的設計是徹底失敗的，因為「改革」和「開放」不但沒有達到穩定極權統治的目的，反而加深了危機。但是從客觀的效果說，市場經濟的氾濫和隨之而來的民間社會的復甦確給中國大陸帶來了新生的曙光。因此如果從大陸人民的立場看，而不是從中共的極權統治的立場看，我們必須承認鄧小平時代是具有正面意義的。在這一點上，鄧小平經濟開放的歷史效應和戈巴契夫的政治開放不但是異曲同工而且也殊途同歸。這真是所謂「歷史的狡詐」了。

從中共的統治方面看，後鄧時代將充滿著危機，現在許多中外觀察家都在推測誰將取代鄧小平的「強人」的位置。事實上，政治「強人」都是歷史的產物，在未上台前應該早已為世人所知。毛澤東死後，鄧小平即已是呼之欲出的「強人」了。鄧後的「強人」需要觀察家作各種猜測，這便說明大陸上已不容易再出現另一個「強人」。而共產黨體制則非「強人」不能有效地運作。證之前蘇聯和東歐各國的往史，集體領導絕無其例。更嚴重的是自八九天安門屠殺以來，中共的體制改革已完全停頓。但另一方面，市場經濟則在無秩序的狀態下盲動不已。現實生活和社會體制之間的距離勢將愈來愈大。這樣的局面是不可能持久的。目前具有領導地位或潛力的個人和派系面臨著即將到來的權力爭奪，都處於僵持狀態，誰也不願或不敢先動。鄧小平時代所累積起來的歷史包袱因此只有愈來愈沉重。八九年以來，中共對於無數嚴重的問題似乎都在採取一個「拖」字訣，他們好像認為這樣一天一天地「拖」下去，問題便會自動地消解了。陸放翁說：「一年老一年，一日衰一日；譬如東周亡，豈復須大疾。」這幾句詩也許可以當作鄧後中共政權的一種寫照。蘇聯的解體不正是這樣嗎？

（原載《聯合報》，一九九五年二月十二日）

一位歸國學人淒涼的一生

——李志綏逝世引起的感想

剛剛接到香港金鐘先生的電話，告訴我《毛澤東私人醫生回憶錄》的作者李志綏醫生在二月十三日下午忽然去世了。由於我最近曾根據李醫生《回憶錄》的資料寫了一篇〈在榻上亂天下的毛澤東〉，金先生希望我對這一突如其來的不幸事件表示一點看法（此文方屬草，《紐約時報》在二月十五日刊出李的死訊）。

我和李志綏先生並不相識，不能寫私人悼念的文字。但是遽然聽到他的死訊，我還是不禁有一種悽愴之感。李醫生出生在「五四」運動那一年（一九一九年），今年七十五歲。在過去，這已是高壽，但在今天卻嫌死得稍早了。前幾天，我還和林培瑞談起，也許普林斯頓大學應該請他來作一次講演，談談他對毛澤東的了解。想不到這個計畫現在竟永遠不能實現了。

我們所以有此一議是因為早在一九八九年天安門屠殺之後，李志綏先生曾給普大東亞系寫來一份申請信，表示他想到這裡來寫一本關於毛的私人生活的書，問我們可不可以支持他的計畫。當時我們雖已有「中國學社」的籌劃，但是他的寫作計畫和我們的宗旨不能配合，因此沒有接受他的申請。我還記得他的英文信（當然是別人代筆的）中特別提到了毛的性生活問題。這大概是以為懂得美國人心理的人為他出的主意。但這一點反而使我們更為躊躇了。我個人也感到由普大來支持這樣一種寫作計畫是不很恰當的。我們現在仍然覺得當時的決定是對的，不過我個人感到可惜的是竟因此失去了認識李醫生的機會。

李志綏之死引起我的感慨，主要是因為我想起他在《回憶錄》上所說的幾句話。他說：他想成為一個神經專科醫生的夢想從未實現，他對於新中國的希望則完全破滅了，他的家庭生活整個毀掉了，而他的夫人現在又逝世了。他的夫人在臨死之前一定要他把《回憶錄》寫出來，對後代有一個交代，對即將出世的孫兒有一個交代。

這些話說得多麼淒涼，用最簡潔的話來說，他所經歷的是國破、家毀、妻亡、事業無成的一生。本來千千萬萬的平常的人都無不嚮往著國家上軌道、家庭幸福、事業順遂等等最起碼的生活境界。這是通常所謂「個人生命的完成」。如果不幸而生在亂離之世，這些想法自不免過於奢侈了。但在一九四九年以後，中國大陸照理說是可以既無內亂也無外患的。李志綏從澳洲迫不及待地趕回北平，當然期待著一種艱苦奮鬥但將是太平盛世的生活。這在當年可以說是無數中國人所同有的一個最合理的想法。特別是從美國、歐洲、東南亞以及其他各地趕回中國的留學生和學人，都是想把他們的專業貢獻給自己的家園的。

一九二一年七月初，羅素在北京作臨別講演，題目是「中國到自由之路」。他說：中國只要有一萬個愛國的人才，決心為中國的建設而努力，便可以把中國導向自由之路。但一九四九年時，肯為中國努力的愛國人才何止一萬？然而一九七六年毛澤東死去時，中國大陸竟到了殘破不堪的狀態。那麼多的愛國人才呢？五十萬以上仍然是「右派」，其餘也都成了「臭老九」。這個責任該由誰來承擔呢？李志綏則把他的一生貢獻給一個帶頭禍亂中國的人，而這個人的品質之低劣又是史無前例的。以致李志綏在垂老之年還必須把他的痛苦的一生如實地寫出來，向他自己和子孫作一交代。

更為諷刺的是，這部以血淚織成的《回憶錄》反而成為他對於中國和世界歷史的唯一的正面貢獻。二十世紀的暴戾之氣凝聚出好幾個混世魔王，他們都在各自稱霸的地區之內造下了數不盡的罪孽、摧殘了以千萬計的生命、毀滅了基本的文化價值、扭曲了善良的人性。希特勒、斯大林和毛澤東便是其中最有代表性的。這三個人之中，關於希特勒和斯大林的私生活都沒有第一手資料的記載（前幾年西方曾出現了一部所謂希特勒日記，但很快便被專家揭破是偽造的）。只有李志綏的《回憶錄》比較詳實地記錄了他在毛澤東身邊二十二年的見聞。這是最可慶幸的。這部書的史料價值將隨著時序的推移而愈來愈增高。將來有關毛的秘密檔案一一出現（這是當然有一天要到來的），我們便更會覺得這部《回憶錄》是不可或缺的參考文獻。

李志綏醫生《回憶錄》問世才幾個月，但它引起西方專家的興趣已極為廣泛，造成了廣大的影響。就我閱覽所及（我並未收集這一方面的評論），像林培瑞（Perry Link）在倫敦《泰晤士報》文學附刊中的書評〈毛的自私與狡詐〉（九四年十月二十八日）、梅兆贊（Jonathan Mirsky）在《紐約書評》上的〈揭開惡魔的面具〉（九四年十一月十七日）和荷蘭作家布魯瑪（Ian Buruma）在《紐約客》（*The New Yorker*，九五年二月十三日）的〈中國的耳語〉等都是很深刻、很有份量的文字。

布魯瑪這篇評論更值得注意，他並非中國專家，但深具觀察的洞力。此文以李志綏《回憶錄》和蕭榕《我的父親鄧小平》英譯本對照著寫，指出後者是「一部浮誇的、文字勉強通順的宣傳之作」，枯燥無味，令人不能卒讀。布魯瑪更特別提醒讀者，鄧榕這部書事實上還在繼續製造毛澤東的「個人崇拜」，其中有數不清的歪曲和謊言。例如一九四五年毛去重慶和談，鄧榕說這表現了毛不顧個人安危，誠意求取和平。事實上，正如布氏所說，毛去重慶是由斯大林的逼迫而成，其目的在爭取時間，以便動員軍隊向國民黨進攻而已。不但如此，毛去重慶，有美、蘇的雙重保證，他的安全根本沒有一絲一毫的問題。今天莫斯科的檔案已不斷出現，這樣拙劣的歪曲怎麼還能希望騙到有程度的西方讀者？

相反地，布魯瑪對李氏《回憶錄》有很高的評價，說它使我們真正看清了歷史上瘋子的內情。照佛洛伊德的分析，認識瘋狂正是治療瘋狂的第一步。這是李氏《回憶錄》的一大成就。布魯瑪在全文結尾時說：鄧小平緩和了毛的瘋病，他治下的中國比毛帝國是一個較適宜於人居住的所在。人們只要不問政治，在專制體系下甘心作順民，就可以過自己的日子，不必擔心被迫害了。但中國仍是中國，即權威式的帝國，蕭榕《我的父親》一書就是要達到一個目的，這樣的中國永遠不變。我覺得這也不失為持平之論。

關於李志綏的過去，除了《回憶錄》所述，我是一無所知的。他對毛的懷疑，是不是如他所說，始於一九五九年，我也無法斷定。但我最近有一個偶然的發現。在楊澤編的《七〇年代》下冊《懺情錄》中，有一篇文字記述作者父親在日本行醫。一九七二年一月左右，毛的主治醫師李醫生到了日本，由於和作者父親是舊識，因此偷偷在紙上寫了幾句話，大意是告訴他，中國發生巨變，林彪已在權力鬥爭中垮台了。作者沒有寫出李醫生的名字，但其人似為李志綏無疑。從這種動作看，李志綏那時顯然對毛政權已沒有多大的忠誠可言了。這件事尚待進一步查證。如果李志綏在一九七二年初確曾到過日本採購藥物或醫療設備，那麼他對毛的懷疑至少可以追溯到文革時期。姑記於此，以備異聞。

（原載《開放雜誌》第九十九期，一九九五年三月）

對台灣誠摯的忠告[1]

——「江八點」核心，旨在確定中共對台灣擁有絕對的主權

江澤民提出所謂兩岸和平統一的八點以來，台灣朝野對此展開了熱烈的討論，各種不同的觀察和意見都已出現。我個人也已對「江八點」作出了初步的分析，現在並沒有更新穎的看法可以提供讀者參考。《自由時報》的編者向我提出了一個角度不同的問題，即「江八點」對於台灣具有什麼樣的意義和影響？為什麼會在台灣引起這樣大的震撼？因此這篇短文的側重點將放在台灣這一邊。

討論台灣和大陸的關係必須以客觀事實為出發點。我們首先要問的是：台灣和大陸今天

究竟在實質上有什麼關係？我想答案應該很清楚，十年以來台灣工商界在大陸的投資今天已到了愈陷愈深，再也不能自拔的境地。換句話說，台灣在經濟上和大陸掛鉤掛得太緊，已產生了很大的倚賴性。實際數字如何自然要進一步調查才弄得清楚，但大勢如此，是人人都看得到的。目前美國和大陸的貿易戰爭正進行得如火如荼，因此中外報導便不約而同地指出，如果美國最後制裁大陸，首當其衝的將是台灣和香港在大陸的投資者。僅此一端，我們已不難斷定台灣有多少工商界人士，直接地或間接地被吸進了大陸市場經濟的漩渦之中。

這個情勢在今天遽然看來是很令人吃驚的。台灣以反共基地自許已四十幾年，怎麼中共稍稍誘之以利便會有這樣多的人趨之若鶩呢？等到忽然警覺到大陸是一個最嚴重、最可怕的威脅時，台灣的經濟命脈竟已在很大的程度上受制於中共了。這裡面是有一個發展過程的，其關鍵則在一九八九年的天安門屠殺。六四以後，各國都從大陸撤回了投資，至少也是投資停頓了。一時之間大陸面臨著經濟崩潰的危機。台灣的投資者卻在這個時候鑽了空檔，認為這是千載一時的良機。八九年年底我有好幾個美國學術界的朋友因事去過大陸。他們回來說，當時去大陸的飛機、大陸上的火車和旅館都是空的，只有大批的台灣生意人在到處旅行和活動。不用說，那時大陸各地的共幹都給台灣投資者以最優惠的待遇。所以我們可以毫不誇張地說，台灣和香港大量資金的流入大陸，挽救了中共的絕大危機，終於使大陸喘過了一

1 編按：本文標題為原出處編者所加。

口氣，迎來了九二年以後的表面繁榮。等到世界各國的企業界開始回流時，台商在大陸的優待自然逐漸取消，其處境也將愈來愈困難了。

以上論台灣與大陸的經濟關係好像與江八點沒有很大的關係，其實正是江澤民談話的一個重要的背景。如果說江的提法有任何新鮮之處，這在字面上倒不大看得出來，反而是其背後暗藏著一個與以往葉劍英、鄧小平的言論都不相同的估計。這個估計便是台灣已有大批的人在經濟利益上與大陸結下了不解之緣，他們在島內可以逐漸形成一種聲音，要求盡快與大陸達成談判協定，以便於運用大陸的市場和資源。江八點中對此也有明白的提示，即所謂「台胞投資」的問題。

台灣工商界個別地向大陸求出路本是無可厚非的事。但這裡面涉及了個體本位與台灣整體利益的衝突問題。此中關鍵則在於到現在為止，大陸仍然是一個極權的政治實體，而且政治仍然有足夠的力量控制市場經濟。中共誠然已不可能扭轉市場經濟的大趨向，但在必要時卻可能犧牲暫時的、部分的經濟利益以完成某種政治任務，如強迫台灣就範，使之成為一個與香港大同小異的「特別行政區」。大陸上當然也有不少從個體本位出發的利益追求者，台灣工商人士所個別接觸的大概多屬此類。但是他們和台灣的中產階層有一最大不同之處，即他們還不能影響到中共的決策，並且在重要問題上只有一切聽命於中共。這樣便形成了一種局面，使中共估計可以對台灣實行個別擊破的策略，我相信這個策略早已包括在中共的統戰計畫之中，並不是最近才開始的。

台灣個體本位的傾向並不限於工商界，在政治上也是如此。台灣有所謂「急統派」和

「急獨派」，前者希望愈快統一愈好，以便一勞永逸地解決「獨立」的困擾；後者則利用台灣人民恐懼中共的心理，希望趕快變成一個「獨立的國家」，永遠切斷與大陸的糾纏。這兩種態度完全相反，然而卻是相反相成。「急統」正好墜入中共的騙術中，「急獨」則將給中共提供用武的藉口。總之，台灣面對中共，內部竟不能形成整體的共識。個人或團體多從個體本位出發，而各有不同的打算，這一弱點將在中共未來「和平統一」的攻勢之下暴露無遺。

江澤民談話之所以在台灣引起種種不同的反響，據我的觀察，其中一個重要的原因是大家對於兩岸的關係還缺乏確定的理解。如果從事實出發，我想我們應該從三個層面來考慮這一問題。第一個層面是經貿關係，這一點上面已說過了。此處要補充的是這層關係既已發展到今天的地步，逆轉的可能性幾乎已不存在。今後的問題在於怎樣保護台商在大陸的利益而已。第二個層面是文化關係。近幾年來，兩岸文化交流發展得也很快，包括學術教育和民間文化（如宗教、戲劇等）。兩岸文化交流是最自然不過的事。在隔離了幾十年之後，兩岸的中國人都迫切地需要全新互相了解。文化交流的各種方式恰可以發生最重要的橋樑作用。一方面，台灣的文化根源來自大陸，即使是一百年前移民到台灣的漢族，也依然會有一種「尋根」的深刻意識。他們在文化上希望對故土有新的認識，這是可以斷言的。另一方面，大陸在過去三、四十年屢經革命暴力摧殘，傳統文化雖然最近開始復甦，卻呈現出相當歪曲的面貌。大陸上的知識分子和一般人民都知道台灣不但保存了傳統文化的許多優良成分，而且推陳出新，開創了現代化的道路。他們因此也迫切地希望能和台灣取得更多的文化交流。在雙方這種共同的要求之下，兩岸的文化交流可以說是當前最重要的課題。文化交流和經濟交流不同，基本上有利而無弊，是可以放手進行的。

第三個層面是兩岸的政治關係，這是目前最困難的問題；而困難的關鍵則完全在中共一方面。在理論上說，國共兩黨隔海對峙是一九四九年內戰未結束的狀態的延續。中共的「革命」並未能完全推翻中華民國的「法統」，這個政權仍然存在於台、澎、金、馬。雖然在台灣的國民政府已公開宣稱其主權行使將以台、澎、金、馬為限，而中共則置若罔聞，堅持把台灣看作「中華人民共和國」的一省，這是一種最蠻橫無理的態度。台灣之為中國的一部分，正猶如大陸之為中國的一部分。然而台灣絕非「中華人民共和國」的一部分。如果說，今天有兩個中國，這一事實也並非台灣造成的，而當完全由中共負其責任。中共自江西蘇維埃以來便蓄意製造兩個中國。毛澤東在延安時曾說：「蔣先生相信天無二日，我偏要出兩個太陽給他看看。」這是不打自招的話。一九四三年的《開羅宣言》和一九四五年的《波茨坦宣言》，都正式承認台灣歸還中華民國（The Republic of China）。今天台灣屬於中華民國，是絕對合法的，即使撇開以前的「法統」不說，在台灣的中華民國現在已正式進入民主選舉的程序，總統直選明年即將舉行，其合法性更是絕無疑義。中共既已在一九四九年自外於中華民國，另建別一國號，它便沒有任何資格可以片面地宣稱台灣是它治下的一省。

江澤民的八點僅僅比以前的宣傳增加了一些游辭，其基本前提依然如故。我不相信任何在台灣的中國人可以接受這一武斷的前提。中共是一個以暴力起家並長期以暴力為後盾的統治集團；它的第一目標永遠是保持其政權的穩定地位，與政權相比，一切其他的價值都是次要的，因此也都是可以棄之不顧的，包括人民的生命在內。抓住了這一要點，我們才能懂得為什麼中共官方對台灣的興趣和大陸民間完全不同，它不在經濟、不在文化，而在政治。而所謂政治興趣，具體地說，即怎樣能夠盡快把台灣收進它的極權統治的體系之內。江澤民的談話當然也提到經濟和文化，但這些都是手段，不是目的。所謂江八點，其核心即在確定中共對台灣擁有絕對的主權。只要台灣先接受了這一原則，中共便可以對台灣施予種種「慷慨」，例如在國際上「幫助」台灣發展「民間」活動。但台灣本身從此則再也不可能有任何「國際」的身分，它不過是中共治下的一個地區。二月二十日中共駐紐約總領事館的發言人已公開表示：該館將遵照江八點和中共外交部的要求，「主動介入與台灣同胞有關的國際糾紛或緊急事件，替台灣同胞講話」（見《世界日報》本年二月二十一日「紐約華埠新聞」版）。可見中共已根據江八點開始向來自台灣的海外華僑展開「和平統一」的攻勢。這是不容忽視的一個新發展。

分析江八點，我們必須特別注意其中兩個方面：第一是故意製造觀念上混亂，即將「中國」這一廣闊的概念混同於中共的「中華人民共和國」。第二是拋出兩個誘惑：經濟利益和文化認同。經濟的誘惑前面已說過了。關於文化的誘惑，這裡也有略說幾句的必要。

江澤民談話中提到了「中國五千年的文化」，似乎在台灣引起了一些反響。平時我們都說中共一向是摧毀中國文化的，現在江澤民居然要用「中國文化」來打動台灣的人心，是不是表示中共已改變了態度，開始向中國文化認同了呢？說中共一貫摧毀中國文化是不錯的。最近美國東西中心和上海復旦大學合作，實地調查中國傳統價值在大陸的狀態，其結論已完全證實了這一論斷（見Godwin C. Chu and Yanan Ju, *The Great Wall in Ruins*一書，紐約州立大學出版社，一九九三年）。但是江澤民用「中國文化」這個符號是不是可以看作中共官方已改弦易轍，則是大可研究的。我們必須知道，中共在不同的階段常常運用不同的符號，以收「統一戰線」之效。早在抗戰時期（一九四〇年），毛澤東為了充分利用民族主義的情緒，便曾在《新民主主義論》中特別讚揚過中國「創造了燦爛的古代文化」。而且這篇文字最初也發表在延安出版的《中國文化》雜誌的創刊號上。今天在台灣的人很少注意中共的歷史，他們對江澤民提起「中國文化」而大感興趣，這是很自然的。但事實俱在，江澤民的提法一點也不新鮮，這也是我們必須知道的。

我願附帶報告讀者一件事，即中共官方最近確有提倡「儒學」的傾向。去年北京召開了一個「國際儒學聯合會」，聽說江澤民、李鵬之流也曾出面表示支持。那麼這是不是表示中共真有向中國文化回歸的意圖呢？我的觀察是這樣的：由於馬列主義的徹底破產，中共現在面臨著意識形態的嚴重危機。為了找一個可以向海內外號召的代替品，中共自然首先想到再度利用民族主義和文化遺產。如果中共真是有意這樣做，我敢斷言那將是「儒學」和「中國文化」新厄運的開始。正因如此，大陸上原來同情「儒學」和「中國文化」的學人都紛紛發言，表示抗議。他們異口同聲地說：在這個時候，由官方出面提倡中國傳統文化，是有百弊而無一利的。但事實上，中共也不可能當真放棄馬列主義，因為這是它的政權唯一的理論根據。要判斷中共是不是認同中國文化並不是很難的事，我們只要看它是不是還繼續提「四個堅持」。如果有一天它正式拋棄了「四個堅持」，我們才可以斷定：它也許真正開始轉變了。

總結地說，為台灣著想，大家最好不要過分看重江澤民的「除夕談話」。台灣在經濟和文化上不可能與大陸斷絕交流，這是眼前的事實。這兩方面的交流基本上屬於民間的性質，因為大陸的民間社會確有開始復甦的跡象。但兩岸的政治關係一時還看不出有任何突破的可能，其中關鍵不在台灣，而在中共的僵化立場。台灣方面此時必須以最大的耐力，擋住中共在最近將來一波高於一波的「和平統一」的攻勢。鄧後的中共政治必然是一不可測的變局。台灣只要在經濟、文化──特別是文化方面和大陸的民間社會保持並加深交流，政治上的峰迴路轉並不是一個不切實際的幻想。無論如何，台灣的開放社會和多元文化開啟了中國史的新頁，這是從千辛萬苦中得來的成果，也須永保勿失。保之之道云何？一曰不懼，二曰不躁。懼則氣餒，躁則履險，同歸於自敗而已。

（原載《自由時報》，一九九五年三月二日至三月三日）

解除緊張感，建立新秩序
——兩岸現狀的分析

海峽兩岸局勢緊張為一九五八年金門炮戰以來所未有，而且實際情形似乎更為嚴重，因為一九五八年時台灣的安全還有中美協防條約的保障，今天則直接暴露在中共的武力威脅之前。《自由時報》編者一再希望我「評析兩岸現狀，以及台灣人心如何自持」，我並沒有任何資格來談這樣複雜的問題。不得已姑且提出我個人的歷史判斷，以為讀者作參考。必須聲明，我在此並無特殊主張，只是盡量尋求一種客觀的了解而已。以下先分別自大陸、台灣及美國三方面觀察，然後作一綜合說明。限於時間及篇幅，下文語多簡要，不能詳說每一判斷的具體根據。

一、大陸方面。中共最近一方面企圖以飛彈演習的方式瓦解台灣的心防，另一方面則以不惜與美國正式破裂的姿態，逼迫美國重申台灣屬於中國的立場。其態度之強硬為前所未有。何以中共會有如此的表現？一般人的直接反應似乎集中在李登輝總統訪美一事。我認為訪美事只是中共故意尋找的藉口，不是真正的原因。欲求更深一層的原因必自以下諸端著眼：

（一）中共自一九四九年奪取政權後，從未有忘記要拿下台灣，完成它所謂的「統一」。中華民國在台灣存在一天，中共便一天寢食難安，這當然有一種微妙的心理在作祟，宋太祖滅南唐，所謂「臥榻之側，豈容他人鼾睡」，史例一也；清康熙取台灣的明鄭，其例二也。康熙二十二年（一六八三）施琅取台灣之後，次年康熙即有第一次南巡，在南京祭明太祖陵，過曲阜拜孔廟，以昭示天下統一。中共雖與中國文化為敵，但對中國史上的政治象徵則一向十分注意，因為這與政權的合法性有關，不是單純的「正統」問題。

（二）回到現實，中共的政治情況現在正處於微妙狀態。在後鄧時代的前夕，黨內奪權鬥爭激烈，在台灣問題上誰也不能鬆口，而且誰能取得台灣誰的地位便立即穩固，這是再明白不過的事。不但如此，自「改革」、「開放」以來，北京的中央集權已大為削弱，地方勢力一天天在潛滋暗漲，西藏、新疆、內蒙古等少數民族地區要求真正「自治」甚至「獨立」的趨勢也更為表面化。北京政權為了自身的安危，自然想利用台灣來收「殺雞儆猴」之效。其中軍方的人也未嘗不想乘機立「功」。中共最後是否真正動武，誰也不敢斷言，但它既擺出「不惜一戰」的姿態，外面的人終無法知道它的底線何在。

（三）以前鄧小平曾指示在某些問題上要「硬」，某些問題上要「軟」的靈活手法，現在北京則表現為處處強硬，包括人權問題在內（吳弘達被拘捕即是一例），為什麼有此轉變呢？這是因為它忽然發現大陸經濟成長的現象在國際上具有無比的吸引力，各國商人都爭先恐後要到中國大陸上去搶機會，大陸的市場是否真為外界所渲染的那樣興旺，這是另一問題。我個人對此絕對持存疑的態度；我相信有些人的分析，認為大陸上的現狀是「泡沫經濟」，基本上都是各國的投資在那裡被操縱運用。而且中共仍無法制可言，市場受非經濟的因素干擾，極其嚴重。外面的投資人完全沒有法律上的保障。這種情況外面的人雖有了解的，但畢竟為數不多，一般商人的心理終是怕自己失去了先機，而寧可信其有。大陸經濟的聲勢之所以誇張到今天這個地步，以致成為中共的國際訛詐的一大本錢，追源溯始，台灣的大陸投資者不能不負極大的責任。一九八九年天安門事件之後，中共經濟確有崩潰的可能，是台灣和香港兩地的投機商人，想乘虛而入，大謀個人的利益，使中共政權喘過了氣來，中共最初優待台商，除了吸引資金外，還有更深一層的政治動機，即分化台灣內部，製造在台的大陸代言人。這一目的也幾乎達到了。

（四）冷戰結束後的世界，民族主義的情緒到處抬頭，中國也不例外。中共現在正在盡量利用這一情緒，所以中共以台灣「搞獨立」、「鬧分裂」為藉口，確能引起相當多的大陸以及海外的中國人的同情。這一力量絕不容忽視。前不久李登輝總統訪美，大陸留美的學生組織，在「六四」以後明明是反共的，竟一變而唱中共的調子。這只能以民族情緒來解釋。

以上所舉的四種力量是中共今天態度驕橫的基本根據，這些不過是內部的根據。此外還有外面的根據，即敵方的弱點，這是台灣和美國所提供的。

二、台灣方面，今天我們首先要問的是：台灣在國際上的法律地位是什麼？這裡我必須鄭重指出，一九四三年十二月一日，中、美、英共同簽署的《開羅宣言》，正式聲明日本從清朝奪去的台灣、澎湖等地，將歸還「中華民國」（The Republic of China）；一九四五年七月二十六日的《波茨坦宣言》則更進一步聲明《開羅宣言》所定多條條文應一一付諸實現，這是日本投降前二十天的事。後來日本接受了《開羅宣言》的投降條件，同年十月二十五日起台灣的主權便屬於中華民國了。一九五〇年一月，中共已佔據了整個中國大陸，中華民國的國民政府則撤退至台灣，當時中共的政權已經成立，台灣的法律地位在國際上也引起了討論，美國政府對台灣問題不能不作出明確的表示。因此杜魯門總統在一月五日重申美國的立場，根據《開羅宣言》和《波茨坦宣言》，承認中華民國在台灣行使主權是完全合法的。今天的情況與一九五〇年初並無實質上的改變，唯一的不同是美國承認中共是中國大陸的合法政權。這是美國對於既成的事實予以法律上追認而已。自一九四九至一九七八年間美國也並未否認中共有效地控制了中國大陸這一事實。同樣地，中華民國在台灣行使主權已整整五十年，從無一日的間斷，這也是無可爭辯的事實，《開羅宣言》和《波茨坦宣言》承認台灣的主權屬於中華民國，這更是無法取消的歷史事實；這兩個宣言也是無法追改的法律文件。國共兩黨的內戰雖已停止了四十六年，但並未結束，因為中共並沒有完全推翻國民政府。這是今天一個中國而分裂為兩個政府和兩個國號的根本原因。

台灣在國際上的法律地位繫於中華民國的存在，這是我們必須十分重視的事實。如果取消了中華民國，《開羅宣言》上所說的「台灣歸還中華民國」便會被中共解釋為「歸還中華人民共和國」了。《開羅宣言》不但是台灣不屬於中共政權的最有力的論證，而且也是台灣在國際上的法律地位的唯一根據。所以我認為「中華民國在台灣」這樣的提法並不失為一種實事求是的態度，而不能僅僅看作是一種不得已的暫時性的策略。如果視為策略，那便等於說這是為「台灣獨立」的預備階段了。我們必須認識到「中國」是一個整體的概念，在今天的情況下，大於「中華民國」和「中華人民共和國」兩個概念。說「台灣屬於中國」絕不等於說台灣屬於「中華人民共和國」，但必須以「中華民國」的存在為前提。道理很簡單，如果後者不復存在，則「中國」與「中華人民共和國」之間便再也難以劃分界線了。

今天台灣所面臨的最大困難便在於內部不能形成最低限度的共識。在對岸的中共虎視眈眈之下，台灣有許多人仍然把小團體和個人的利益看得比台灣整體的利益更重，而且造出種種說詞，各認為自己的取向即是對整體最有利的取向。這在內部各執一見的人看來也許都以為自己是最正確的，但以我這個旁觀者看來，則覺得是十分危險的事。中國大陸對台灣所造成的威脅並不真是來自大陸這塊地方，更不是因為大陸上的一般人民，而是由於中共政權是前蘇聯的共產體制的移植。共產體制不但摧殘了大陸的山河大地，更踐踏了所有的中國人民。台灣多數的人對中共都缺乏真正的認識，最近一、兩個月來，也許大家已看到它兇暴毒辣的一部分真相，但我相信還是有人為它一貫的「笑裡藏刀」、「口蜜腹劍」所迷惑。他們只見其「笑」、只賞其「蜜」，而於其後面的「刀」與「劍」似少警覺。台灣的中國人必須認清究竟誰是威脅他們生存的大敵，然後才有可能息止內鬥，建立共識。中共是以利用對方的內在矛盾起家的，台灣內部衝突的不斷升高是造成中共今天兇相畢露的一個重要的因素。

三、美國方面：美國今天的對華政策是尼克森時代所擬定的，其主要設計師是季辛吉。季辛吉在外交政策方面的影響力仍然很大，國務院中不少高級官員都是他的舊部屬，也依然推行他的路線，如羅德即是一例。共和黨在參眾兩院中取得多數後，對於台灣在美國的地位確有所提升，然而尚不足以改變美國對華政策的大方向。金瑞契「承認台灣」的話才說出口，便被季辛吉從北京打電話痛斥了一頓。金氏在外交上師事季辛吉，因此連忙自認外行無知。僅此一事即可知美國眼前還不太可能在對華關係上有突破性的轉變。前天國務卿克里斯多福已重申《上海公報》以來的舊約束。不但如此，中共最近又以經濟利益威脅美國商人，想藉此逼使美國政府就範。美國並不是不重視人權問題，然而人權的理想抵不過實際利益的想像。在經濟不景氣的狀態下，尤其如此。

不過值得注意的是，美國輿論界也出現了一些新的觀點，如這一期《時代週刊》上有主張對中共採取「圍堵」的政策，《紐約時報》星期日（七月三十日）的社論也在人權問題（吳弘達被捕事件）上對中共有強烈的評論。在美國這個民主社會，民間言論的力量是不容輕視的，言論的大方向持續下去便可以轉化為國家的政策。

有一點是我們完全可以斷言的，即美國現在的民意絕不肯讓政府捲入任何對外的武裝衝突。波士尼亞的內戰即是明顯的例子。所以中共如果武力犯台，美國儘管會十分同情台灣，甚至提供武器，但美國絕不會出兵協防台灣海峽。這是我在兩岸關係方面，對於美國的整體觀察。

以上是對於三方面客觀形勢的觀察，我的觀察未必完全準確，但我相信雖不中亦不致甚遠。在這一客觀判斷的基礎上，我願進一步談談台灣的中國人應該如何看待自己以及面對大陸和世界的問題，近來我閱讀台灣的報刊，發現很多中肯的論點，所以在這些問題已用不著我來說什麼話了。我現在所能做的不過是以一個關心台灣前途的旁觀者的身分表示一點個人的看法而已。

根據上面的分析，我們知道今天兩岸關係的緊張完全是中共一手製造出來的。它之所以能在此時製造緊張，一方面是因為它最近兩、三年來忽然增添了一些新的本錢，可以進行國際上的訛詐和勒索，另一方面則抓住了台灣和美國的一些內部矛盾，如果此時能以恐嚇方式迫使台灣就範，則中共向後鄧時代穩定過渡便多了一層保證。今年年初江澤民的所謂「江八點」，與此時的凶相畢露自是互為表裡，用意一貫。只有完全天真或別有懷抱的人才會說「江八點」是誠心求和平統一，由於台灣「敬酒不吃」才演變成今天的緊張局面。中共企圖利用台商投資以分化台灣社會，正行之有年，但用武力恐嚇以分化台灣政治的謀略則是最近才充分表面化的。中共對台灣的認識雖較以前為深入，但由於它先天地不能理解民主，因此在最關鍵的所在終隔一層。它誤以為民意是完全可以操縱的，更誤以為台灣內部有不同的政治聲音是一個可資利用的弱點。它不知道在台灣的中國人雖有政治觀點的分歧，卻沒有任何一派是主張向中共投降的，而在台灣的全體中國人更不可能接受中共的統治，由於先天地不能理解民主，中共對美國的認識也依然停留在膚淺的層次。照克里斯多福最近的談話，中共只認定美國行政部門為交涉的對象，對於立法部門的國會則完全不放在眼中，也不懂得三權分立的真實意義。這種認識上的先天限制便決定了中共在處理國際事務和兩岸關係上必然會不斷地犯錯誤（如逮捕吳弘達即是最近的一例）。中共近來所表現的驕橫急躁更將使它在錯誤的路線上愈走愈遠。從長程上看，這對於中華民國爭取國際空間提供了有利的條件。

在兩岸緊張的局面下，在台灣的中國人當然都關心台灣的安全問題，中共會不會有一天對台灣用武呢？中共不是一個有理性的現代政黨，它的所做所為往往不能以常理常情來推測。所以它會不會在滅亡之前忽然發瘋，這是誰也無法預測的事，包括它的領導人物在內。但是有一點可以作為推測的根據，即中共集團所最害怕擔心的不是任何別的，而是失去它的政權。在統治集團內部，由於派系林立，當權的人則時時提心弔膽，唯恐其他派系的人奪去他們的權力。因此，凡是足以威脅到中共當權派的存在的變動，他們都會不計一切代價去加以撲滅。一九八九年天安門的屠殺便是一個最驚心動魄的史例。今天中共並不怕中華民國反攻大陸了，因為政府方面早已宣布中華民國的主權目前以台、澎、金、馬為限。但是如果一旦台灣宣告獨立，成立一個「台灣共和國」，中共當權派只要稍事猶疑，便立刻會被其他強硬派所取代。不但如此，整個中共政權也將發生動搖，因為大陸內部的民主運動以及各少數民族地區必將乘機四起，所以台灣獨立事實上是等於向中共宣戰。這是沒有絲毫疑問的餘地的。

除此一事之外，中共以武力攻台的可能性是很低的。這不是中共有愛於中華民國，而是它有種種實際的顧忌。第一是「師出無名」。台灣既是中國的一部分（中華民國），又願意去談判桌上和中共討論尋求統一的合理步驟方式。中共憑什麼忽然動武呢？第二，如果以武力征服台灣，中共的原子彈、飛彈並無用武之地。因為它的目標是收服台灣為它的一省，而不是把台灣的土地和人民全部毀滅。不錯，據說鄧小平曾經用重炮毀滅過一個雲南回民反抗的村聚，屠殺了數以萬計的男女老幼。但那是在中共關門時代偷偷摸摸的行為。天安門的教訓應該使中共不敢在全世界注目之下進行希特勒、斯大林都不曾公然為之的暴行。而且任何人下令為之，勢必予黨內其他敵對派系以奪權的藉口。當權者出於保權的本能絕不可能出此下策。所以我敢斷言，中共的原子彈與飛彈對侵犯台灣而言，徒具虛勢而無實效。第三，剩下來只有一般常規性的戰爭了。這是雙方都要付出慘重的代價的。我相信台灣有充分的自衛能力，絕不是中共飛機、軍艦、潛水艇一出動，台灣便立即呈降表那樣簡單，而且海峽一旦進入戰爭狀態，台灣和大陸的對外經濟交通便同時斷絕，大陸的「開放」政策也就此付之流水。何況戰爭還可以引發出嚴重政治後果，是事前所無法預想到的。究竟中共選擇在什麼適當的時機，和出於何種不得已的內在要求，以致非發動海峽戰爭不可，至少我個人現在還看不出端倪。說來說去，只有台灣行「獨立」的險棋時，中共才能理直氣壯地大舉進攻，並得到大陸上人民的支持。

但是為台灣一方面著想，我們卻不能存絲毫僥倖的心理，而必須作好一切最壞的準備，這一點我相信台灣當局自有成竹在胸，用不著多說。對於社會上的一般人而言，台灣必須克服恐共的心理，尤其不能為它的武力威脅所奪。「處變不驚」仍不失為當前最有用的座右銘。

在台灣的中國人都應該為自己在經濟發展和民主演進上的兩大成就而感到驕傲。正因有此成就，台灣這幾年來才能在國際上開拓出更大的空間，以致引起中共的惱羞成怒。說到這裡我們可以得到一個最可寶貴的歷史教訓，即中華民國首先必須不斷地從各方面建設自己，使一個民主、自由的新秩序能在台灣出現。我特別強調「秩序」的觀念，是因為台灣今天雖已走上了民主、自由的道路，但離「秩序」二字尚有一段距離。中華民國愈有秩序，它在國際上所受到的尊重也會愈高。我們可以盡一切努力爭取國際空間，但絕不能過分重視外面的捧場。國際社會是非常現實的，美國也不是例外，在最緊要的關頭，一切外援都不足恃，最要緊還是自己有足夠的實力。

中華民國重回聯合國和獲得各國的外交承認固然很重要，然而這些只能是努力耕耘的收穫，而不必懸為朝思暮想的對象。一個民族如果必須靠這些外在的肯定才覺得自己有存在的價值，其結果必至內輕外重、本末倒置。即以中共而言，它也要到政權成立的二十四年之後才進入聯合國，三十年之後才正式得到美國的外交承認。毛澤東說過一句話：「聯合國不承認我？一百年不承認，一百零一年總得承認。」如果不以人廢言，這句話倒是值得大家想想的。

歷史永遠不是直線的，大陸的政權也不是穩如泰山，未來的變化存在多種的可能性。當前在艱苦的逆境中，台灣唯有以最大的韌勁，埋首經營，才能從「山窮水盡疑無路」，走向「柳暗花明又一村」的境界。

（原載《自由時報》，一九九五年八月二日至八月四日）

談中國當前的文化認同問題

冷戰結束已經三、四年了，世界的文化狀態呈現出一種新的變化。最扼要地說，即從兩大陣營的意識形態對抗，一變而為多民族、多文化之間的衝突。這一變化自然不是最近幾年才發生的，不過長期掩藏在意識形態的表象之下，沒有受到注意罷了，例如前南斯拉夫、前蘇聯內部所潛伏的民族和文化的危機，一直要到共產主義體制崩解之後才全面爆發出來。中東伊斯蘭教的文化與西方的衝突更是源遠流長，但在過去半個世紀中，則因兩大陣營的抗爭而處於依附的地位。我們可以說，冷戰結束以後，構成世界的基本單元又回到了民族、國家、文化，而不再是什麼「資本主義」與「社會主義」或「自由」與「極權」這一類的二分法了。但是今天，民族、國家、文化的份量已與十九世紀晚期至二十世紀中葉大不相同。在那個時代，世界主義的思潮流行，國家和民族都被看作過渡性的組合，文化在當時的一般觀念中更不重要，僅僅是經濟、社會結構的寄生物；文化雖因民族而異，但並不足以限定民族的發展，而且在現代化的過程中，各民族的文化最後都不免趨於大同小異。然而在後冷戰時代，愈來愈多人相信每一民族所具有的文化特質至少在可見的未來是不會消失的。俄國和東歐的許多民族傳統在共產主義解體後迅速地復活，已為文化的深厚潛力提供了最可信賴的證據。但這並不是說我們可以據此建立一種「文化決定論」，不過長期以來支配著史學界的經濟決定論則確已到了不得不修正的時候了。

在這一新的形勢下，文化多元論逐漸取得了人文社會科學界的承認，在美國如此，推之世界各地也無不如此。承認世界文化是多元的，這便突破了西方文化在現代世界的獨霸之局。但是這一發展雖有重要的正面意義，卻也帶來一個潛在的危機，即極端民族情緒和「原教旨論」的氾濫。中東伊斯蘭教的原教旨論便是一個最令人驚心動魄的實例。一九七八年薩依德（Edward W. Said）發表了著名的《東方主義》（*Orientalism*）一書，引起了巨大的迴響。這本書暴露了西方的「東方學家」的偏見，把中東的阿拉伯世界描寫成西方高度文明的反面。他認為這是西方學者、文學家、哲學家等在有意無意之間企圖建立世界性的文化霸權。因此他號召阿拉伯世界的人起而反抗，同時建立起自己的文化認同，不能輕易接受西方文化為普遍的價值標準。這部書產生了很大的影響，可以說是主張文化多元論和文化相對論的一部最重要的發難之作。文化多元論不失為一個健康的觀點，但文化相對論如果推行過遠則有流入極端族類中心（ethnocentric）的危險，從而排斥一切「非我族類」，以為「天下之美盡在於己」。依照這種極端的看法，則每一民族的文化都只能是一封閉系統，而文化與文化之間的真正溝通將是不可能的事。這不但在道理上說不通，並且根本不合乎歷史事實。薩依德有鑑於此，所以在一九九三年出版的《文化與帝國主義》（*Culture and Imperialism*）一書中，他轉而強調今天世界上各民族的文化已經沒有一個能保持它的純粹單一的民族原型了。所有文化都含有其他文化的成分，換言之，都是異質的混合體。更由於西方近代文化的無遠弗屆，其中有些源於西方的文化因子已變成整體人類遺產的一部分了（他特別指出貝多芬的音樂為例）。他不贊成有些美國人過度對西方文化傳統抱持著的優越感，但他也同樣反對阿拉伯人針鋒相對地提出阿拉伯人只讀阿拉伯的典籍，只採用阿拉伯的方法這一類的偏狹觀點。[1]

通過薩依德這兩部書，我們可以得到一個明確的印象，即從冷戰時代到後冷戰時代，世界思潮似乎已脫出了帝國主義與民族主義互相對抗的舊格局。每一個民族的文化認同已不僅僅是乞靈於自己的傳統，而且是同時向其他文化開放，並擇其善者而從之。這一思潮現在已普遍地展現在西方許多學術領域之內，包括哲學、史學、文化研究、文學批評、人類學等等。西方主流學術界和思想界已明顯地放棄了以西方文化為普遍標準的舊偏見。如果我們今天已很難指出誰是西方帝國主義文化的代言人，那麼文化民族主義事實上也失去了抗爭的對象（這裡不涉及西方內部——如美國——有關多元文化的爭論。在內部爭論中自然還有白人文化與少數民族文化之間的對抗，以及男性中心文化與女性主義之間的對抗）。

以上所說的是關於目前世界文化思潮的一般趨勢。但是這篇短文真正關懷的問題則是今天中國的文化認同危機。這兩、三年來，中國大陸和台灣的知識分子對於文化認同好像都產生了種種困惑。大陸上有關「人文精神」的討論、「新國學」運動的提倡、宗教意識的抬頭，都可以看作是對於文化認同的尋求。在形形色色的尋求之中，我們似乎又看到一股文化民族主義的暗潮在激盪著，並且還或多或少受到官方的鼓勵。中國大陸上的官方意識形態現在顯然失靈了，文化民族主義大有取而代之的可能。這大概是官方用「中國文化」、「國際儒學聯合會」之類的東西向外進行「統戰」的一個主要理由。中國知識分子之中自然有不少人是民族主義者和「愛國主義者」，一個多世紀以來激動心弦的文化符號對於他們依然是會引起儲蓄反應的。用「民族大義」、「愛祖國」這一類的觀念激起他們對於想像中的「帝國主義」進行抗爭，大概是可以收效的。今年五月間，我有機會在香港三聯書店瀏覽，發現書架上充斥著有關「周易」、「氣功」之類的書籍。這也是一個重要的信號，說明文化民族主義不僅對於知識分子有感召力，並且有更大的社會基礎。這使我聯想到一位俄國史學家對於今天俄國思想狀態的描繪。據他說，馬克思主義失靈以後，俄國只剩下了一片「哲學的空白」。其結果是許多人竟順手亂抓一切荒謬的東西來填補這片「空白」，從神秘主義、「怪力亂神」（occultism）到侵略性的沙文主義都大行其道。蘇維埃帝國的崩潰也誘發了人們操縱歷史記憶的需要和思古的情緒，於是有些人便在舊神話的殘骸上重新編造新的神話。[2]這是很值得比較研究的思想現象。由於傳統不同，中國大陸上還沒有發展出明顯的「原教旨論」運動，但上述的文化民族主義即是與「原教旨論」屬於同一性質的東西。所以我認為fundamentalism在中國也許應該改譯作「返本論」，這就可以用之於文化民族主義了。

---

1 Edward W. Said: *Culture and Imperialism* (New York: Random House, 1993), pp. 24-26.

2 Aaron I. Gurevich:" The Double Responsibility of the Historian", *Diogenes*, no. 168, vol. 42/4 (Winter 1994).

台灣近幾年來也有一種文化認同的危機，一部分知識分子只認同於「台灣文化」，根本不肯承認「台灣文化」與「中國文化」之間的聯繫。一九九三年十二月，我偶然批評了台灣學術文化界「泛政治化」的傾向，指出台灣文化雖然有現代的新發展，但其遠源仍來自明清時代的中國文化。這樣常識性的說法竟在台北引起了強烈的反應，有幾十個知識分子在報上聯名反駁，說他們只要愛「台灣文化」就很夠了，中國文化和西方文化都引不起他們的興趣。這也是一種「返本論」，不過這個「本」卻更不容易說得清楚了。

我不願意在這裡對海峽兩岸的「返本論」傾向提出任何評論，我也不敢說這種「返本論」究竟有多大的典型性。但這種現象使我不禁深感憂慮，因為這一傾向繼續發展下去是會造成災禍的。民族主義（包括地方主義）只有在帝國主義侵略的情況下才有積極的意義。如果無的放矢，至少也會造成心靈閉塞的狀態。如果民族主義（或「愛國主義」）轉變成侵略性質，其後果則不堪設想。三〇年代德國的納粹運動和日本的軍國主義便是前車之鑑。

中國今天確有文化認同的危機，但解決之道絕不在於煽揚民族狂熱的情緒。文化多元論並不涵蘊著在許多個別民族之上不再有某些共同的人性標準，也不涵蘊著文化與文化之間不能有真正的溝通。這些問題都應該深入討論，可惜這裡不能詳說了。[3]

（原載《二十一世紀》第三十一期，一九九五年十月）

3 最近我為《歷史人物與文化危機》論文集（東大出版，一九九五年九月）寫了一篇兩萬字的自序，題為〈中國現代的文化危機與民族認同〉，讀者可以參看。

邀魏京生來台北過年

編輯先生給我出了一個富於想像力而又十分有趣的題目：「邀魏京生來台北過年」。我很喜歡這個題目。因為在魏京生再度長期入獄之始，台北居然還有人記掛著他，還想到要邀他來過農曆年，只此一念便使人感覺到中國人的世界畢竟還存在著溫厚的人情味。魏京生自七〇年代提倡「第五個現代化」以來，早已成為中國大陸上追求民主的象徵。四〇年代末期胡適之先生宣揚民主和自由，他並沒有談什麼高深的理論，也沒有建立什麼哲學的基礎。但是他說過一句話我始終記得：民主自由的社會是一個富於人情味的文明社會。也就是這一句話，使我至今不肯放棄民主的理想，儘管我深知民主在實踐中也突然會出現許多負面的東西。我想，在台灣的中國人所表現的人情味和台灣的民主化恐怕是有關聯的。無論如何，台灣如果是一個專制或極權的社會，就不可能有人敢提議邀請魏京生來過年了。

我雖然欣賞編輯先生給我出的題目，但對於此題我卻只能交白卷，其故有二：第一，我除了十分敬重魏京生以全部生命奉獻給中國的民主化之外，對於他的生平和思想真是一無所知。因此我無法想像他對應邀到台北過年這件事究竟會有什麼樣的回應。我甚至也不敢斷定他是否有興趣來台北一遊。第二，我對於今天台灣的政治文化、思想的空氣也不甚了解，很難判斷究竟有多少人真正有興趣約魏京生來台北過年。由於這兩點「無知」，我寫不出編輯給我的好題目。不得已，姑說些題外和題邊的話。

我說我敬重魏京生獻身民主的精神，這並不是因為今天魏京生再度判刑十四年，成為世界性的新聞人物，而隨口說一句譁眾取寵的廉價諛詞。去年諾貝爾和平獎提名時期，我曾認真地費了一點工夫為他寫了一封提名的信。這封信是經朋友們慫恿而寫的，並不是由我主動。據朋友們說，去年提名魏京生的人不少，但都是政治圈子裡的人物，如美國一部分國會議員和瑞典的全體國會議員之類。可是據他們所知，西方人文社會科學界中則沒有人參加提名的努力。我的朋友們又告訴我，凡是在大學中教歷史和政治的人都有資格提名諾貝爾和平獎。我自問並非好事之徒，不過略有一點「成人之美」的意願。於是我就冒昧地寫了一封信給和平獎委員會。我當時的感覺是，魏京生究竟對世界或中國的和平有什麼具體貢獻，我還舉不出有力的事實。所以我在信上特別強調：只有中國大陸的民主化才能給大陸本土、海峽兩岸，以至整個東亞，帶來和平的希望。在中國，魏京生是幾十年來高舉民主火炬而從未間斷的唯一象徵人物。頒給他和平獎可以大有助於中國的民主運動，這比事後追認他的貢獻，意義更為重大。我說的是我自己真正相信的老實話，但是我並沒抱多大的幻想，不過是「知其不可而為之」罷了。後來我收到和平委員會的一紙通知，並且說明當年被提名的人一共有一百二十八位之多。我當然知道，他獲獎的機會是很渺茫的了。

最近中共再度以「顛覆政府」的罪名判了他十四年的罪刑，使他一夜之間成為舉世矚目的人物。這就為他獲得諾貝爾和平獎創造了前所未有的條件。我們關心中國民主前途的人都不能不對中共表示衷心的感激，我這樣說是有堅強的根據的。在今年二月十五日出版（現已面世）的《紐約書評》（*The New York Review of Books Vol XLIII No.3*）上，我讀到了世界筆會給澳大利亞、加拿大、丹麥、法國、德國、日本、南韓、瑞典、英國、美國等十個國家的政治領導人所寫的一封公開信。這封信是由這十個國家的二十七位著名作家共同署名的，其中如日本大江健三郎、瑞典的馬悅然、法國的德里達、美國的阿瑟密勒、蘇珊桑塔、諾曼梅勒、譚恩美等都是中國讀者比較熟悉的名字。他們共同以最誠摯的語言，呼籲他們的政府不能為了經濟的利益而忽視中國人的人權問題。當務之急是怎樣盡一切最大的努力謀取魏京生的釋放。有些話是很沉痛的：在所謂「北京之春」（一九七八—七九）的時期，魏京生首先對政治壓迫公開抗議：那時中國還未擺脫《一九八四》（指奧威爾的小說）式的長期沉默與黑暗的統治，只有最勇敢的人才敢毫無忌憚地說話，中國的「春天」一個一個地過去了，每一個「春天」都對不住魏京生。

然而他並沒有對不住中國，他一再抗議，也一再因此嘗到沒有人道的懲罰。現在四十五歲了，他為了陳述自己的意見已在獄中度過十六個「春天」了（這不是直譯，但忠於原文的精神）。

美國女作家蘇珊桑塔還另寫了一篇〈論魏京生〉，曾在去年（一九九五）十二月筆會的記者招待會上宣讀過，全文的宗旨也是譴責美國政府為商業的「利益」而犧牲了對於中國人權所應有的關懷。更令人感動的是：她嚴厲地譴責老一代美國「漢學家」的雙重標準。這些所謂「中國通」硬說中國人一向生活在集體主義的傳統之中，從來不知個人人權、民主、自由為何物，這些「價值」都是西方所獨有的，是中國人所不配享受的。但是中國民主運動的最近歷史卻告訴我們：中國傳統中也同樣具有民主、自由、個體人權的根源，魏京生便是一個活生生的人證。如果中國人的傳統中完全沒有一點根源，像魏京生這樣的中國人會為這些價值作出如此驚天地泣鬼神的奉獻嗎？所以今天新一代的「漢學家」已徹底修改了過去的偏執了。

我讀了這封公開信和蘇珊桑塔的文章，真不勝其感慨。中國自清末以來，無數學人包括譚嗣同、章太炎、梁啟超、劉師培等「儒學大師」都早已在中國經典中尋出許多關於民主、自由、個人自主、人權等價值的古代根源了。下至四〇年代，胡適在美國作過多次講演，指陳民主在中國也自有其歷史的基礎，不過沒有充分發展而已，最近我在〈現代儒學的回顧與展望〉的長文中也分析過清末學人所接受的「西方價值」——如個人自主、抑君權興民權、重社會輕政府——都有明清以來儒學的新動向為其基調，在近代早期的「格義」階段，中西的比附誠不免有穿鑿過甚的地方。然而大體言之，說中國人早已有近似西方自由、民權、個人自主之類的想法，這絕不是望文生義的曲解。試問如果中國傳統中沒有一點根源，為什麼像郭嵩燾、薛福成、王韜這些在儒學中成長起來的人，一旦到了歐洲和美洲，竟會發出這是「三代盛世」的驚嘆？康有為又為什麼能寫出一部《孔子改制考》，把上古三代說成是「民主」的秩序？劉師培又怎麼能寫出一部《中國民約精義》？魏京生是二十世紀下葉的人，他關於民主、自由、個體人權的種種說法也許承自「五四」以後的文化遺產。但是十九世紀下葉的中國儒生何以也能與西方的民主、自由、人權等價值一見如故？拋開一切文字表層的附會和曲解，這裡是不是也有值得考慮的問題呢？

最使我感動的還是上述二十七位作家所共同表現的博厚的同情心——這是一般所謂人道主義的精神，這在我們的傳統中叫作「推己及人」。本文開始提到民主社會是富於人情味的社會，其具體的表現便在這種地方，今天西方的新自由主義者提出了一個新課題：自由主義者的第一要務便是消滅「殘酷」（cruelty）。這是給有人情味的社會下了一個轉語，提出了一個新的界說。上面二十七位作家之所以為魏京生的遭遇而大聲疾呼，也正是不忍見到這種「殘酷」仍在大陸上氾濫。但是痛恨殘酷並不是西方獨有的價值，孔子的「勝殘去殺」、孟子的「不忍」，以至杜甫的「朱門酒肉臭，路有凍死骨」，都早已把這一價值表現得十分透徹了。有些西方自由主義者說，痛恨殘酷是出於一種「參與的情感」（participatory emotions）。這在中國傳統更是一點也不陌生的。「他人有心，予忖度之」、「惻隱之心，人皆有之」不也是我們自己的文化遺產嗎？

因此，我是贊成邀魏京生來台北過年的。

（原載《聯合報》，一九九六年二月二日）

「我自歸然不動！」

中華民國總統直選是中國政治史上破天荒的一件大事，同時也是百餘年來中國人追求民主理想的全面實踐的開始，中國過去政權轉移無不以武力為後盾，改朝換代表面上雖有所謂「禪讓」和「征伐」兩種方式，一究其實則不過百步與五十步之別而已。「征伐」在歷史上也稱作「革命」（湯、武革命），但即使是號稱為「以至仁伐不仁」的殷周「革命」，也不免「血流漂杵」而引起了孟子的懷疑，現代中國人特別崇拜西方式的「革命」，以致「革命」已成為一種神聖不可侵犯的寶物。可惜我們稍稍研究一下歷史事實，便立刻會發現現代中國的「革命」仍未脫「以暴易暴」的舊格局。毛澤東「槍桿子出政權」的名言確不失為對於現代「革命」的一種最扼要的概括。所以從歷史的角度看，這次民主直選開啟了中國和平轉移政權的新紀元，中國政治文化的現代化不再是徒託空言，而是見諸實事了。這是每一個中國人所最當珍重的歷史時刻。

然而不幸得很，就在選舉的前夕，中共竟以飛彈演習的方式對台灣進行赤裸裸的「國家恐怖主義」（State terrorism）。這一暴行的表面意圖在於左右台灣的選舉，這是明眼人一望即知的。但是隱藏在暴行後面的一個更深險的機心卻始終未見有人予以揭露。中共至今仍以「革命政權」自居，它的政權是從槍桿子裡面出來的，也一直是靠槍桿子維持的。對於這一性質的政權，最大的威脅莫過於隔海的民主直選。為了轉移世人——特別是大陸上的中國人——的注意力，中共才全力誣栽中華民國的總統選舉是一種「台獨活動」。飛彈演習恰可以造成，而且也確實造成了，世界性的轟動效應。中共的估計，通過這一偷天換日的障眼法，世人將不再把總統選舉看作是中國人要不要民主的問題，而變成台灣要不要「獨立」的問題了，現在看來，中共的估計似乎是相當精確的。從海內外的報導中，我們只看到「統」、「獨」之爭，至於這次選舉在中國史上劃時代的偉大意義則已淹沒在一片喧嚷聲中。

選舉很快便將揭曉了，但選舉以後中華民國所面對的最大、最緊迫的問題仍將是海峽對岸的「國家恐怖主義」。無論是哪一組候選人當選，他們都不能不把處理「恐怖主義」作為施政的第一方針。

中華民國政府遷至台北以後，始終堅持「一個中國」的基本國策。這一基本國策今後仍然必須堅定不移地繼續下去。最近政府雖然主動地把主權行使的地區限定於台、澎、金、馬諸島，但這僅僅是「實事求是」，而不是放棄「一個中國」的終極理想。這裡的「一個中國」是指五千年文明的整個中國，絕不能等同於中共政權所統治的地區。因此，說台灣是中國的一部分，絕不能曲解為台灣是「中華人民共和國」的一部分。只有在這一最低限度的認識之上，台灣才能和大陸討論中國怎樣達成和平統一的問題。

中華民國今後只有根據民主的原則加強自身的力量，然後在理性和自尊的基礎之上，試圖與中共當局商談避免戰禍的可能途徑。但是中共方面到底怎樣回應，則絕不是台灣所能為力的。無論選舉的結果是哪一個黨派執政，都絲毫不可能影響中共的最後決策。中共現在正面臨著新一輪的內部權力爭持，它對台的「恐怖主義」的底線究竟何在主要取決於內爭的結果。中共今天正在全力發動民族主義的情緒。但大陸上並無真正的民意可言，我們也不必去妄測大陸人心的向背。總之，中共要戰，還是要和，不但與民意完全無關，甚至國際（包括美國）的影響也是非常有限的。

為中華民國著想，在台灣的中國人只有咬緊牙關，以堅忍不拔的精神頂住「恐怖主義」的狂潮。毛澤東在江西被圍剿的最危險時期，曾寫下了兩句詞，我們不必以人廢言，姑錄之於下，以結束此篇：敵軍圍困萬千重，我自巋然不動！

一九九六年三月七日於普林斯頓

（原載《中央日報》，一九九六年三月十二日）

重啟兩岸學術交流之門

中華民國第一次全民直接選舉總統是中國政治現代化的一個最重要的里程碑。從前胡適之先生提倡民主和憲政，他的終極理想便是中國人一人一票選出他或她的最信任的總統候選人，胡先生在一九六二年逝世時，這個願望還是遙不可及，想不到在三十四年後的今天，我們竟能親眼看到這個偉大理想的實現。中國民主運動的創始者孫中山先生一定對他所締造的亞洲第一個民主共和國感到無限的驕傲。西方有一句諺語「親眼看見上帝創造世界」（"present at creation"），指人生難得遇見的珍貴時刻；荀子也有一句話：「天地始者，今日是也。」這兩句話最可以說明中華民國八十五年三月二十三日這一天的意義。

將來的歷史家也永遠會記得：中國這個民主創世的日子是在飛彈演習的威脅之下度過的。今天每一位投下神聖一票的中華民國公民也都為自己在中國歷史上留下了不朽的功勳。這是毫無可疑的。

中共選擇這個時機對在台灣的中華民國實施恐怖主義，再一次證明了它害怕民主已到了驚惶失措的程度。一九五七年「反右」是因為民主人士要求成立「政治設計院」之類的民主機構，一九八九年天安門屠殺是因為民主女神在天安門廣場上升起了。魏京生兩次判重刑是因為他提出了「第五個現代化——民主」的鮮明口號。中共至今仍是一個極權的黨，只有極少數當權派能發號施令。今天恰好是幾個最僵硬的人佔據了黨內發號施令的位置，恐怖主義政策便是這些人制定的。少數脅制多數是中共黨史的鐵律，多數人即使有不同的意見，在這個人人自危的奪權白熱化的關頭也是噤不敢言。在八九民運的高潮時期，雖然時間很短，我們已看到許多中共黨員都清楚地表態了：他們同情學生和市民的民主要求。即使在最高一層的領導人物中，我們也看到了像胡耀邦、趙紫陽這樣持異見的黨員。台灣的民主直選在恐怖主義籠罩之下順利完成，選民更表現了非凡的鎮靜和堅毅。這對於中共黨內少數恐怖分子是一個最有力的反擊。我敢斷言，這次台灣的民主選舉將有一項意外的副收穫：促使中共黨內理性力量的抬頭。這對於未來兩岸和平相處和溝通是大有幫助的。

我完全不懂政治，不願深談兩岸怎樣「統一」的問題。我有一個根深柢固的偏見，認為以文化與政治相比，前者具有更基本、更長遠的重要性。民主政治之所以可貴，正在於它使每一個人都能自由自在地追求自我實現和人格尊嚴，而在日常生活中完全不覺得有政治的壓力。我們可以說，對於一般不想參與政治活動的人，民主社會是一種政治最少的社會。中國古代早就產生了這樣的理想，〈擊壤歌〉說：「日出而作，日入而息，鑿井而飲，耕田而食，帝力于我何有哉！」「帝力」便是我們今天所說的「政治」。

如果我們能暫時撇開政治不談，我們立刻便會認識到兩岸的中國人具有共同的文化源頭，共同的語言文字，是不可能彼此孤立，老死不相往來的。在日常生活的層次上，台灣和大陸的人民不但應該互相往來，而且事實上也早已開始交流了。經濟的交往領先了一步，這是很自然的趨勢。但文化、藝術、宗教等各方面的交流也已有了很好的開端。我現在更願意強調兩岸之間的學術溝通。學術的範圍太大，我只能就我所了解的中國人文研究方面作一簡單的說明。

從八〇年代開始，大陸上的知識分子，特別是年輕的一代，便已逐漸擺脫了官方意識形態的羈絆，而重新探求文化的意義。在大陸上絕響已久的中西文化問題幾乎在一夜之間復活了。這一股潮流形成了名聞世界的所謂「文化熱」，這一場「文化熱」因為和民主運動匯流了，不幸夭折於一九八九年。但是大陸知識分子的求知欲望一直在潛滋暗長，最近三、四年中，另一股學術動力又取「文化熱」而代之，這便是今天瀰漫在大陸各地的「國學熱」。「國學熱」避開了政治的敏感區域，以研究中國的人文傳統為宗旨。「國學熱」和「文化熱」之間的一個最大不同之處是前者的學術性較強，後者的思想性較強。另一個相異之點則是「文化熱」的範圍廣大，遍及於世界一切文化，而「國學熱」則集中在中國的人文傳統之內。因此大陸上有些知識分子指出「國學熱」已造成一種重學問而輕思想的傾向。但是為了避開政治的干擾，我認為這不失為一個明智的抉擇，而且真學問中自有真思想，不過出之以較隱蔽的方式而已。

誠然，大陸官方之所以容忍、甚至鼓勵「國學熱」的存在和發展，是因為它別有懷抱，即激動中國人的民族主義意識，使之為官方的政治企圖服務。但就我所見到的討論文字，大陸上絕大多數的知識分子都自有權衡。他們的主要旨趣在於重建中國的學術傳統，而拒絕隨官方的調子起舞。自一九四九年以來，中共以馬列主義為欽定正統恣意破壞中國五千年的文化遺產，用「封建」兩個字而一筆抹殺之。其結果是使好幾代的年輕人完全接觸不到中國的人文價值。大陸上大權在握的政治動物之所以充滿著暴戾之氣，正是因為他們在文化上已不是中國人了。國學研究是中國文化的復興和更新的基礎工作，從較長遠的眼光看，具有「勝殘去殺」的重大功能。我個人對於大陸的「國學熱」是十分重視的。

台灣是中國文化的保存與現代化最為成功的地區。中國人文傳統的研究也薪盡火傳，未嘗中斷。兩岸學人互相觀摩、互相切磋，必然能使舊傳統發出新光芒。這不是抱殘守缺，而是與古為新。我迫切希望，在目前的海峽危機過去之後，台灣學術界必須更積極、更主動地與大陸同行，在研究工作上取得比以往更密切的合作與交流。若能如此長期持續下去，中國的人文研究必能在世界放一異彩。我上面所舉的例子雖在中國學問方面，但我所揭櫫的基本原則也同樣適用其他學術領域。

我所說的學術交流是以學術本身為最後的目的，絕不是以學術為「統戰」的手段。這是開放社會中人與共產黨人最根本的差異所在。但是我也可預見，真正的學術交流也必然會帶來學術以外的良性效應。兩岸的中國人隔離得太長久了，彼此之間缺乏基本的了解。重新建立互相了解必自交流始，學術即其中重要的一環。在大陸的政治本質與權力結構沒有變動之前，兩岸的政治溝通是不會有明顯的效果的。但是政治是一時的，文化與生活則是久遠的。

為兩岸中國人的後代著想，我們不能為一時而拋棄久遠。只要兩岸人民在文化和生活上真正融合了，政治上難局雖然在今天看來似乎「山窮水盡疑無路」，其實將不難迎刃而解。到了那一天，我們自然會看到「柳暗花明又一村」的景象。

（原載《自由時報》，一九九六年三月二十四日）

飛彈下的選舉
——民主與民族主義之間

中國史上破題兒第一遭的全民直選總統已經順利地落幕了。最近兩、三個星期內，台北變成了全世界注目的焦點。這次台北的巨大吸引力當然首先來自民主大選的本身，這確是具有劃時代意義的大事。其次我們必須承認，中共以飛彈演習為選舉造勢，也大大提高了各國政治觀察家和新聞記者的訪台熱情。台灣兩千一百萬人的真實民意、選民政治成熟的程度，以及民主程序的運作狀況，都可以從飛彈威脅下的投票結果看得一清二楚。現在選舉既已揭曉，訪客都將紛紛離去，台北大概很快地便會在一度異常熱鬧之後回到正常的生活軌道。「人散廟門燈火盡，卻尋殘夢獨多時」，現在應該是靜下來對飛彈下的選舉進行反思的時候了。

這次飛彈和選舉恰好代表了兩個現代的觀念，即民族主義和民主。選舉代表民主是不言而喻的，但是飛彈為什麼能代表民族主義呢？這是因為中共以飛彈演習阻嚇中華民國在台灣的總統選舉是以民族主義為藉口的。中共的民族主義究竟具有什麼樣的內容，下文再說。我現在首先要指出的是飛彈演習也暴露出一個重要的事實，即中國人的民族意識今天有普遍高漲的趨勢。直接在中共宣傳機器操縱之下的大陸人民姑且不說，海外以至在台灣的中國人中也有相當大的一部分為民族主義所激動，儘管他們的政治傾向是偏在民主的一邊。他們也許不會同意中共的飛彈威脅（暗中甚至公開喝采的也未嘗沒有其人），但是卻能同情飛彈所代表的民族主義的符號——中國的統一。這裡透露出來的問題是極其嚴重的，孫中山三民主義中的「二民」——民族主義和民權主義（即民主）——竟然彼此鬧起矛盾來了。

中國人的民族情緒為什麼今天忽然高漲起來了呢？我們首先必須了解，這是當前世界大潮流的一部分。目前蘇聯和東歐的共產體制崩潰以後，世界的劃分又全面地回到了以民族為單位的老方式。除了阿拉伯世界與西方的衝突由來已久之外，試看俄國對車臣的用武、波斯尼亞的內戰，也無一不是民族主義激化的結果。其中只有捷克斯洛伐尼亞的一分為二是以和平的方式完成的，這是受民主體制之惠。在過去東歐的共產國家中，捷克本來便具有最深厚的民主傳統，因此才能靠理性解決民族的問題。一九九三年杭廷頓〈文明的衝突〉一文之所以震動一時，便是因為他一針見血地點破了冷戰後世界新潮流的本質；他所謂「文明的衝突」，分析到最後，便是民族的衝突。

但是今天中國人的民族主義又有其現階段的新特色，自鴉片戰爭以後，中國人便受盡了西方帝國主義侵略的災難，對於一個向來以「天朝」自居的民族，這已是深入骨髓的奇恥大辱，甲午之戰中國敗在西化不久的日本手裡，割地賠款，這更是恥辱中的恥辱。所以一八九五年以後，民族主義在中國進入了第一次的高潮。從一八九五到一九四五，中國是以一個被侵略、被侮辱的民族的身分，用民族主義為精神的武裝以抵抗帝國主義。民族主義在這一階段發揮了偉大的正面功能，是不容置疑的。但是中國在第二次大戰結束以後已擺脫了「次殖民地」或「半殖民地」的地位。羅斯福早在一九四二年元旦便正式歡迎中國為「四強」（Four Powers，即美、蘇、英、中）之一，一九四五年中華民國又成為聯合國的四大創始會員國之一（法國還是後來加入的），至於今天的中國大陸已隱然成為許多亞洲國家恐懼的強權，那更是不在話下。在中國由弱轉強的現階段，中國人的民族意識忽然又普遍地滋長了起來，還是一個最值得注意的文化心理的現象。

我要直截了當地指出，這個新民族主義在性質上與舊民族主義根本不同，因為它已從自衛轉變為攻擊；它的攻擊對象主要便是美國，因為美國今天已成為西方帝國主義的唯一象徵。要了解這一轉變，我們要簡單地交代一下中國和西方之間的另一種關係。在受西方帝國主義侵略的同時，中國人也發現了西方的優點，於是開始了一個長期師法西方的運動。從魏源「師夷之長技」開始，師法的內容不斷擴大，師法的對象也屢經改變，詳情這裡不必說了，一言以蔽之，是學來學去，總是學不到家，挫折感因之與日俱增，五四時代的人提出了「民主」與「科學」兩個口號，這大致可以代表晚清以來知識分子師法西方的主要內容。但八〇年代，大陸上思想稍稍鬆動的期間，新一代知識分子對於西方的嚮往仍然是以「民主」和「科學」為中心。舉此一端，我們便不難想像中國人百年來因師法西方經歷了多少內心的挫折和失望。中國過去是一個文明大國，一向有「居天下之中」的優越感。西方政治學家也注意到中國人在潛意識中至今還不能接受與其他國家平起平坐的事實。不可否認地，中國人師法西方確不是心甘情願的認輸，而是以此為手段，以達到與西方強國並駕齊驅甚至越而過之的境地。孫中山的「迎頭趕上」和毛澤東的「超英趕美」都流露出這一強烈的心理。

但是由於長期師法西方勞而無功，積累了大量的挫折感，中國人早已滋長了一種憎恨西方的心理。這與被打敗的恥辱感及報復心並不是同一事，但二者互相加強。這種憎恨是從羨慕轉化而來的，卻仍然保留了羨慕的成分。我們可以稱之為「羨憎交織」的情結。這大約相當於尼采所首先創用的「ressentiment」一詞。今天專家研究民族主義在西方各大國的成長過程便特別重視「羨憎交織」這一心理因素。例如俄國自十八世紀初即嚮慕英、法，全力西化。但此後一、兩個世紀的不斷挫折終於轉「羨」為「恨」，最後則歸宗於馬克思主義。分析起來，這裡有三層原因：第一是俄國西化雖一再受挫，其民族認同卻仍在西方，而馬克思主義則恰好是西方文化的產物。第二、馬克思主義徹底否定了英、法所代表的西方，滿足了俄國人的憎恨情緒。第三、馬克思主義號稱代表著更完美的西方未來，這又滿足了他們嚮慕西方的心理。總之，馬克思主義是以「反西方的西方主義」（anti-Western Westernism）這一特殊性質而為俄國人所接受的。

德國民族主義的發展則代表另一典型。德國人在文化上曾承認法國和英國是先進的模範，它的啟蒙運動便是從法國移植過來的。但十九世紀初德國在建立其民族—國家的認同時，它的政治文化卻遠落在英、法之後。英國人和法國人當時都認為現代先進的政治文化包括三個要素：理性、個人自由和政治平等。他們不但以此自傲，並且公然以此譏笑德國人的不長進。

這種譏刺對於德國人民族自尊心的傷害比拿破崙的征服德國還要深刻。因此德國人對於英、法所代表的西方也由羨轉憎，但是德國人與俄國人不同，他們不再向外面尋求現代化的模式，而是從本土文化的內部建立自己特有的民族認同，此即個人完全服從國家、民族的集體主義，希特勒的納粹主義便是德國民族主義的最後結晶。

我引俄、德之例說明「羨憎交織」的歷史作用，並不是節外生枝，而恰恰是為了澄清現階段中國民族主義的新取向。今天從中國大陸上出發的民族主義清楚地顯示出：中國人「羨憎交織」情緒的發洩方式正在從俄國型轉向德國型。積極推動這個轉向的便是中共，馬克思主義作為一種政治意識形態而言，今天無論如何是破產了，它已無法再支持中共政權的合法性，中共自然不能公開放棄原有的官方意識形態，但它正在暗中尋找第二種精神保證，民族主義自然成為首選。北京最近主動地推動並組織「國際儒學聯合會」之類的活動，便是新民族主義運動的一個組成部分，為了對抗來自西方的「人權」壓力，中共今天已不再乞靈於馬克思主義。它的新說詞是：中國人的人權觀念首先便是「吃飽飯」。這裡不必討論這個說詞的本身的是非。值得注意的是「中國人的人權觀念」這種提法顯然是以民族主義為根據，因為一切訴諸「特殊國情」的論證都必然是民族主義的論證。許多跡象顯示：為了挽救意識形態的危機，中共已開始運用中國民族的集體記憶。統戰文件中出現「中國五千年文化」的字樣便是一個清楚的信號。中國的文化傳統和德國截然不同，中共是否能在中國製造出一個納粹式的民族主義運動，以符合其極權體制的需要，其事尚未易言。但是今天不少中國人的心中對於西方——美國是其最主要的象徵——確激盪著一股難以遏阻的「羨憎交織」的情緒。這種情緒要求一個「強大的中國」向以美國為首的西方公開挑釁。如果西方無可奈何，那便更證明今天中國人真的「站起來了」。這樣的人在大陸上最多，但海外以至台灣也隨處可見。這次飛彈所代表的便是這樣一種新的民族主義。

分析至此，我們可以看出，在中國人的意識裡，民族主義和民主之間存在著緊張和不安。孫中山最初提出三民主義的設想時，他確實相信這兩個現代價值是可以並行不悖，甚至是互相支援的。他在辛亥革命前所嚮往的現代中國是以英、法、美為模式的西方型的民族－國家。他所倡導的革命當時也只有法國和美國的革命可資師範。所以他曾一再表示，三民主義是和法國革命的「自由」、「平等」、「博愛」或林肯的「民治、民有、民享」相通的，英、法、美三國的現代民族認同（national identity）雖各有特色，但大致都承認民族、國家是自由人的集合體，個人的公民自由和人權是第一義的；民族－國家雖擁有完整的主權，但主權的最後根據在人民的同意，而一人一票的選舉則是表達民意的唯一方式。因此西方型的民族主義和民主基本上是一致的，決無衝突可言。當然，在民族國家的整體生存受到威脅時（如美國憲法所謂「明顯的、眼前的危險」），公民的個人自由可以受到某些限制，但這也是事先已取得全體公民的同意的。

這一民主理念及其制度化雖起源於西方，晚清以來卻早已為中國人所認同。當時國粹學派中人還引經據典，說明「民主」在古代中國早已出現。從五四時代到今天，中國人又屢次信誓旦旦，表明自己有最堅定的決心為民主在中國的實現而奮鬥，不但如此，放眼今天的世界，連以前最敵視西方民主的俄國和德國也都不得不改用一人一票的方式選舉他們的政府了。民主作為一種政治原則，即以理性的、文明的方式終止「以暴易暴」的惡性循環，以法律保障每一個公民的自由與人權，不但在理論上已為一切現代民族所普遍接受，在實踐上也推廣到除了中國大陸以外的每一個現代大國了。中華民國這一次的民主選舉，照常情推斷，應該是絕大多數中國人都會為之歡欣鼓舞的破天荒的大事。事實上，就我所見，西方的報導和評論也都異口同聲地強調這一點。反而是華文報紙雜誌，重視飛彈遠過於選舉的本身，這雖然是完全可以理解的，但畢竟給人以異樣的感覺。

選舉和飛彈的較量暴露出中國人的民主認同和民族認同之間發生了裂痕，這個裂痕自然可以從個人利害的考慮上去求得一種解釋。但是我不想這樣做，因為我不願意把中國人的精神境界拉到這樣低的層次。所以我還是從文化心理的角度提出我的觀察。百餘年來在西方侵略下被迫走上現代化的途程中，中國人一直面對著雙重的認同危機。第一、個人的認同，即什麼才是現代的中國人？第二、民族的認同，即中國怎樣才算是一個現代的民族—國家？在第一個問題方面，從譚嗣同、章炳麟、梁啟超到蔡元培、陳獨秀、魯迅、胡適等都一致強調「尊重個人獨立自主之人格」（陳獨秀語）。因此自由、平等、人權等現代價值不但早已為中國人所接受，並且還在五四以後的歷次民主高潮中獲得肯定。最近而且也最壯烈的一次是一九八九年天安門的學生運動，中國人在個人生活的層面從來便有不願受過多約束的傾向。孫中山說中國社會像「一盤散沙」，梁啟超也說中國傳統倫理的特色是「私德居十之九，而公德不及其一」，都是指此而言。所以，在個人日常生活的層面，中國人擁抱民主是順理成章的事。因為個人的獨立、自主、自由、人權等價值都只有在民主體制下才能實現。

但是在民族—國家的認同方面，中國人自清末到今天，卻始終沒有取得共識。最早的民族—國家的模式是取自英、法、美所代表的西方；俄國十月革命以後，蘇聯的模式立刻在中國流行了起來，在民族危機深重的三、四〇年代，德國式的民族主義（或國家主義）也曾受到不少人的青睞。如上面所分析，今天中國人「羨憎交織」的民族情緒又開始在新的歷史階段尋求德國式的發洩，而且明顯地從自衛轉向進攻。但是由於缺乏共識，又經過了反傳統思想的洗禮，「中國」這兩個字究竟有什麼樣的具體內容，恐怕今天誰也說不清楚。它是地理名詞呢？政治名詞呢？文化名詞呢？還是種族名詞呢？我敢斷言，無論是從地理、政治、文化或種族的觀點去試圖對「中國」這一概念加以清楚的界說，馬上便會引出無窮的爭辯。

總結地說，現代中國人在日常生活中都願意獨立自主，這是可以確定的。因此在個人的層面上，中國人對於民主的認同至少已取得最低限度的共識。在集體的層面上，中國人的民族認同依然處於分歧和模糊的狀態，但民族的情緒卻在中共刻意煽動之下不斷上升。依照孫中山的最初構想，民主與民族主義之間是相輔相成的關係，然而今天竟出現了裂痕，這是當前最值得冷靜思考的大問題。中國歷史上劃時代的民主選舉在飛彈威脅之下完成，這是危機的信號，但又是希望的象徵！

（原載《中國時報》，一九九六年三月二十九日）

海峽危機今昔談

——一個民族主義的解讀

前天偶然翻看胡適的日記，在一九五〇年六月二十三日至二十五日的日記中，我發現這一連三天的記事很有助於我們今天對於台灣海峽的緊張形勢的了解。讓我先把日記中有關的部分摘錄於下，再作分析。

六月二十三日條：

我自從去年七月到於今，沒有去見一個美國政府大官，也沒有去見一個兩黨政客。今天Dean Rusk（國務次長，編按：即後來甘迺迪總統時代的國務卿魯斯克）來紐約，約我去談，談了一點半鐘。我對他說：「你們現在一定飄泊到一個世界大戰！但不要叫他作『第三次世界大戰』！這不過是第二次大戰的未完事件而已！」

六月二十四日條：

今天各報都登出小字新聞，大國務卿Acheson（編按：即艾契遜）說，「美國對台灣的政策不改變」！

變與不變，權不在Acheson，也不在Truman（編按：即當時總統杜魯門）。權在幾個瘋人手裡！在國際共產黨手裡！

昨天我對Dean Rusk說：「你剛才提起杜總統正月五日的宣言。那天是英國承認中共政權的日子。正月五日就是北平的正月六日。那天，北平一個沒有知識的共產黨軍人（聶榮臻）送了一個短信給美國駐北總領事Clubb，說舊大使館的一部分房子是美國兵營，『人民政府』不能容許這種帝國主義的兵營存在，所以必須沒收！這一件短短的公文逼得美國政府（一月十四日）宣告撤退一切官員及其眷屬。這一個無知軍人的發瘋，比胡適博士一千篇文字還更有力！你們的政策的變與不變，全看這些無知的瘋子發瘋不發瘋！」

六月二十五日條：

昨夜十二點，我偶然聽廣播，忽然聽說：「北韓大舉進攻南韓，並且『宣戰』了！」

我聽了嘆一口氣，果然不出我所料，瘋子果然發瘋了！

我必須提醒今天的讀者，一九五〇年六月二十五日韓戰爆發之前，台灣是處於最危險的時期。那時國民政府已播遷到台北，但美國的對華政策卻在舉棋不定之中。艾契遜所領導的美國國務院中頗有人希望和中共建交；一九四九年八月五日國務院公布了《中美關係白皮書》，表明美國對於國共內戰將採取袖手不管的立場。日記中提到一九五〇年一月五日杜魯門的宣言，也是一項重要政策聲明。根據這一文件，美國絕不捲入中國內戰，也不提供軍事援助給在台灣的中國軍隊。台灣已根據《波茨坦宣言》（一九四五年七月二十六日）正式歸還中華民國，美國對於台灣不但從無領土的野心，而且目前也不準備在台灣建立軍事基地。從國務卿到總統的這一系列的正式表示，我們可以清楚地看到：美國當時正期待著中共的善意回應，以為進一步商談建交的準備。所以胡適在一九五〇年四月三日給沈怡的信中說：「我去秋就不願久留，特別是慮（及）美政府也許承認中共的政權，那時我如何能住下去？今年一月十四日，美國宣布撤退中共區域內的一切美國領館人員，我才敢懸斷，美國在最近一年或一年半以內，大概不會承認中共政權。」

由此可知在一九五〇年六月二十五日韓戰爆發以前，美國隨時都有承認中共政權的可能。但中共當時正在執行毛澤東「一面倒」的外交路線，而毛澤東本人尤其害怕斯大林會懷疑他將成為「狄托第二」，因此終於走上與美國正面為敵的道路。美國繼續承認中華民國和韓戰爆發後派第七艦隊巡邏台灣海峽，其實都是出於被動，艾契遜宣稱「美國對台灣的政策不改變」，而胡適諷刺地稱他為「大國務卿」，又說「變與不變」，權不在艾契遜，也不在杜魯門，而「在幾個瘋人手裡」，正是因為他看準了美國政府自國民黨在大陸崩解以後，向中共不斷示好，其意在於「琵琶別抱」。甚至一向和政治無關的陳寅恪，在美國發表《白皮書》以後也寫下了「末秋團扇已先哀」的詩句，譏評美國政府在秋涼未至時已先捐棄了「團扇」——即放棄了國民政府（一九四九年八月五日《白皮書》刊布時，國民政府還在廣州）。但是艾契遜向中共送秋波事實上變成了「俏媚眼做給瞎子看」，所以國務院迫不得已，只好聲明「對台灣的政策不改變」。胡適不肯領這一份自欺欺人的「人情」，特別點出「變與不變」，權在中共和斯大林。

但是胡適一再用「瘋人」和「發瘋」來解釋中共的作為，這就顯示出他當時也不深知「鐵幕」背後權力關係的錯綜複雜。今天莫斯科已公開了一部分有關韓戰背景的文件，而大陸上也有人回憶了毛澤東怎樣作出參加韓戰的決定。我們已能清楚地看到，中共當時的仇美與好戰並不是「瘋人發瘋」；他們的每一步行動都是經過仔細考慮的。只是由於他們的基本前提和推理程序都不是自由世界的人所能把握的，胡適才把這些無法理解的舉動歸之於「瘋狂」。

四十六年過去了，胡適在一九五〇年所關懷的台灣的危機今天又以更緊迫的方式重現了。這並不是歷史的重複，因為許多相關的具體條件已改變了。但是四十六年前的歷史經驗對於今天台灣海峽的險惡形勢仍然具有重要的啟示作用。這是因為危機的根本性質並沒有改變。今天蘇聯已不存在了，由於「改革」、「開放」，當年籠罩整個中國大陸的「鐵幕」也不得不部分地打開了，美國更早已正式與中共建交了。尤其重要的，台灣地區在這四十多年中已從一個「一黨專政」的「戒嚴國家」蛻變為全面民主化的開放社會。這幾點是今昔國際和國內形勢最大不同的所在。但是今天中華民國的生存所受到的唯一威脅仍然來自隔岸的中共政權。不但如此，中共什麼時候忽然凶相畢露——胡適所謂「發瘋」——無論是中華民國和美國的政策制定者仍然是無從預測，因此也就一籌莫展。以美國來說，今天白宮和國務院對於中共基本上是遵循著季辛吉（Henry Kissinger）所制定的政策，一般稱之為「全面牽纏」（comprehensive engagement）。所謂「牽纏」即美國纏住中共不放，從貿易、國際事務、到人權問題、海峽兩岸關係等都不斷和中共作「理性的」交涉、對話、磋商，中共認清這種「理性的方式」對於中國大陸的長期發展是最有利的。於是一切暴戾都可以化為祥和。這個牽纏政策是建立在一個假定上面，即中共愈是對外「開放」，大陸的經濟便愈發達，經濟愈發達，政治「改革」也會愈加速，最後中共政權的專橫殘暴的性格也就自然而然地轉化了，這一假設很美妙，推理也好像符合常識。如果以五十年或一百年為期，它也許可以變成事實。但是一切政策都是針對眼前的問題而制定的；就「六四」屠殺以後和眼前的海峽危機來看，這個「牽纏」政策不但是失敗的，而且失敗得很徹底。因此今天美國的輿論，以至一部分美國官員的意見，已明顯地傾向於冷戰時代的「圍堵」政策。正像一九五〇年一樣，美國要不要「改變對華政策」又再度成為聚訟的焦點。

如果胡適活在今天，他也許又會向官員說：「變與不變，權不在克里斯多夫，也不在克林頓。權在幾個人手裡。你們的政策的變與不變，全看這些無知的瘋子發瘋不發瘋！」上面已指出，用「瘋狂」來解釋中共的行為是不能成立的。所以我要為胡適的話下一轉語。美國政策變與不變以及怎樣變，其權確不在美國，而在中共。但是中共露出它的凶暴本相則並不是因為他們「發瘋」，而是出於求生的本能。從鄧小平開始，中共領導人對於美國「牽纏政策」的用意便看得一清二楚。他們看準了這個政策其實便是杜勒斯的「和平演變」的體現。但當時為了解除文革後經濟上的困境和國際上的孤立，同時更為了向華國鋒的「凡是派」奪權，鄧小平將計就計，表面上完全接受了這個「牽纏政策」。然而他內心則另有打算，這便是我一再講過的「經濟放鬆，政治加緊」八個大字，這裡不再重複。美國和中共自始便各懷鬼胎；這兩個鬼胎在最初幾年中雖能相安無事，最後卻畢竟逃不掉打架的下場。「六四」屠殺便是兩鬼公開較量勝負的結果。

這兩個鬼胎的根本差異在於美國企圖通過「全面牽纏」，使中共從經濟自由化走向政治自由化，而中共則只肯與美國進行高度選擇性的「牽纏」。中共的堅定不移的原則是：凡是有利於「經濟放鬆」的，如吸引美商投資、爭取世界銀行貸款、與美國進行大量出超的貿易等，他們便和美國緊纏不放；但凡是不利於「政治加緊」的，如天安門屠殺、人權問題、試核問題、對台灣實行恐怖主義等，他們便完全拒絕與美國有任何「牽纏」。換句話說，「牽纏」與否，其權完全操在中共手上，美國只有跟在後面轉的份。甚至在貿易談判、禁售核子技術與巴基斯坦和伊朗等問題上，儘管雙方已取得協議，中共也陽奉陰違，絕不受約束。所以美國的「全面牽纏政策」，自一九八九年以來事實上已成為中共予取予求的一個方便之門了。今天美國人已大致看清楚了中共的本來面目，最近輿論界一片「改變政策」的呼聲便由此而起。

稍稍熟悉中國共產黨歷史的人大概都對它的「喜怒無常」有深刻的印象。中共昨天的

「笑靨迎人」今天可以忽然變作「橫眉怒目」。胡適用「瘋子」來形容他們便是因為不理解這一點。其實共產黨人的喜不一定是真喜，怒也未必是真怒，喜和怒的後面都經過了冷酷的精密計算。他們在有求於人或自覺力量還不夠克敵制勝的時候便「笑靨迎人」，但一旦估計自己的實力可以壓服對方的時候便一變而為「橫眉怒目」。但無論是「笑靨迎人」還是「橫眉怒目」，這都是出於共產黨人的一種「求生的本能」。這一點又可分作兩個層次來說：第一、作為一個集體，共產黨是古今一切權力組織中獨霸性最強的一種。通過暴力手段，它沒收了一切私人的生活資料，解散了一切具有獨立性的社會團體，而將大大小小的各種權力完全集中在黨的手中。五〇年代儲安平稱中共統治為「黨天下」，真是一語道破它的本質。正因為獨霸性強，黨的生存便成為宇宙間唯一的大事，因為對於共產黨人而言，黨的毀滅和宇宙的毀滅是具有相等的意義的。所以為了黨的壯大和發展，他們隨時隨地，相機而動，有時候「笑靨迎人」，有時候「橫眉怒目」。第二、在個人的層次上，共產黨人在黨內能不能夠奪權和當權也是宇宙間第一大事。林彪說：「有權便有一切，沒有權便沒有一切。」這確是他的「悟道有得」之語。據說他為了奪取黨內的最高權力，曾寫下了「悠悠萬事，唯此為大」兩句古話以自警。無論真相如何，這是共產黨求生本能在個人層次上的強烈表現。為了在黨內求生存，最高一級的領導人在權力爭奪時期（如今天）便不能不在重大問題上表態。他們根據個人的估計與判斷，對於問題提出自以為是「正確」的看法，有的緩和，有的激烈。這在他們的黨史上則美名曰：「路線鬥爭」。緩和的往往出之以「笑靨迎人」，如所謂「江八點」是也；激烈的便不免「橫眉怒目」，如飛彈演習是也。

誠然，由於「開放」和「改革」的關係，今天中共對於大陸人民的經濟控制已遠不能與毛澤東時代相提並論，民間社會也有開始復甦的跡象。普遍的腐化更大大削弱了黨的控制能力。但是正因如此，中共對於政治權力的得失反而變得更緊張了，天安門屠殺便是明證；前蘇聯的崩潰尤其加深了他們的警惕。為了挽救政權的危機，中共不能不另找一個足以重建黨的威信的大題目。現在馬列主義已完全破產了，在天安門屠殺以後「改革」也不能再提了。算來算去，今天只剩下一個民族主義的題目還可以大作其文章，在香港、澳門收回已成定局之後，中共自然便把「統一台灣」提到它的議事日程上來了。恰好中華民國在這個關鍵的時刻舉行總統直選，無形中對中共政權的合法性提出了尖銳的質疑。中共不遲不早，選擇了這個期間對台灣施行飛彈恐嚇，其故可耐深思。（《紐約時報》三月十日和十九日分別刊出專欄名家羅森梭〔A. M. Rosenthal〕和太平洋政策專家西格〔Christopher J. Sigur〕兩篇文字，前者論中共的恐怖主義策略，後者論中共恐嚇台灣主要是害怕民主選舉，這兩人的意見竟和我不謀而合。）

從歷史上觀察，中共的有形武力對於台灣的威脅遠不及它對民族主義情緒的操縱更為可怕。這幾年來中共一直在有計畫地、在大陸和世界各地挑動著中國人的民族情緒，而且相當成功。一百多年來中國人受盡了民族的屈辱。因此要求中國富強，在全世界受到應有的尊重，早已成為每一個中國人的願望。從第一次中日戰爭（一八九四—九五）到第二次中日戰爭（一九三七—四五），這是中國民族主義最為高張的五十年。我們可以說，在這段時期，民族主義匯聚了中國一切的道德力量。這一股巨大的道德力量最後竟完全為共產黨所操縱利用，而造成中國「史無前例」的浩劫。泊蘭尼（Michael Polanyi）曾深刻地指出，馬克思主義的吸引力來自它的「不道德的道德力量」（the moral force of immorality）。西方早期資本主義的殘酷剝削和不公平是馬克思主義的出發點；馬克思和恩格斯描寫十九世紀中葉的工人勞動狀況都是為了激動人們的道德熱情（馬、恩所引用的資料都是過時的，專家已一一指出，姑且不論）。中共則從三〇年代起集中全力挑動中國人在帝國主義侵略下的民族屈辱感，由此將中國人的道德熱情轉化為它的「革命」動力。所以，如果不是一九三一年「九一八」以後，日本對華侵略步步加緊，把中國人的民族主義激情推到了最高峰，中共是不可能借「抗日」的旗號擴大它的勢力的。一九七二年日本首相訪問北京，向毛澤東表示以往侵華的歉意，毛澤東竟反過來「感謝日本皇軍的入侵，使中國革命能夠提早成功」。這是他得意忘情之餘真心話的流露。許多中國知識分子支持中共，並不是因為他們信服了馬列主義，而是因為他們相信了中共的「民族解放」的宣傳。馮友蘭回憶的兩個故事很有代表性：第一、北大有一位教授，去美國有很好的職業。但他聽說中共在長江扣留了英國紫石英號炮艦，興奮地引用毛澤東「中國人站起來了」那句話，立即束裝回大陸。第二、一九七一年中共進入聯合國，梁漱溟對馮友蘭說：「中國進入聯合國，標誌著中華民族和全世界其他民族處於平等的地位了，這是我們在一、二十歲的時候就嚮往的。毛主席的功勞無論用什麼字眼形容都不過分。」（見《三松堂自序》，頁一六四—五）

這兩個故事不僅僅說明了民族主義激情的力量，而且更進一步透露了中國民族主義者的特殊心理，即必須用武力制服帝國主義，中國才能真正取得「平等的地位」。馮友蘭所說的

「北大教授」是化學家傅鷹，他在「反右」時被打成「右派」，文革時慘死，所以馮友蘭不敢提他的名字。梁漱溟則是當眾受辱於毛澤東的人，而且表現得極有風骨。但在民族主義前面，他竟對毛五體投地。更奇怪的是梁不可能不知道，中華民國是聯合國的四個創始會員國之一（美、蘇、英、中，法國還是後來才加入的）。所謂「中國進入聯合國」不過是中共取代了中華民國的席位而已，何以他會如此的興奮異常，仔細一想便可知，他認為當初羅斯福歡迎中華民國參加「四強」（Four Powers），是美國「提拔」的結果，不是中國人自己用武力拚出來的（如參加韓戰），因此根本不算數。這種特殊心態也不始於毛澤東、梁漱溟這一代，吳稚暉（一八六五─一九五三）主張「以機關槍和外國人對打」，便出於同一動機。

這究竟是什麼樣的心理呢？社會學家格林菲德（Liah Greenfeld，*Nationalism: Five Roads to Modernity*，一九九二年）研究多國民族主義的發展提出了一個有趣的觀念，叫作「羨憎交織」（法文：ressentiment），即企羨和憎恨的心理交織在一起而又長期受到壓制，不能痛快地表達出來。這種心理是落後民族對於先進民族的典型反應。落後民族自覺它的地位應該和先進民族是完全平等的，但在現實中卻高下懸殊，因此一方面效法先進而好像永遠追不上，另一方面則滋長著憎恨先進的情緒而想打倒它。十九世紀的俄國對於英、法便是如此，馬克思主義在俄國的生根與成長便得力於「羨憎交織」情緒的大爆炸。這個「羨憎交織」的民族情緒在現代中國更為強烈。中國人一向以「天朝」自居，但百餘年來卻受盡各「先進國家」的欺壓。中國一向師法「先進國家」不遺餘力，但又長期陷入可望而不可即的挫折感之中。如果說許多中國人都有痛打外國人一頓，出一口惡氣的潛意識，大概不算很誇張。這種潛意識便是今天中國民族主義的基調。這種基調當然有時以比較文明的方式出現，並不一定訴諸暴力。例如我們常聽到的「二十一世紀是中國人的世紀」、「二十一世紀中國將成經濟大國」、「二十一世紀中國將成為科技大國」，都可以看作「羨憎交織」的曲折表達。

以上只是分析中國現代民族主義的情結，不是下價值判斷。我要特別指出的是：五〇年代和今天的海峽危機都與這種民族主義情緒有密切的關係。「羨憎交織」的民族情結使不少中國人期待中國變成帝國主義式的強國，在國際上耀武揚威，為自己吐一口氣，這是「羨」的情緒的表現。他們更願意看見中國用武力打敗西方強國。所以中共參加韓戰，和美國居然打得相持不下，他們是引為驕傲的，並以為中國的強大已得到了證明。這是「憎」的發洩。在五〇年代初，留美的中國知識分子中便有不少這樣的人。一九五二年四月二日胡適在波士頓的遠東學會年會上宣讀了一篇〈從門戶開放到鐵幕〉的論文，內容自然是反共的。他在日記中說：

讀了之後，即有中國親共的學生兩人（原註：一為趙國鈞，一為　）站起來質問反駁，其一人「氣」得說話四面打旋！其一人問，「你不信中國現在比從前強（stronger）了嗎？」我說：「No!」他又說：「中國不比從前更獨立了嗎？」我大聲說：「No!」

這段記事極為有趣，也極為生動。胡適只知道其中一人是趙國鈞，另一個人的名字則留著空白。我在好多年後曾聽到過這個故事，知道第二人便是去年死去的王浩。王浩很容易生氣，而且「氣」起來說話確是「四面打旋」，我自己也曾領教過一次。所以我可以完全斷定這「四面打旋」的必定是他。趙國鈞是學農業經濟學的，人很誠懇而認真。一九五五年秋天，他曾約我長談一次。那時他正準備回大陸，因為我從香港來，他想知道我的觀察。我雖然力勸他不要輕信宣傳，但他的決心已不可動搖，不久就回去了。幾年以後我才知道，他回去之後，理想很快幻滅了，終於又離開大陸，前往歐洲。他的最後結局是一個悲劇，在歐洲跳火車自殺了，王浩和趙國鈞左傾則有之，但都不算是馬列主義的信徒，他們傾向中共主要是出於「羨憎交織」的民族主義。

與五〇年代相比，今天中國人「羨憎交織」的情緒則更激化了，也滋長得更普遍了。這裡涉及好幾層原因：五〇年代正是冷戰尖銳化的時期，意識形態的分野超越了民族的界線，中國民族主義者對於認同中共統治下的中國還不免有所躊躇。今天已是後冷戰時期，許多人只看見中國，而不大注意共產黨所代表的極權體制了。第二、五〇年代中共正在執行「一面倒」的政策，奉蘇聯為「老大哥」。這對於中國民族主義者的認同多少還構成一種心理的障礙。今天國際形勢已大變，蘇聯解體了，十二億人口而又擁有核子武器的中國大陸顯然成為唯一可能與美國爭世界霸權的大國。這對於中國民族主義者是一莫大的鼓舞。三年前我在明尼蘇達大學講演，正值中共的最大的氫彈試爆成功。我在明大校園中遇見了一位來自台灣的留學生，他的興奮簡直到了手舞足蹈的境界。這個深刻的印象使我至今不能忘記。第三、五〇年代的中共雖然給不少人以「強」的印象，但距離「富」之一字還遙遠得很。但最近兩、三年來，中國大陸好像突然從窮光棍搖身一變，成了世界上最大的暴發戶。無論如何，從台灣、香港，到日本和西方各國，企業家都搶著去大陸投資。這樣龐大的游資在市場上流動，再窮的國家也不能不變「富」了。一個既「富」又「強」的中國，自然是民族主義者夢寐求之的境界。

另一方面，台灣在四十六年後的今天更經歷了重大而基本的變化。除了「經濟奇蹟」早已為世所知外，這一次的總統直選則為民主制度的全面落實奠定了堅固的基礎。這一期的美國《時代週刊》也承認台灣在「經濟奇蹟」之後，又創造了一個「政治奇蹟」。我們稍一回顧四十六年前的情況，今昔的對比實在是驚人的。一九五〇年時，台灣不但在經濟上依賴美援，在政治上更是處於一黨專政的戒嚴期間。尤其值得指出的是，台灣在這半個世紀中已出現了一個相當成熟的現代公民社會，這次選民在飛彈威脅下的投票表現便是明證。

但是這篇文字的重點不在討論台灣的成就，而是從民族主義的角度觀察海峽危機的今昔。所以我現在想簡單地談談台灣內部的民族主義的問題。在一九五〇年，台灣已存在著「外省」、「本省」之間的族群意識，本省人中大概已有不少人把國民政府視為「外來政權」，不過這種情緒在當時還不能公開露面而已。但拜受民主化之賜，今天「台灣獨立」的主張則已正式列入在野黨的黨綱了。「獨立」與「統一」的政見同時在選舉中競爭，是不是表示今天台灣內部的族群分歧比一九五〇年時更為嚴重了呢？我的看法恰恰相反。族群分歧的明朗化，呈現到理性論辯的層面，遠比停留在暗潮洶湧的狀態所蘊藏的危險為少。現在我們要進一步澄清的問題是：這個族群分歧究竟屬於什麼性質？無論從種族、語言、歷史背景，或文化源頭說，所謂「本省人」和「外省人」當然都不能說是兩個不同的「民族」。「外來政權」的感覺主要起於國民政府最初接管台灣的嚴重失誤。一九四二年春天蔣廷黻曾向友人表示他在勝利之後希望到台灣任省主席。他的理由如下：

台灣自甲午以來即為日本的殖民地，戰時又受到許多破壞，台灣同胞被日軍拉伕到別的戰場作戰的就不知有多少。

台灣光復後，政府有義務、有責任，好好為台灣同胞服務，為顢頇糊塗的清廷贖罪。（陳之邁《蔣廷黻的志事與平生》，傳記文學社，一九六七年，頁三七）

如果當時國民政府的「接收人員」能以「贖罪」的心情來為台灣同胞「服務」，我不相信台灣在過去半個世紀中會發展出如此嚴重的族群分歧。

我在六、七年前曾寫過〈民主乎？獨立乎？〉一文，指出民主是解決族群衝突的唯一方式。在台灣的中國人，不分本省、外省，只有通過民主以認同於中華民國，才能為台灣的和平與安全提出比較可靠的保證。我的基本看法至今沒有改變，但當時我無法預見今天中共會利用民族主義的情緒來加深台灣內部的族群分歧。在當前的危機下，也許我的看法還值得大家平心靜氣地想一想。根據各種跡象來看，中共向台灣內部進行挑撥離間的主要策略是將「台灣獨立」的概念加以無限的擴大。台灣放棄中華民國的國號固然是「台獨」，中華民國在國際上進行任何擴大空間的努力，甚至僅僅宣稱擁有台、澎、金、馬等地區的「主權」也都是「台獨」。更明顯的，最近台灣的學術機構曾召開過幾次國際學術會議，大陸的學者原來已接受了邀請的，最後也由於中共堅決反對其中「國際」兩個字，終於不能成行。在台灣和大陸兩地的大學之間如果簽訂任何交流協定，中共也絕對不允許台灣的「國立」兩字出現在協定文件上。換句話說，中華民國只要在任何地方流露出半點自己是一個「國家」的意思，便不能免於「台獨」的嫌疑。「台獨」概念放大到了這種程度，我不知道今天在台灣的人究竟還有誰不是「台獨分子」？又怎樣才能避免「刺激」中共的「敏感」？遠在「六四」以前，中國大陸上好幾位訪美的學人曾對我說過：中共當局認為主張「台灣獨立」的人是「小台獨」，而沿用中華民國稱號的國民黨則是「大台獨」。那時中共對「小台獨」絕對不能容忍，對「大台獨」則暫時視若不見。今天中共顯已將「大」、「小」兩種「台獨」併案處理了。

但中共離間的狠毒之處並不在此，而在其後面的一著。這個後著是台灣只要露出了「台獨」的傾向，它便要動武。而對於「台獨」一詞的解釋則完全由它作片面的、任意的裁決。這樣一來，台灣從官方到民間，勢必陷於人人自危的境地。任何人的任何一句話或行動都可能成為中共動武的藉口。依照它的估計，在擺出動武的姿態時，台灣內部必然互相指責，好像「錯誤」永遠出在台灣這一邊，而中共那一邊反而是「被迫動武」，以維護「民族大義」。當然，它更希望台灣方面有人忍無可忍，索性宣布「獨立」，那時不但台灣內部的族群分歧必然激化至沸點，而且它也「師出有名」了。

以上所說的自是中共的片面構想。以目前台灣的人心趨向言，這個算盤似乎打得太如意了。台灣內部有政見的分歧，這正是民主社會的常態。我還沒有發現台灣有任何人願意接受中共的統治。但是從長期演變說，中共以民族主義的情緒為挑撥的手段，以武力威脅為後盾，其潛伏的危險是不容忽視的。如果「統一派」愈來愈感覺「獨立派」所造成的政治、社會氣氛使他們存身不易，而「獨立派」也不斷懷疑「統一派」與中共互通聲氣，則雙方都將在不知不覺中墜入中共的術中。這絕不是空喊「族群融合」的口號所能濟事的。最近我所聽到的有關族群衝突的故事都是在日常生活接觸中發生的，而且故事好像層出不窮，愈來愈多。這些零星事件之所以不斷出現，大概和這幾年來台灣泛政治化的風氣有密切的關係。這是台灣社會的一個「間隙」，久而久之，中共特製的民族主義新武器未必不能發揮乘虛而入的作用。

中共所操縱的民族主義訴求，並不止於「譴責」在台灣的中國人「分裂中國」；它還更進一步把所謂「分裂活動」和「外國勢力的干涉」緊密地聯繫在一起。這更是中共後著中最陰狠的一步棋。但這也不自今日始，早在一九五〇年代，中共便一口咬定台灣已為美國帝國主義所「佔領」。當時蘇聯的聯合國代表和周恩來都曾一再公開地作此聲明。不過今天中共因為已和美國正式建交，同時又貪圖對美貿易之利，故改「美帝侵佔」為「外國勢力干涉」而已。我為什麼說這是最陰狠的一著棋呢？因為這種說詞最能激動中國人對美國的「羨憎交織」的民族情緒。這次飛彈演習的緊張時刻，美國軍艦曾駛近台灣海峽，以防不測。不但中共立即重彈美帝武力干涉的舊調，而且我在電視上也看到了台北焚燒美國國旗的鏡頭。「一葉知秋」，台北的反應如此，海外華人（特別是大陸來美的人）的心理更不問可知。事實上，任何稍有常識的人都應該了解，美國無論如何也不可能為了保護台灣而和中共打仗，最多不過是以較新的防禦武器售與中華民國政府而已。但是「帝國主義侵略」或「外國勢力干涉」百餘年來已深入中國人的記憶之中，成為一個洗磨不去的符號；這個符號一經揮動，不管有沒有客觀事實的依據，都會在不少人的心弦上激起熱血沸騰的民族情緒。

過去半個世紀中，美國對台灣的影響之深而且廣是一項無可否認的事實，無論從經濟、文化或政治方面看都是如此。就這一意義說，台灣地區現代化的成就也未嘗不在很大的程度上是西方化的結果。民族情緒濃厚的中國人對於現代化只有憎惡，而絕不會感到驕傲。我記得十多年前，台灣有不少知識分子已根據「依賴理論」痛斥台灣在經濟上淪為西方的變相殖民地。「依賴理論」即列寧的帝國主義論在七〇年代的再版，代表了當時「反西方的西方主義」（"anti-Western Westernism"）的最新發展，所以最能滿足民族主義者的「羨憎交織」之情。今天民主在台灣開始全面落實，台灣似乎還沒有人公開表示異議。其實民族主義者（包括相信「依賴理論」的新左派）暗中厭憎這種美國式的民主的未嘗不大有人在。他們很可能同意中共指責「台灣搞假民主」，不過迫於形勢，一時不便見諸文字而已。

這裡隱伏著一個更深刻的族群分化的危機，即在中共不斷地煽動之下，整個台灣會被民主主義者（也包括左派和新左派）視為「西方」的象徵，因而成為「中國」的「異己」（"the wholly other"）。從中共政權的立場上說，這正是它所最想得到的宣傳效果。因為這個觀點一旦流行，台灣現代化的一切成就如自由、民主、人權等便只有負面的意義了。其邏輯的推理是這樣的：台灣的「現代化」即是進入「西方帝國主義的世界體系」的軌道，因而愈來愈背棄「中國」，最後將無可避免地變成「中國」的對立面。我們不難看出：這正是今天中共政權所最需要的論點：對外可以理直氣壯地抵制西方的人權壓力，對內可以壓制民主的要求。

在民族主義者的眼中，台灣象徵著「西方」在中國進行「和平演變」而取得顯著成功的一個橋頭堡。這個看法不能不說是有相當事實的根據。如果他們再進一步相信台灣的「獨立」要求是出於「外國勢力干涉」的虛構，那麼一種「反台灣」的意識也未嘗不可能普遍滋長起來。這是現階段的中國民族主義中所蘊藏的最大危險，希特勒所運用的德國民族主義也起源於對「西方」的「羨憎交織」（參看我的〈飛彈下的選舉——民主與民族主義之間〉，刊於《中國時報》，一九九六年三月二十九日「時論廣場」[1]）。但是為什麼反猶太人的意識（anti-Semitism）竟成德國民族主義的中心組成部分呢？這正是因為德國人把猶太人看成「西方資本主義」的象徵。德國民族主義者在沒有把握正式向西方宣戰之前，便先以屠殺猶太人來滿足他們的「羨憎交織」的激情。所以今天已步入「西方」軌道的台灣和三、四〇年代的德國境內的猶太人十分相似。「中國」的內部絕不容許有一個象徵「西方」的實體存在。在中共的精巧運作之下，這個「反台灣意識」今天已隱約地形成了（「反台灣主義」在英文中將是「anti-Formosanism」）。這幾年來，新聞報導中關於台商在大陸的種種行為，也為「反台灣意識」的爆炸埋下了不少火藥，而更重要的，激烈的台獨意識的日益增高更是直接對反台灣意識火上添油。但是我所說的「反台灣意識」並不限於大陸，在海外和台灣內部也同樣存在。雖然各地區中國人的反台灣意識夾雜著許多不同的個人動機，但其總根源則在「羨憎交織」所激成的民族主義。

我在〈飛彈下的選舉〉一文中已指出，今天中國的民族主義與一九四五年以前被侵略時代有本質上的不同。前期的民族主義出於民族求生存的自衛本能，其正當性與必要性是不容置疑的。現階段的民族主義則是進攻性，其目標是要使中國在世界上取代「西方」的主宰地位。所以「二十一世紀是中國人的世紀」才成為今天最能吸引各地中國人的一個響亮口號。這是「羨憎交織」的民族情結的具體表現。這種情結久已盤踞在不少中國民族主義者的心靈深處，不是中共所能炮製得出來的；問題是中共為了延續其政權的生命，正在多方面挑動並操縱這個最具威力的情結。這又和希特勒當年運用德國人的民族情結以推銷其「國家社會主義」，先後如出一轍。最近有一部研究希特勒屠殺猶太人的專書（Daniel Jonah Goldhagen, *Hitler's Willing Executioners: Ordinary Germans and the Holocaust*），詳細舉證說明：在這場絕大的悲劇中，無數普通的德國人都逃不掉劊子手的責任，不過有的親自行刑，有的縱容默許罷了。中共今天刻意發展「反台灣意識」是和它在大陸內部嚴防「西方」的「和平演變」——如最近再倡「反西方資產階級精神污染」所顯示的——精神上完全一貫的。將來如果因「反台灣意識」而發生另一次中國式的Holocaust大屠殺，普通的「中國人」也逃不掉劊

---

1 編按：請見本書，頁二〇一。

子手的責任，但這場悲劇的導演則將非中共莫屬。

過去四十七年來，自「土改」、「鎮反」、「反右」、「大躍進」、「文革」到「六四」，中共直接間接消滅掉的中國人最少也在一億左右。台灣地區兩千一百萬的中國人在中共眼中是無足輕重的。是不是需要向台灣動武？什麼時候動武？動武到何種程度？這一切都要看中共估計其後果是有利還是有害於其政權的存在。半個世紀中，大陸上每一次悲劇都是中共導演的，但每一次也都是無數普通的中國人同台演出的——他們也像普通的德國人一樣，心甘情願地為中共執行死刑。未來會不會出現「血洗台灣」（這是一九四九至五〇年時中共對台灣廣播中的話）的一幕，則要看「反台灣意識」的發展普遍到什麼狀態。中共能在中國得勢絕不是偶然的，它的最大本領便是善於窺測人民群眾的情緒而將之導入它所預定的方向，以實現其隱藏的計畫（hidden agenda）。這是它起家的本錢，美其名曰：「走群眾路線」。幾年前有一位中共中、上級黨員曾當面告訴我：他聽過毛澤東在黨內一次高層集會中說過一句真心話。毛說：所謂群眾運動，其實便是運動群眾。這話在我聽來並不覺得意外，因為共產黨向來是強調「黨」領導一切的。在中共的日常語言中，「黨員」和「群眾」之間是領導與被領導的關係，這是絕不容顛倒的。前蘇聯作家法捷耶夫的《青年近衛軍》小說，初出版時曾受到普遍的讚美。但不久有人指出，小說中的一群抗德青年居然是在沒有布爾什維克黨領導的情形下，自動組織起來的。不但法捷耶夫受到嚴重的懲罰，小說也從此成為禁書了。毛澤東將蘇共「群眾運動」的手法和中國歷史上流寇脅捲饑民的傳統結合了起來，終於在戰後殘破的中國發揮了巨大的作用，而對手的無能、貪婪、自私和腐朽則更把中共襯托得威風八面。戰後中國人的普遍心理是要求和平與民主，中共便將自己扮成世界上最愛和平與民主的集團。最先上鉤的「群眾」便是當時所謂「民主人士」和青年學生，這一批「群眾」在一九五七年差不多個個都打成了「右派」。

中共永遠不可能被迫接受任何「群眾的要求」，並依之制定它的政策。只有在某種群眾情緒恰好符合它奪取或保衛政權的需要時，它才主動地加以運用。但在它的隱藏計畫完成之後，首先遭殃的便是剛剛被它利用過的「群眾」。上述「民主人士」和青年學生不過是無數例證之一而已。再舉兩個記憶猶新的例子。三十年前毛澤東利用紅衛兵發動文革，重奪失控的黨權，但在「橫掃一切牛鬼蛇神」得手之後，千千萬萬的紅衛兵便在「上山下鄉」的政策下被遣送到最落後的窮鄉僻壤，受盡地方幹部的凌辱。一九七八年鄧小平復出，為了向華國鋒奪權，指使手下的人在北京西單民主牆以大字報的方式向「凡是派」發動攻勢。當時黨外知識青年利用民主牆發表民主言論的（如魏京生）也都成了鄧小平一派的同盟軍。但在奪權成功之後，鄧小平在一九七九年春天便封閉了民主牆，逮捕了民主人士，並判了魏京生十五年的監禁。他在「堅持四項基本原則」的講詞中，把支持過他的民主牆和民主團體斥為「同台灣以及國外的政治勢力相勾結」（注意：這是我所說的「反台灣意識」的一個最早的信號。參看阮銘《歷史轉折點上的胡耀邦》，八方文化企業公司，一九九一年，頁三七）。共產黨的「群眾路線」究竟是怎樣一種性質，這兩個例子便提供了最清楚的答案。現在代表中共官方發言的人，對於用飛彈阻嚇台灣選舉竟提出了這樣的說詞：由於大陸的海外留學生和民眾有著強烈的民族主義情結，中共領導人才「被迫」而不得不對台灣採取強硬的政策。這簡直是視台灣的讀者為嬰兒，才製造出這樣可笑的童話。「六四」前天安門廣場上有上百萬的民眾強烈地要求「民主」，各大城市也都群起響應，中共領導人為什麼絲毫不受「影響」，而下令屠殺呢？我已指出，在後冷戰時期，世界各地都有民族意識的興起（但其主流反而是要求「獨立」和「分離」），中國也不例外。中國民族主義的一般心理是要求超越西方，揚眉吐氣，這自然不是中共煽動起來的。但中共用盡一切心機，極力把這種民族情結導入「反台灣」、「反西方」的軌道，以阻止任何民主和人權的要求在大陸上再起，則是稍有大腦的人都不難辨識的（除此之外，中共恐懼西藏及其他少數民族地區要求獨立或高度自治，也是一個重要的原因）。換句話說，中國人的民族情結本來可以有各種不同的表現方式，而今天之所以完全發洩在反台灣的問題上則是中共一手造成的。我也承認飛彈恐怖發生了一定的效果，即加深了大陸、台灣和海外的中國人的族群分裂。這一分裂也許大有利於中共政權的延續，但對於整個中華民族而言，是禍是福卻很難說了。很顯然地，中共的極權統治正在轉型，它的意識形態已開始從斯大林式的「一國社會主義」轉向希特勒式的「國家社會主義」了。

我說中共政權轉向希特勒式的納粹極權，絕不是任意給中共換一頂帽子，更不是故作貶詞。從歷史觀點說，這左右兩型的極權主義，不但在權力結構上基本一致，而且在運作上也如出一轍，因此在價值上毫無軒輊可分。總之，二者同是德國傳統的雙生子，不過一個以「階級」為號召，一個以「民族」（或「國家」）為號召而已。只因馬克思是猶太人，不為德國人所接受，所以他在立說時才不得不把德國的「民族」改成全世界的「無產階級」。另一方面，德國民族主義者自十九世紀以來便以德國是西方世界的「無產階級」，因為它起步太晚，已無法和英、法等國爭奪殖民地了（詳細分析可看格林菲德，前引書，頁三八六—三九五）。所以中共只要用「民族主義」代替「階級鬥爭」，便立刻可以由「左」的極權蛻化成「右」的極權，其餘一切都可原封不動。

我最近有機會親眼看到這兩、三年大陸來美的留學生的精彩表演，使我不能不相信中共從「左」向「右」的轉化至少已取得初步的成功了。讓我先引一段美聯社四月四日從紐約州雪城（Syracuse）所發的電訊：

> 中國大陸人權鬥士吳弘達三日晚在雪城大學（編按：即University of Syracuse）發表演說，聽眾中有許多人對他持敵對態度。約有四百人參加了吳弘達的演講會，他們中有許多是來自大陸的留學生。吳的講話不時被噓聲和口哨聲打斷，在演講過程中，吳在許多時候處於被動狀態。……在演講會之前，吳的一些批評者散發一些文章的複印件，這些文章對吳反對中共提出質問。在吳演講結束後，回答聽眾提問時，約有十二名聽眾輪流對他提出指責，質問其抨擊大陸勞改營制度的動機，以及所用證據的可信性。（見紐約出版《世界日報》，一九九六年四月五日A2）

我注意到這一則新聞是因為它的描述和我四月二日下午在普林斯頓大學所見到的一場表演完全一模一樣。我已多年不去聽這一類的演講了，對於大陸留學生的精神狀態十分隔閡。

四月二日吳弘達到普大來講「勞改」，我本來是不知道的。但是前一日主持講演的華裔美籍學生組織（「亞洲太平洋學會」）打電話給我，說吳弘達先生想會見我，我才破例去聽演講。我一進會場，便看到許多印好的傳單，攻擊吳弘達是「小偷」、「強姦犯」之類。同時會場上也有十幾名氣勢洶洶的大陸學生，都很年輕，分布在不同的角落，互相呼應。他們每次以怪聲阻撓吳的演講。但因有校警維持秩序，主席又一再警告，吳的講演還不算太被動，雖然噓聲、踢桌子聲、怪叫聲仍是此起彼落。演講一結束，吳開始答問，這十幾個學生便佔住所有發問時間，使其他的聽眾完全沒有提問題的機會。吳在開講以前，問誰是負責發傳單的人，有一個大陸學生只好站起來承認負責，因為如果沒有人承認，傳單便無效了。吳當場表示要和他在法庭相見，控告他誹謗罪，並且拍了他的照片。這當然又引起一場喧鬧。

這種表演我在一九四八年的北平便已看過多次了。那時左傾學生在中共地下黨指揮之下常常用這個方式困窘親政府的教授。一九四九年秋季我在燕京大學的群眾鬥爭大會上更看到過這種布置，控訴的人事先安排在會場的不同方位上，此起彼落但又異口同聲地對鬥爭對象作最無情的攻擊，其最終目的是要把對方「鬥垮、鬥臭」。此後中共鬥地主、富農、右派，以至文革時的「牛鬼蛇神」也無一不是重施故技，不過愈來愈猖獗罷了。但是美國的一般聽眾畢竟和大陸上的「群眾」不同，他們無法適應這樣粗野的舉動。因此那天普大的演講，主席最後只好請校警將為首的搗蛋學生帶出會場。妙的是其餘十幾個學生在大叫大嚷之後也一齊站了起來，呼嘯而去。那天美國聽眾真是大開眼界，作夢也沒有想到會親自參加了大陸的鬥爭大會。我的一位美國同事問我：他們真是本校的研究生嗎？他們為什麼要用這種可怕的辦法呢？難道不怕造成美國人對中國的惡劣印象嗎？我笑著答他道：他們不是為你們而表演的，他們的真正觀眾並不在現場，不過自有人會報告上去。事後主持人也告訴我：他們在事前已接到幾十封抗議函，反對吳弘達到普大來演講，但信中的理由和措詞則是完全相同的。

上述十幾個大陸學生對美的責難都集中在民族情結上，說他侮辱了「中國」。演講以後是聚餐，我坐在吳弘達的左邊，一張圓桌上圍了十幾個大陸學生，和一、兩個美國和香港的學生，這些學生沒有那麼大的敵意，但都一致強調吳不應該「家醜外揚」（這是他們的原語），民族情緒的強烈仍然是不可掩的，只有那位香港學生對吳表示完全同情，他把「人權」的價值看得比民族的榮耀更重要。吳在談話中還特別提到台灣的民主選舉，認為這在中國史上是值得大書特書的，但是大陸的學生對此全無反應，好像是根本不值得一說的事。曾幾何時，大陸學生從慷慨激昂地爭民主、爭人權，反對中共專政，一變而為勞改營制度的辯護士、極權國家的積極支持者。

在上述兩次演講會上「鬥爭」吳弘達的大陸學生是有組織、有預謀的行動。他們並且事前通過電腦廣泛地發動組織以外的其他「群眾」。這些青年的背景我們也不必深究，他們是不是可以代表整個新一代的大陸知識青年，我們也無從判斷。但是可以確定的是他們的意識形態的基礎已毫無疑問地從「階級」換成了「民族」。再就飯桌上那群不願「家醜外揚」的學生而言，他們的民族意識更是明顯的。所以，對於今天中國民族主義又開始上升，我一點也不懷疑其真實性。我這次聽吳弘達演講的經驗，恰好可以和上述胡適在一九五二年四月二日演講後受到王浩和趙國鈞的激動質問，互相印證（同是四月二日，也算是無巧不成書）。

相隔整整四十四年了，而中國留學生渴望中國強大，與西方一較長短的心理，卻有增無減，這可見一個多世紀的民族屈辱感在中國人的集體記憶中留下了多麼深刻的印記，只要遇到某種外在刺激，或受到有計畫的挑撥，它便會重新浮現。

民族主義如果導向建設方面，自然是一股巨大的正面力量。一個現代民族的尊嚴主要表現在它對人類整個文明的貢獻上，例如安定而合理的社會秩序、富裕而公平的經濟狀態、學術文化的傑出成績，原有傳統的與時俱新等便是其中最主要的內容。這些都有共同的客觀標準可資衡量，不是自我吹噓可以虛致的。中國古人所謂「見賢思齊」、「望崖而生勝心」都可移用到民族的集體努力上面。但是民族主義一旦與暴力結下不解之緣，它也可以成為最可怕的毀滅性的力量。這樣的例子無論在近代史或眼前的世界上舉目皆是。中共今天便決心走第二條路，它企圖將民族的激情導入敵視西方的軌道，以轉移人民對內部腐化、貪污、壓制等各種嚴重問題的注意。但由於目前在經濟上還需要美國的優惠國待遇，它不便公開與美國翻臉，於是象徵著西方的台灣便成為它的暴力恐嚇的對象，最近一年中，中共不但一再散布美國要搶走台灣這一類無根據的流言，並且把李登輝先生訪美渲染成美國支持台灣「搞獨立活動」。這次飛彈演習是為了阻止李的當選，則是毫無可疑的。就我所知，美國各大學中的大陸留學生在獲得李高票當選的結果後，一個個氣憤填膺，搥胸頓足。儘管在美國代中共發言的人事後為之彌縫，說演習的目的不在「具體的候選人」，但事實俱在，大陸學生的普遍反應已提供了鐵的證援。中共官方的態度雖不足重視，但是大陸留學生所表現出來的強烈的「反台灣意識」卻是一個不能掉以輕心的信號。中共已在兩岸中國人之間播下了互相疑忌和敵視的種子，弄得不好，可能世世代代都會延續下去。台灣海峽危機的深化和長期化從來沒有像今天這樣嚴重過。

上面我們對五〇年代初和今天的海峽危機作了一番重點的對照。四十多年之間，無論是國際形勢或台灣與大陸兩地的內部狀況都已發生了基本的改變，有如隔世。然而海峽危機的根源卻依然如故。海峽會不會出現緊張甚至戰爭，不但美國一點都不能作主，台灣本身也完全陷於被動。緊張或戰爭的主動權仍是操在大陸上少數「瘋子」的手裡。但今天的「瘋子」已不是原來的「瘋子」，而是第二代了，難道政府瘋狂也會遺傳嗎？真正的答案當然只能在共產黨這個特殊的權力組織中去尋找。如果一定要借用胡適的「瘋狂」概念，我們也必須認識一個重要的事實，即這個「瘋狂」病先天地存在於組織的本身，而不在其中個別的人。因此只要中共黨組織的本質不變，它的「瘋狂病」的發作便必然具有不可預測性。這個權力組織的最大特色，是它在消極方面絕不能容忍對它構成威脅的一切有形和無形的力量的存在，因此不擇任何手段以消滅一切「異己」，甚至連黨內提出「異化」的說法也必須加以鎮壓；在積極方面，它則在每一階段都尋找其想像中的「敵人」的內在矛盾，並煽動當時一切可以被煽動的輿論力量以醜化「敵人」，美化自己。中共今天能夠利用民族情緒便是因為它偵察到台灣內部出現了深刻的族群分歧。

通過今昔的對比，我現在更能確定中共處心積慮要併吞台灣，四十多年來始終沒有絲毫改變。唯一的不同不過是昔日名之曰「解放台灣」，今日稱之為「統一」而已。今昔尤其相同之處則是如果逼降（今日也美其名曰「和平統一」）不成，最後必訴之武力。這幾年來無數智謀之士紛紛獻計，提出各種「和平統一」的方案。我讀過之後，真是佩服得五體投地。不過欽佩之餘，總不免有一點疑惑：中共當權派的人恐怕正在暗中冷笑吧！我是學歷史的人，多少相信「前事不忘，後事之師」老話。讓我引一段五〇年代中葉國際調解海峽危機的教訓，作為今天局勢的參考。

一九五五年一月，由紐西蘭駐聯合國代表的提議，安全理事會曾通過了一項海峽兩岸終止戰爭狀態的決議案。聯合國秘書長哈瑪紹因此發函邀請中共派代表到安全理事會來討論停火的具體辦法。二月三日周恩來有一封措辭極其強硬的覆信，不但拒絕參加討論，而且譴責紐西蘭的提案是「干涉中國內政」。周恩來說：美國自一九五〇年起便已「佔領了台灣」，又說：「中國人民行使解放自己領土的主權完全是中國的內政。」（英文原信見《紐約時報》一九五五年二月四日）紐西蘭討好中共的提案自然就無疾而終了。中共今天的態度完全師承周恩來當年的聲明，一點也沒有走樣。我敢斷言，只要中共政權的基本性質不變，它對「統一」台灣的底線是永遠不會移動的。因為任何領導人敢違背「祖宗遺訓」，稍作「軟弱」的表示，他的權力便立刻會被他的黨內政敵所取代。打穿後壁看，中共今天不過是利用民族主義以製造輿論而已，它的真正意圖應該是不難「研判」的。所以我希望今後智謀之士在另起構想的時候，至少要先讀一遍周恩來的這篇聲明。

最後我必須鄭重說明，我是絕對不願看見海峽出現戰爭危機的。但是主觀上不願意戰爭是一回事，客觀上會不會發生戰爭則是另一回事。首先我們必須弄清楚：戰爭的可能根源究竟在哪裡？本文的歷史觀察對於這個問題已有相當明確的啟示。總之，海峽情勢是緊張還是和緩？是戰爭還是和平？其權不在台灣方面，也不在美國方面。中共已一再宣言，它不僅反對「一中一台」（「小台獨」），而且也同樣不能容許「兩個中國」（「大台獨」）的存在。所以在台灣沒有取消「中華民國」的國號，自動降級為「地方政權」之前，中共發動海峽戰爭的可能性是隨時都存在的。那麼台灣方面對於和緩海峽情勢究竟能不能有所貢獻呢？能是能的，不過極其有限。台灣最多只能盡量避免供給中共以動武的藉口而已。但這又是防不勝防的事，因為中華民國在國際上爭取空間的任何努力，都可以成為中共「發瘋」的藉口。這是今天海峽危機的基本形勢。

從表面上說，中共在海峽危機中不但握有主動權，而且恃強壓弱，佔盡了優勢。所以這次飛彈與選票齊飛之後，中共官方特別向海外和台灣傳達下面幾點訊息：第一、中共可以隨時用武力征服台灣，美國絕不敢輕舉妄動。第二、大陸已進入鄧小平以後的時代，內部已沒有繼承問題。台灣若再不歸順，便只好「敬酒不吃，吃罰酒」。第三、中共根本不怕台灣的民主化，因為它有足夠的武力可以消滅任何民主的要求。香港民主選出立法局已被宣布無效，「台灣地方政府的選舉」只要「解放軍」一到，也自然會煙消雲散。第四、中國的民族主義者支持中共「統一」台灣的政策。這幾點宣傳攻勢不能說毫無「事實」的根據，但其中每一項「事實」都未完成，仍有待於未來的「實踐檢驗」。所以此時與中共作口舌之爭是毫無意義的。我在這裡只想從歷史的觀點提出一個簡單的看法，即人的智力終有所窮，尚未發生的世變是不可能完全計算清楚的。中共今天的整個估計都建立在「強必勝弱」、「大必勝小」的假設之上，它完全忘記了自己從前在「弱」、「小」時代所根據的另一套相反的假定和邏輯推理。毛澤東在延安時代曾以「小米加步槍」自傲，又大力宣揚過「赤壁之戰」、「淝水之戰」等弱勝強、小勝大的戰役。難道歷史女神竟如此鍾情於中共，隨著它的弱或強而隨時改變「戰爭的規律」麼？

過去國民黨在大陸上的失敗是由於自身的腐化，以致失盡了民心。今天中共政權的腐化早已超過國民黨當年的程度。何況中共統治集團內部，有中央與地方的矛盾，富省與貧省的矛盾，黨組織與槍桿子的矛盾，姓「社」與姓「資」的矛盾，各種派系間之矛盾……，這些都不是美麗的語言所能掩蓋得住的。中共儘管對外宣傳「繼承問題」已經解決，但是我們親眼見過馬倫可夫和華國鋒的起落的人，對於極權體制的所謂「穩定性」終不免還要等著看一看。極權的權力結構先天地要靠一個「強人」才能運作自如，「集體領導」只是「權力鬥爭」的同義語。今天誰是中共的「強人」呢？

但是中共內部無論有多嚴重的危機與分歧都絲毫無助於台灣的安全的保證。事實上，這裡存在著一個詭論：在中共有「強人」作主、內部比較穩定的時期，它進攻台灣的可能性反而相對的降低。這是因為「強人」必須仔細計算軍事冒險對他的利害得失，因此他的行為是比較理性的，一九五八年八月毛澤東下令炮轟金門，在外面的人看來，似乎又是一次「發瘋」。其實毛澤東並無用兵之意，當時台灣在《中美共同防禦條約》的保護之下，中共也沒有攻台的能力。現在我們知道，毛澤東那時正在和赫魯曉夫爭共產國際的領導權，他故意用金門炮戰來打亂蘇聯與西方「和平共存」的新政策。今天中共已沒有在重大政策上可以收發自如的「強人」，在各種勢力爭奪領導權的過程中，失控的可能性大為增加，如果中共政權發生類似前蘇聯或東歐型的變動，其歸趨更難逆睹，恐怕台灣未蒙其利，先受其害。所以台灣的安全絕不能寄託在中共的崩潰或解體這一幻想之上。

認真地說，大陸的變化，甚至美國的政策都不是台灣所能左右的，台灣最能使得上力的地方還是怎樣調整和創新內部秩序。這次民主選舉為台灣社會的合理化奠定了一個架構上的基礎，但怎樣在民主的架構下進一步去解決許多實質的問題則還有待未來的努力。我這篇文字主要是從民族主義的角度分析海峽危機的今昔，所以我願意回到這個特殊的角度結束我的觀察。

族群分歧今天仍是台灣社會的嚴重問題，在中國民族主義情緒受政治撥弄而高漲的時刻，在台灣的中國人似宜盡最大的努力避免使族群分歧走向「民族主義化」。換句話說，台灣如果出現「本土民族主義」和「外來民族主義」的對抗形勢，則不僅內部永無安靜的一天，而且也將激出兩岸中國人之間的長期敵視。大陸上的中國人同樣是中共極權統治下的受害者，他們的處境較受飛彈威脅的兩千一百萬中國人更值得同情。民族主義絕不應成為今天中國人的最高價值。中國人百餘年來所共同追求的是一個文明的、法治的、合理的、公平的社會秩序，在這個新秩序中，每一個個人的人權、自由、尊嚴、安全等都受到法律的保障，這只有民主的制度才能提供。無論是大陸或台灣，今天都已不存在「帝國主義侵略」的問題，民族主義的激情是有害無益的。所以我相信，台灣內部的族群分歧只有通過民主的方式才能逐漸消解。一般都承認，民主的精義不但是「少數服從多數」，而且也包括「多數尊重少數」，二者缺一不可。台灣地區的全面民主化現在才初步落實。以我所見，台灣的民主到現在為止僅僅實現了「少數服從多數」的部分。今後的課題則是怎樣確立「多數尊重少數」的原則。僅僅是「少數服從多數」仍可以流為「多數的專制」（tyranny of the majority），不是民主。「多數尊重少數」才真正體現了「寬容」的精神。「你說的話我一句也不贊成，但是我要拚命為你爭取說話的權利。」這是兩百多年前的一句名言，但今天仍然具有重大的意義。「寬容」可以使台灣社會產生真正安定的力量，這是中華民國的安全的內在保證。能做到「多數尊重少數」，中共的民族主義的挑撥將無所施其技。

海峽危機也許一時還不能完全化解，但以今視昔，台灣方面應付危機的能力已大為提高了，因為它有了民主。這是歷史給我們的一個重要的啟示！

（原載《中國時報》，一九九六年五月九日至五月十五日）

理強勢弱與以理造勢

——台灣面對新局面所應牢牢把握的原則

飛彈的恐嚇結束以後，台灣所面對的最大課題仍是怎樣和中共政權重新展開對話，以尋求一條和平共存的可能途徑，這是一個歷史的嘲弄，然而卻又是無可奈何的事。眼前的問題是我們對於這一可能性究竟應該作出什麼樣的估計。

據最近報紙所載的消息，台北方面已多次表示願意和中共有關機構繼續飛彈危機以前的事務性商談，但都得不到任何積極的反響。這是一個信號，表示今後台北和中共交涉的路上將不免荊棘叢生。由香港方面間接傳出的大陸消息，中共現在不肯表態大概出於兩個考慮：第一、等待五月二十日李登輝總統就職演說，以窺測台灣的政策方向。第二、中共正在調整過去從事務性談判逐漸升級到政治性談判的構想。相反地，中共現在要首先從「一個中國」

的政治層次上開始討論，事務性的政策對話（如「三通」的問題）只有在政治大原則確定後才能磋商。這兩點新動向目前尚無從證實，但從種種跡象觀察，其真實性是很高的。

儘管在海外和台灣的一般看法中，飛彈恐嚇對於中華民國的總統直選是失敗的，但是中共官方則另持一套不同的邏輯，因而也得出了完全相反的結論。前些日子我在台北報紙上讀到一篇大陸留美作者的分析，這位作者現在代表中共官方的觀點是人盡皆知的。據他說，飛彈演習事實上已達到了它的預定目的，即阻嚇了「台灣獨立」的票源。這位作者更進一步警告台灣，大陸根本不重視台灣的民主選舉，而且民主也不能對台灣的安全提供一絲一毫的保證。大陸的鄧後時代已順利地開始了，今天「舉國一致」要解決「一個中國」的問題。台灣如果不肯就範，中共一定會動武的。戰爭的結局不問可知，大陸雖然也必須付出很高的代價，但對於台灣而言是毀滅性的下場。我們毋須和這位作者商榷他的論證，因為那是徒勞的事。但是由於他所傳達的是中共官方的意旨，這篇文字也多少印證了上述香港的傳聞。

這次飛彈演習是軍方主持的。中共目前正處於鄧後權力轉移的緊要關頭，軍方無疑扮演著舉足輕重的角色，軍方不甘心承認這次演習是失敗的，這自是情理之中的事。為了證明演習是有效的，軍方必然是再施壓力，在未來兩岸談判中逼台灣接受其「統一」的條件，所以下一輪的談判，中共很可能會採取比以往遠為強硬的立場。台灣方面對此必須有充分的心理準備。前些時報載辜振甫先生的談話，主張兩岸談判必須先澄清關於所謂「一個中國」的理解。這真是一針見血之言。但是我相信將來雙方的最大爭執也正將發生在這個問題上面。以前雙方的對話對於「中國」的定義都避而未談，而各有主見。中共的「中國」自然是「中華人民共和國」，台灣的「中國」則無疑是「中華民國」。如果真正的「實事求是」，我們必須承認今天明明是「兩個中國」的分立局面。台灣方面近幾年來早已接受了這個現實，然而仍願意在將來時機成熟時，與中共進一步討論怎樣使兩個中國合而為一的問題。但中共方面則不然，它自始即以「中央政府」自居，而視台灣為「地方政權」，必須「統一」於「中華人民共和國」之下。從葉劍英到江澤民，儘管在用詞遣字上有或急或緩的不同，其基本態度並無絲毫變動。以前兩岸對話主要限於事務性的層次，因此還能暫時躲開原則性的分歧。今後如果直接碰到了「一個中國」的主題，我實在想不出雙方如何能夠談得攏？台灣儘管能夠「實事求是」，中共卻必然將恃強逼降。這是眼前一個無可置疑的形勢。

我個人不但沒有任何巧妙的方案可以提供，而且也不相信以往各方人士所提出的種種構想可以發生作用。理由很簡單：中共到目前為止完全沒有把台灣看作一個可以平等和談的政治實體。下面我只能根據我的觀察和判斷，談一談台灣在這種形勢下如何自處的問題。

我想我們應該從「勢」和「理」兩個方面來考慮台灣的處境。以「勢」而言，台灣今天不但處於被動，而且顯然居於下風。無論是「和」是「戰」，主動權都操在中共的手上。而中共的動向則一向是不可測的。五〇年代的韓戰、六〇年代的進攻印度、七〇年代與蘇聯的邊界衝突、八〇年代的越南戰爭、以至最近的飛彈恐嚇，都是事先沒有人能預料得到的。中共的侵略性是和它的政權性質分不開的。它的內部有永無止息的權力爭奪，而其全部真相又絕非外界所得而知。因此誰也不能準確地判斷它的下一步行動是什麼。今天中共不但以「武力」稱霸於東亞，並且以「經濟」引誘世界各國。台灣在「勢」的方面是無法與它爭衡的。

台灣唯一能作的事便是盡量提高自衛的能力並隨時保持最大的警惕。但是中共的「勢」在表面上雖然很強大，我們必須看到它的內在弱點也相當明顯。大陸上不但腐化得十分徹底，而且有種種不安定的因素，特別是高層權力的爭奪，中央與地方的緊張，富省與貧省之間的衝突，以及社會秩序愈來愈不易維持。總之，大陸正在面臨著後鄧初期的一場前途未卜的變革，足以在很大的程度上牽制著它的「勢」的發揮。

以「理」而言，台灣則完全可以站在有利的地位。台灣的民主選舉和中共的飛彈威脅同時發生，已使全世界的輿論看清「理」屬於哪一方面。這個「理」雖然不能成為台灣安全的絕對保障，其積極的作用價值是不容低估的。台灣兩千多萬中國人所爭取是一個合理的、公平的現代社會秩序，他們的意圖是和平而不是戰爭。這一點是這次民主大選所清楚證明的。投票的結果也證明了絕大多數的選民依然認同於中華民國。他們絕不能接受中共的極權統治。在這個意義上，台灣確是「獨立」於所謂「中華人民共和國」之外的——這是四十多年來中華民國的一貫立場。但是台灣並未自外於歷史和文化意義上的中國。

中共現在正在全力挑動大陸和海外的中國人的民族主義激情。在這一方面我們不能不說它已收得了相當的效應。台灣如果要在「理」上繼續站得穩，必須堅定不移地認同於中華民國，而且這個認同必須是目的而不是手段或策略。百餘年來中國人所追求的現代化的合理秩序，第一次在台灣地區獲得了初步的、但也是基本的實現。大陸也必須朝著同樣的方向發展，才能成為一個名符其實的現代文明的國家。那時兩岸的和平統一將是水到渠成的事。

我相信有些人傾向於「台灣獨立」是出於對中共政權的恐懼，因此希望痛快地一刀切斷與中國大陸的關係。但台灣與大陸是不可能斷絕文化與經濟上的一切聯繫的，更不可能也無必要否定台灣與中國的歷史淵源。在台灣的中國人必須有耐心等待大陸的轉變；這一轉變是無可避免的，雖然過程似乎很緩慢。中共政權的存在是暫時的，中國人的存在則是永久的。台灣必須拒絕接受中共的暴政，然而不能自外於歷史、文化意義上的中國。台灣絕不能給中共製造機會，使它可以利用民族主義的力量從斯大林式的極權主義轉化為希特勒式的極權主義。

台灣是處於「理強而勢弱」的局面，但是在一定的條件下，「理」也未嘗不能造「勢」。無論中共是文攻還是武嚇，台灣都必須牢牢地把握住這個原則。

（原載《聯合報》，一九九六年五月二十日）

提防文革借民族主義還魂

按照大陸文革中對派別的分類法，我大概算是海外的「逍遙派」吧。整個文革過程中我沒有參加過任何一個集會，當時美國的「保衛釣魚台」運動，集會是很多的。四〇年代我在北平倒是見識過學生運動的，但自己沒有參與。台灣的學生那些年一直被國民黨壓得很厲害，一到海外就發生反彈，要看《人民日報》，讀三〇年代左翼文學，對大陸的紅色中國生出許多幻想，保衛釣魚台運動和海外文革就是在這樣一種情況下產生的。海外也是有文革發生的。

一九七二年至七五年我在香港中文大學教書，中文大學的學生會全部左傾，提的口號比共產黨還左。我對文革一直是持批評態度的，當時《明報月刊》上正在連載我的一些討論學術自由和傳統中的「反智論」的文章。這些文章後來都收入在《史學與傳統》一書裡。香港左派的《新晚報》就發表一篇不點名的批判專稿——〈揭開某學者的學術畫皮〉等等，說我

「反對發展中美友誼」、「污蔑幹部政策」什麼的，有點不知所云。左傾的學生更認定我是站在腐朽、落後的帝國主義反動派的立場。當時大家都不了解國內的具體情況，可是文革的影響力卻無遠弗屆，在海外的反響非常巨大。日本不必說，歐洲尤其是法國，從美國校園一直到非洲小國，都在捧毛澤東，還聽說過非洲的什麼人在北京和毛澤東握過手，回來後幾個月不肯洗手的。七〇年代初在美國校園，你要是沒有去過中國，竟然會形成一種壓力。我太太陳淑平當時在魏思禮女子學院（Wellesley College）教中文，每天坐一位同事的車上下班，當時的系主任是台灣來的，一直和陳淑平套交情。忽然有一天，她的汽車橫槓上貼出了標語：「我們一定要解放台灣！」中文課也要教「批林批孔批水滸」，對我太太立刻變臉，關係當然急轉直下。海外許多非理性的東西都在那時候發生。

我從未崇拜過古今中外任何一個人，自然更不可能崇拜毛澤東，算是當時的少數派——大概置身事外的「逍遙派」總歸是少數吧？

今天紀念文革，我想我們海外的人對國內發生的許多瘋狂也許不必太多責備，反而對海外當時的文革狂熱，應該進行反省。我記得當時有一位很著名的高能物理學者從大陸回來說：全大陸只剩下一隻蒼蠅，共產黨把蒼蠅都打光了，而剩下的最後那一隻卻偏偏被他看到了。一位女學者回來說，台灣每三個女人就有一個妓女，只有大陸上的婦女成為革命的半邊天。這些說法現在聽來像是全都失掉了理性，在當時，說的、聽的、信的可都是非常嚴肅鄭重的。我想，除了當時的資訊隔絕造成海外的大陸幻象以外，我們中國人的國民性與人性中的某些方面，特別是近百年來幾乎籠罩一切而又夾纏不清的民族主義，是一個非常值得正視的問題。

民族主義是造成文革亂局背後的一個重要力量，是義和團運動的擴大再版。要警惕文革這一大套東西，還有可能要借民族主義還魂。我最近有這樣一種預感：中國共產黨現在想借民族主義作為政治控制的最後手段，把國家往納粹式的「國家社會主義」上引，走一個中國式的納粹主義道路。這樣說並不是危言聳聽，而是有事實根據的。現在中共官方在大陸社會上下煽起一股非常強烈的民族主義情緒，連知識分子都很受這股情緒傳染左右。這樣的民族主義是最容易走極端的。

我們今天紀念文革三十週年，其實每個人都有一個自己的文革，每個人都有一個自己的文革故事。就像月映萬川，一千一萬條河流上各自都會有一個不同形態的月亮一樣。我想對此不必強求統一。我是學歷史的，從歷史上看，也許對文革作為一個歷史事件可以有種種不同的看法和評價，大體上，我認為有這樣兩點是可以清晰指出來的：一是，文革這一場浩劫，在中國整個的歷史文化中是一個起負面作用的事件。不管在文革影響下產生了多少本來目的以外的結果，這些結果可能有消極的也有積極的作用，作為歷史事件，文革的負面性質並不可能因此而改變。二是，不能簡單地把一九六六至一九七六年發生的十年文革，看成是一個意外事件。這其實是中共官方最喜歡強調的一種說法。剛才說月映萬川，這裡則是山從勢走。山勢一定是從低到高，慢慢走向它的最高峰的。有共產黨開始，文革就已經開始醞釀了。我最近看了一本大陸出的記述陳寅恪在四九年以後生活實錄的書。一九五八年批陳寅恪的時候，廣州中山大學用的已經是文革的語言了，相當粗暴專斷。對文革起因的追溯要追到很早，比如紅區和延安時代，就有內部的「殘酷鬥爭，無情打擊」，比如所謂「污損領袖像」要論重罪的問題，也許還要追到俄國早年，沙俄時代就不准污損沙皇的畫像。中國歷史上從未有過到處掛像的習俗，當然也談不上污損與否，這樣的問題就不能簡單歸咎到中國傳統上去。我並不認為文革的惡夢就此結束了。現在來總結文革，或者還為時太早。

從某種意義上說，廣義的文革在中國大陸不但沒有結束，而且以民族情緒為中心的新式的文革，又在醞釀之中。一個多月以前，吳弘達到普林斯頓大學來演講「勞改」專題，我便親眼看見大陸留學生在黨組織操縱下，上演相當文革式的「鬥爭」表演。當時美國的聽眾都倉皇失措，不知如何是好，最後校警不得不將奉命「鬥爭」的幾個大陸學生趕出會場。後來讀新聞，才知道幾天後吳弘達到另一間學校演講，又出現了同樣模式的「鬥爭」場面。「一葉知秋」。這是一個新的信號。三十年前的文革是有人組織操縱的，參加者都以為自己有自由意志，但其實這個「自由意志」不過是「假意識」。今天正在躍躍欲試的新「文革」也是如此，背後有一批人在組織策劃，個別參加的人自以為是「愛國」行動，歷史的真相將來一定會暴露出來。所以說，如果不對產生文革的諸種根源隨時保持警惕——比如各種走極端的民族主義，我願意重複一遍我上面提到的憂慮：中國式的納粹主義，也許會在未來出現。

（原載《明報月刊》第三十一卷第六期，一九九六年六月）

「治天下」強人之死，結束「革命」時代

我要說的第一句話是我過去也曾一再提到過的，即鄧小平是中國共產黨的最後一個「強人」，正如蔣經國是國民黨的最後一個「強人」一樣，這種「強人」的地位是許多不同的歷史因素共同造成的，其中有客觀的條件，也有「強人」本身的主觀努力。以二十世紀而言，世界上威權主義或極權主義國家先後都產生了不少政治或軍事上的「強人」，但是由於各國的文化背景不同，「強人」的性質也因之而異。中國的「強人」除了自身具有的有形實力以外，還必須要有一種無形的「聲望」（或「威望」）。歷史上所謂「天下蒼生望謝安」的心理便是最具體的例子。鄧小平在文革後期，尤其是毛澤東死亡前後的一、兩年中，雖然已再度被打倒，卻是中共黨內以至一般社會上「眾望所歸」的唯一人選，他能在華國鋒已掌握了黨、政、軍三方面權位的情況下，脫穎而出，負擔起為中共統治「旋乾轉坤」的歷史任務，正是由於他擁有一種無形的威望。

中共政權成立四十八年以來，只產生了兩個「強人」，前二十八年是毛的時代，後二十年則是鄧的時代。雖然一般的劃分是把毛和鄧繫屬於第一代和第二代，但事實上他們是共同「打天下」的同一代的人物。「打天下」是他們成為「強人」的主要條件之一。這個條件今後已不存在了，中共是否還會產生「強人」，至少到目前為止還看不出任何跡象。從這一點說，鄧小平成了中共體制下的最後一個「強人」，而他的死亡便確確實實地結束了中國現代史上的「革命」時代。以下將出現一個截然不同的局面。

以「打天下」而言，毛澤東的功績自然首屈一指，遠非鄧小平所能比擬，但一九四九至一九七六年之間毛澤東卻成為「天下大亂」的總根源，這說明他只能「打天下」而不能「治天下」。鄧小平自一九七七年復出以後則確在努力從事於「治天下」的工作。他撇開了「階級鬥爭為綱」的意識形態，推行了「改革開放」的經濟路線，扭轉「一窮二白」的貧困局面，並從而挽救了中共政權的崩潰危機。他的最深切的關懷也許是中共政權的持續——即「四項堅持」中的共產黨領導——但無論如何，在客觀效用上他的政策改善了中國人的經濟生活，這是不可否認的歷史事實。

今天我看了西方各處電視的報導，都異口同聲地提到鄧小平晚年的兩件大事：第一是「改革開放」的重要成就，第二是天安門屠殺的鐵腕統治。這兩件事一屬正面，一屬反面，譽與毀交織在一起，大致可以算是眼前的「蓋棺定論」。我說是「眼前的」，而不說是「永久的」，因為歷史評價在後世必有反覆。我們今天大可不必為此多費心思。但是我還有一個想法也要乘此機會再說一次，即這一正一反在鄧小平心中從來便是「統一的」。他的政策從第一天開始便是「經濟放鬆、政治加緊」，「改革開放」對他——一個共產黨人——來說，只能以經濟為限，不可能擴大到政治方面。

中共的最後「強人」消逝了，下面會怎麼樣？權力鬥爭是不是又要重演？我們看法是客觀形勢和一九七六年毛死的時候已完全不同，此下的演變也不可能是過去的重複。大致說來，權力鬥爭是不可避免的，但方式和影響都將異趨。毛死後的權力鬥爭如疾風暴雨，而且幅度廣大，從「四人幫」被捕到鄧小平復出，華國鋒下台，一幕隨著一幕，令人目不暇給。這一次的權力鬥爭，由於已無「強人」作政變的焦點。彼此勢均力敵，將形成一種較長時間的醞釀和布置。今天的因素太複雜了，如中央與地方的爭持，地方與地方之間的貧富不均，國際經濟力量的深入，軍事力量之不易捉摸，民間社會的重新出現等，都是一九七六年時所不曾夢見的。所以這一次權力鬥爭不致在短期內發生劇烈的動盪，但演變下去卻可能發生更深刻的影響，即「經濟放鬆、政治加緊」已達其極限，不可能長此維持下去。但是經濟局勢已無走回頭路的可能，最後政治只能向經濟靠攏。

我這樣說並不是對目前的大陸政局表示任何信任，我還沒有證據可以斷定，第三代接班已進入穩定的局面。在相當長的一段時間中，大陸政局的動態大致將處於暗潮起伏的狀態，何時才會表面化尚不易推測。換言之，一種不確定的局面或將持續一段時期。

從後鄧時代開始，大陸才真正進入政治、社會的轉型階段，但距離民主化的道路尚相當遙遠。大陸的真正出路在如何脫離共產主義的極權結構，以十二、三億人口的大國而言，這真是談何容易。未來是不易預測的，我們還是保持冷靜觀察的態度為宜。

大陸的局面日益複雜化，不但是政治方面，社會、經濟、地方勢力、軍人動向、少數民族等，無一不能引發意想不到的變動。所以我們絕不能輕信中共已安如磐石，智珠在握，一切可以為所欲為。它本身已處在危機四伏之中，故往往對外作虛聲恫嚇，以致美國和亞洲許多國家都為它的宣傳所誤導，相信它已構成東亞的威脅。台灣對於後鄧時代的大陸一方面固然必須適時提高警惕，但卻絲毫不必懷恐共之心，恰好落在它所刻意設下的陷阱之中。最重要的是台灣在民主體制下不斷增強自身的健康活動力，而不應對大陸的任何變動都發生種種不切實際的幻想。「天行健，君子以自強不息」是最值得珍重的古老智慧。

鄧小平「有中國特色的社會主義」是一句沒有內容的空話。在實踐中，我們所見到是「一黨專政」的「中國特色」加上沒有法律根據的「資本主義」而已。中國的前途不在任何主義，而在怎樣建立一個具有中國特色的現代文明社會。只有大陸上的政治力量從橫暴轉向文明之後，兩岸關係才能開始真正的改善。

（原載《聯合報》，一九九七年二月二十一日）

人權是鄧後最嚴重問題

鄧小平在當代中國史上的定位應從兩個層次看：第一是從中共的政權方面說，他是挽救了政權生命的中共最大的「中興」功臣。如果不是他自一九七七年復出後，斷然放棄「階級鬥爭」，改行「改革開放」的經濟政策，則中共或已像前蘇聯一樣，早就解體或崩潰了。

從整個中國的前途看，他的改弦易轍，使中國向世界開放了，因而在短短十幾年中，改善了中國人的經濟生活，其功也不可沒。但他畢竟首先是共產黨的孝子，以黨的利益為優先。但對於整個中國的前途而言，他的效忠的程度則是有限度的。在黨的利益和整個國家前途，發生直接衝突的時候，他毫不遲疑地選擇了「黨」。這是天安門屠殺的根本原因。但他本人未必有此意識，因為他自十幾歲起便迷信了共產主義，又處身在一個極權政黨的中心，他也許認為屠殺便是救中國。

他對知識分子僅比毛澤東略好一點，但反智的基調並無大異，我們必須記住，一九五七年「反右」擴大化便是他親自執行的，天安門殺學生也是他親自下令的。他對知識分子的工具價值比毛澤東認識較多，但他絕不是尊重知識的人。

至於鄧小平的改革開放，僅限於經濟一層。他誤讀了五〇年代的歷史，以為當時的錯誤在於講「階級鬥爭」，不講「生產建設」，才有後來的「文革」，喪失了人心。所以他估計只要給老百姓豐衣足食，全國人民便會忠誠地接受中共的領導。他不懂得經濟的自由開放必然帶來政治上的同樣要求。他的認識早就落在世界其他共產黨人同樣的教條之中。

他在法國並未讀書，專幫周恩來做組織工作，因此對現代西方文明毫無所得。他比毛澤東多一點「現代」知識，但仍不過是百步與五十步之別。所謂「有中國特色的社會主義」，不過是一句空洞的口號。他所做到的是「有中國特色的資本主義」，即一方面引進市場經濟，一方面堅持一黨專政。前者是「資本主義」，後者是「中國特色」。

既然沒有所謂「有中國特色的社會主義」，建設更從何處談起？他的建設是市場經濟——即資本主義的主要內涵，然而在政治上、社會上則沒有相應的建設——自由、人權、法治。這便留下了後鄧時代的嚴重問題。經濟和政治的分離，只能在有限的程度上辦得到，不可能長此拖延下去。私有權是資本主義的基本保障，若無私有權，則真正的資本主義也無從生根，只有為特權人士發財和腐化造機會而已。大陸的前途，最後仍寄託在法治和基本人權兩大支柱是否能建立，民主尚是第二步的事。

（原載《中央日報》，一九九七年二月二十一日）

說民主與制衡

最近讀到《中國時報》五月二日的社論：〈論修憲中絕不容逾越的兩項觀念底線！〉引起了我對於目前正在進行的修憲運動的深切關注。去年（一九九六）中華民國第一次全民直選總統，以民主制度的實踐而論，確是中國史上一件大事。這不是一、二人的私見，國外輿論以及大陸上傾向自由主義的知識分子也一致加以肯定。但選擇只是民主的第一步，接下來的自然是怎樣在已有的憲政基礎上進一步使民主制度更為鞏固，也更為完善。十全十美的民主制度是不可能出現的，但現存的各國民主制度都隨著時代的變遷而不斷更新，則是有目共睹的。中國也不能是例外。

修憲如果使民主制度得到更大的保障，則可以看作是落實民主的第二步。現在這部中華民國憲法是一九四六年底由國民大會三讀通過的，到今天已整整半個世紀。時移世易，修訂自有必要。當時憲法的起草曾屢經改易，其最後的定案也是各黨派之間一再妥協的結果。因此一九四七年元月一日公布之後已引起各方面的批評。據梁漱溟的回憶，最早張君勱所擬定的初稿是英國內閣制，總統同於虛君（見《憶往談舊錄》，一九八七）。後來國民黨拒絕接受，才逐步改成定本的樣子。即使如此，大權仍在行政院長，而不在總統。所以一九四八年蔣中正寧可出任行政院長，願意把總統讓給胡適。由此可知，中華民國憲法的基本精神即在防止行政權力的過分龐大。上引《中國時報》社論強調權力制衡的原則是一針見血的話。

權力制衡不僅是西方近代民主制度的精要所在，即使在中國古代皇帝制度之下也已有所表現。舊史盛稱唐代貞觀之治，其制度上的根據便在三省分權：中書省草擬詔敕、批答，但門下省有權審議，不妥則予封駁。所以中書出令必經門下同意之後才算完全合法，然後交付尚書省執行。我們可以說，中書省是決策機構，近於立法，門下省則有反駁的餘地。尚書省行使行政權力，但在決策上反而沒有發言權。不但如此，唐代中葉以前中書門下的政事堂且有「議君」、「易臣」的權力，至少理論上如此，更見制衡原則的重要性（見李華〈中書政事堂記〉）。明代的都察院是孫中山最欣賞的制度，其都御史和十三道監察御史等操彈劾及建言之權，即是今天監察院的前身（此外還有六科都給事中也是為稽察各官署而設，與御史分別稱「台」、「垣」，同時制衡行政部門的力量）。一九四一年胡適在美國講〈民主中國的歷史基礎〉，也特別舉出「御史制度」具有近代「議會」的某些功能。

中國過去的制衡雖不能與現代民主體制下的制衡同日而語，但在原則上畢竟是相通的，即行政權力必須受到相當程度的制約。西方近代的制衡在制度上源出英國，在理論上則是法國孟德斯鳩所建立的，即立法、行政、司法的三權分立。這已是常識，不必多說。但三權分立之所以被稱為「制衡」（check and balance）則是美國開國領袖之一，後來成為第四任總統的麥迪遜（James Madison, 1751-1836）的重大貢獻。他反對傑佛遜（Thomas Jefferson）的意見，認為三權之間如果發生互相侵犯的情況，可由四年一度的全民大選來加以糾正。麥氏的深刻觀察是從人性論入手的，人絕不是「天使」，無論是政府官員或老百姓都同樣會犯錯誤。有關憲法衝突這一類的大問題，一般人民也未必有能力作出正確的判斷。因此唯一的辦法是在制度上盡量確定三權分立的界線，使人雖想越界也不可能。這就必須要求在制度上作精密的安排，達到最高限度的制約與均衡。此所以國家幾種最高權力之間的分配成為無比重要的大事（見Sotirios A. Barber, *On What the Constitution Means*, The Johns Hopkins University Press. 1984, pp.172-3）。三權分立雖已在英國史上演變為事實，並已由孟德斯鳩總結成理論，但自覺地把「制衡」觀念貫注於其中，則不能不歸功於麥迪遜。自此以後，權力制衡便成了美國民主的一項最高指導原則，兩百年來雖偶有糾紛，但大體上說，三權互相制約的局面從沒有發生過根本的動搖。這不能不說是當時開國諸公在創立制度方面設想得相當周密。

美國三權分立而互相制衡的原則雖然穩定，但三權之間也不是完全沒有變動。此中司法權的界線最為明確，可置之不論。讓我們集中討論一下美國近幾十年來行政與立法兩權之間的消長及由此而引起的爭執。美國是總統制的民主，而總統權力的大幅度增長卻已引起人們的憂慮，以致有人用「皇帝式的總統」（imperial presidency）一詞來形容這種發展（這是名史家施勒辛格〔Arthur M. Schlesinger, Jr.〕在尼克遜時代所寫的一部書的名稱）。

本來美國總統的行政權以在外交方面最不受限制，十九世紀初葉法國的托克維爾（Alexis de Tocqueville）訪問美國時便已看出了這一點。不過從那時一直到二十世紀初葉，美國多半處在「孤立主義」氣氛之下，外交上很少活動，所以這個權力難得有展佈的機會。威爾遜總統參加了第一次大戰，美國人民認為上了當，因此國會運用古老的「中立法」來限制總統的對外大權。羅斯福眼看希特勒橫行歐洲而一籌莫展，便是受了「中立法」的拘束。直到一九四一年年底，日本偷襲珍珠港以後，「中立法」才解禁。一般而言，美國總統權力大增是從羅斯福開始的；最先是因經濟危機而行「新政」，接著則是第二次大戰。由於處於緊急危險的狀態，國會不得不授與總統應變的大權，自此以後便一發難收至越戰而登峰造極。有趣的是：從羅斯福到尼克遜，美國總統幾乎個個都深感權力不夠，一方面受國會的牽制，另一方面又困於政府機構的龐大而僵化，以致都在不斷尋求怎樣才能擴大權力，有效地推行他們的政策。羅斯福的一位助理便說過：總統的建議雖說是命令，但閣員可以一半置之不理，總統對之竟無可如何。尼克遜則嫌國會及行政機構都不和他配合，曾準備在第二任期間大事改革。他的基本想法是總統只需每四年一次對全體選民負責便夠了，他不能忍受國會的事事掣肘。正是在這種心理支配之下，他才犯下了「水門事件」的致命錯誤。

即使在尼克遜之後，美國總統擴權的問題仍然甚囂塵上。卡特的白宮顧問便曾組織了一個憲法改革委員會，大致是仿效英國的議會制度。其基本設想如下：總統與國會兩院同時選舉，任期六年。如此則總統與國會的權力同時加強，遇到僵局，雙方相持不下，則解散政府，重新選舉。但此計畫不是美國式的政黨制度所能承擔得起來的，因此終於胎死腹中（以上所論可參看施勒辛格*The Cycles of American History*, 1986, pp.277-304）。

美國人一般有一種浪漫的幻覺，以為英國的內閣制是議會對行政部門有更大的控制權。事實則適得其反。英國的內閣制度，據英國人自己的批評，今天已淪為首相專權的地步了。首相任命閣員、外交決策、對外宣戰、擬定預算等大事都毋須經過議會的同意。議會對內閣投不信任票即可解散議會，重新選舉，這好像是立法權對行政權的一種威脅。但按之歷史實況，解散議會之事極少發生，最近的一次是一九二四年，再前一次則在一八八五年，這是因為解散議會對議員本身也是一個極大的冒險，他們在改選中未必能再度當選。首相反而可用解散議會的制度來逼議員就範。所以英國和加拿大提倡議會改革的人反而以美國國會為立法權的模範。

我們回顧了英美人士關於行政與立法兩權的爭論，可以看出他們的共同的理想始終是互相制衡。美國總統抱怨行政權太小自在情理之中，但真正的民主制度絕不允許行政權力大到不能控制的地步。自克林頓當選以來，美國人民酷愛分權制衡的傾向也已表露無遺。他們把行政權的行使交給了民主黨，卻把國會的控制權送到了共和黨手中。這是有意如此，並非意外，每次民意調查已證實了這一點。儘管兩黨的爭持有時弄成僵局，以致預算都無法通過，但美國人民寧可忍受一些小不方便，也不肯使兩權偏向一邊。這是真民主的最大保證。現在克林頓總統也安然接受了這一均衡的命運。今年白宮和國會終於在預算問題上獲得雙方各得其所的妥協方案。行政部門只要有充足而堅強的理由可以說服立法部門，制衡並不會真正妨礙整個民主制度的正常運作。

由於美國人民不願見到行政權的無限擴大，近十幾年來，已有不少觀察家指出，白宮人員的急速膨脹，對總統而言是有害無利的。總統被龐大的白宮人員所包圍使他與政府和人民都日趨隔絕。總統需要少數特別助理作他的耳目，但人數過多或組織過大，則其契有不可勝言者。最近白宮的政治獻金案正由此契而引發。

對於中華民國修憲的詳情，我個人完全沒有發言的資格，所以本人一概不提，讀了《中國時報》五月二日的社論，我感覺必須從原則上略抒所見，社論中所提到的「雙首長制」大概是專指中華民國憲法中的總統與行政院長而言。以過去的情形說，雙首長制的分權也相當不確定，主要視在位者的實權而決。因此有時像是總統制，有時像是內閣制。捷克的政府似乎也屬於這一型。因此哈維爾目前遇到很大的危機。他幾乎變成了一個無權的總統，僅對國會有極少的否決權，而行政實權則落到他的政敵之手，而這位政敵卻又成為他的首相。這也可以看出所謂雙首長制是不容易駕馭的。總統制下的權力自有其極限，美國總統在尼克遜時代便超過了這個限度，因此今天總統的權力已開始收縮。這是一種健康的發展。總統的權力和他所負的責任（accountability）是成正比例的。權力愈大，責任也隨之愈重，以致社會上發生任何災難和不幸，人民都會要總統負責。對於剛剛脫離威權體制，踏上民主征程的中華民國，這是一條尤其不可輕試的險途。托克維爾曾說：

如果類似美國那樣的民主共和國建立在一個以前是一人獨攬大權的國度，它過去施行的是行政集中制並且久已為習慣和法律所接受，那麼我可以毫不遲疑地說，在這樣一個共和國中，其專斷的情況將比歐洲任何一個專制王國更令人難以忍受。我們大概只能到亞洲去尋找可以和它相比的事例了。（見Alexis de Tocqueville，*Democracy in America*，Lawrence英譯本，pp.263）

托氏這段話竟不幸而言中了辛亥革命後的中華民國，但今天中華民國經過了八十多年的發展和轉化，早已進入了一個嶄新的階段，托氏的判斷自然不再適用了。我引他的話，其意僅在警惕。我始終相信民主制度是中華民國的安全的根本保證，在內部建立公平合理的新秩序，對國際爭取友邦的支持和理解，向大陸發揮精神上的號召力，都離不開民主兩個字。這也許是一條迂迴曲折的道路，但捨此之外別無捷徑。

（原載《中國時報》，一九九七年五月十四日）

九七思前想後

香港回歸中國是長期以來中國人的共同願望。一九四五年一月太平洋學會在美國維琴尼亞州的溫泉開會，當時中國代表團成員之一張忠紱便說明香港是中國的土地，最後必須歸還中國。他盼望英國能一本戰時合作的精神，早日與中國政府商談歸還的具體辦法。英國代表起而抗議，因此展開了一場激辯。事後中國代表團團長蔣夢麟，代表吳文藻、葉公超等都一致表示支持張忠紱的立場。這個代表團是官方派遣的，由此可見當時朝野對於收回香港的問題早已有共識，不過在戰爭未終結以前，一時尚無暇也無力付諸行動而已。[1]

一九四九年中共奪得政權的時候，本可以一舉而收復香港，但也由於外交和經濟上的種種利害計算，而錯過了時機。八〇年代時如果不是英國人拘泥於新界租界期限的法律條文而

1 見張忠紱：《迷惘集》（吳興記書報社，一九六八），頁一七三—七四。

提出續約問題，香港的回歸也許還要拖延下去，但問題一經正式提出，中共便不得不把收回香港提上議事的日程了。

我追溯這一段經過，是要說明香港在今年七月一日回歸中國這件事是由許多客觀的甚至偶然的因素所共同構成的。民族主義的原則雖然是背後的基本動力——即中國人長期以來的共同願望——但它在這件事的具體實現的過程中並沒有發生直接的作用。如果民族主義真是中國人在國際事務上的最高行動原則，超過任何其他一切的考慮，那麼收回香港絕不應遲至今天，尤其不應該以一九九七為交接之年。為什麼呢？自孫中山革命以來，中國人便以「廢除一切不平等條約」列為爭取國家獨立的主要目標。舉凡清朝與列強所訂立的一切不平等條約和協定，在一九一二年以後都已失去了合法性。中國選擇什麼時候收回香港自然可以根據具體的歷史條件決定，但絕不能以清朝所訂立的辱國條約和協定為合法的基礎。九龍、新界的租借發生在一八九八年，到今年期滿。現在交接之年恰恰訂在一九九七年，這便是承認一八九八年的租約是合法的。承認了這一點便等於承認在今年六月三十日以前中國一直自甘居於喪權辱國的地位。否則早一年或遲一年均無不可，為什麼一定要遵守九十九年的協定呢？也許有人會說，香港島本身是一八四二年通過《江寧條約》而割讓給英國的，現在中國收回的是整個香港，不僅是新界、九龍，這還不夠證明中共政權反對殖民主義是十分堅決的嗎？但是這裡發生了兩個嚴重的問題：第一、果真如此，則中共更不應該接受「一九九七」這個年分。一方面承認一八九八年中英租界協定的合法性，一方面又否定一八四二年《江寧條約》的有效性，此之謂進退失據。倘使中共確以消滅中國國土上一切具有殖民地性質的殘餘恥辱為最優先的考慮，那麼它在一九四九年以後的任何時間內都可以採取行動，不必偏偏要等到一九九七這個象徵恥辱的年分。印度在一九六一年不惜與西方帝國主義國家破裂，而以武力收回了葡萄牙在印度西海岸的戈牙（Goa）殖民地，那才是民族主義精神的真實表現。中共在二十世紀八〇年代和英國交涉竟仍舊墮入老謀深算的老帝國主義所設下的陷阱，真令人不免啼笑皆非。我們可以斷言，將來英國史家筆下寫香港得而復失的經過，必然強調英國從佔領香港到退出香港都是合法而來、合法而去的。這是中國人因無知而為帝國主義塗脂抹粉的一個最可悲的例子。

第二、第二次大戰以後，歐洲勢力的衰落是一個最顯著的現象。亞洲和非洲各殖民地人民的普遍抗爭，逼得歐洲各帝國主義國家一個個從這些地區撤退。以亞洲而言，英國之於印度、法國之於越南和荷蘭之於印尼尤其是最明顯的例子。從一九四五年到一九六〇年總共有四十個國家擺脫了殖民地的統治，獲得了獨立的地位，總人數在八億左右，佔當時全世界人口的四分之一以上。從此以後，取消殖民地（decolonization）已成為聯合國共同接受的基本原則。英國最善於見風轉舵，早就不斷推動它在亞、非地區的殖民地走向獨立。這並不是強盜忽發善心，而是它眼見大勢已去，不如變被動為主動，事先作好獨立的安排，以圖延長它在這些舊殖民地的影響。一九七二年，聯合國發起了「取消殖民地」的號召，擬好了一個正式變殖民地為獨立國家的名單。在英屬殖民地中除非洲的Rhodesia和Bechuanaland之外，亞洲的香港也赫然名列其間。可見英國政府見機甚早，二十五年前已準備改換香港的國際身分。但由於剛剛加入聯合國的中共施加了重大的壓力，英國最後不得不悄悄地把香港從名單中剔除了。[2]英國此舉當時對香港人民是保密的，因此鮮為人知。但中共是深知底蘊的，也竟然不動聲色，更不曾乘機提出收回香港的要求，尤令人無從索解。所以一九七九年港督麥理浩（Crawford Murray MacLehose）最初向北京試探續約的可能性時，英國政府大概鑑於一九七二年中共的曖昧態度，不免存有僥倖的心理。但他們完全不懂得中共的一貫作風和中古禪宗大師教門徒的心理一樣，其關鍵只在「不說破」三個字。正式通過法律途徑商談續約的便是「說破」了，一「說破」中共便只有戴上另一副面具與世人相見了。但中共明知英國在一九七二年便已有改變香港殖民地的身分的動議，然而仍然要將收回香港的日期定於一九九七年，無論如何是難以自圓其說的。

從以上的歷史回顧中，我們只能獲得一個最近情理的假定：中共對於收回香港一事自始至終並無成竹在胸，所以一直表現出一種猶疑不定、能拖則拖的態度。[3]「香港回歸祖國」今天已被渲染成全中國無上榮耀的大事，而一年以來，「一九九七年七月一日」更被說成中國人天天盼望的「大喜的日子」。從長期的歷史發展來看，這些說法自然是有根據的。但後世讀史者恐怕不可避免地會發生一個疑問：為什麼這樣一種關繫著民族榮辱的大事，中國方面從來沒有主動地爭取過，一直要等到英方提出續約的要求時才作出回應，而「回歸」的日期不遲不早，一定要選在九十九年辱國協定期滿的一九九七年呢？

一九九七年七月一日香港回歸以後的前景究竟如何？這個問題十幾年來不斷有人提出，也一再有人給予種種不同的回答。但在我來說，這屬於預測性質，所涉及的未來變數太多，根本不能有確定的答案。我現在所能做的只是選出目前已知的若干比較重要的因素，略加分析，使讀者可以根據自己的判斷，得出自己的結論。

第一、關於「一國兩制」。這是一個意義模糊的概念。根據中共最初的正式文件對香港基本方針政策的具體說明，其涵義是「香港特別行政區成立後，不實行社會主義制度和政策，保持香港原有的資本主義制度和生活方式，五十年不變」。但一九八七年四月十六日鄧小平對香港《基本法》則表示下面四點意見：一、宜粗不宜細；二、不搞「三權分立」；三、不搞普選；四、對特別行政區，中央要管一點。[4]這兩個不同的版本自然都是鄧小平一個人決定的，前者是原則性的概括，後者是具體的實施。兩者相較，便可見後者基本上掏空了前者的字面意義。別的不說，只要「中央要管一點」這一句「但書」，便可使「香港原有的資本主義制度和生活方式」黯然失色。後來由於所謂「本子風波」，更發生了「五十年不變」從哪一「年」算起的問題。

通常我們提到「一國兩制」時，不免有一種幻覺，好像「兩制」是處於平等、平衡的地位。但稍一沉思，便不難發現，香港的「制」是暫時依附在大陸的「制」之下的，正如《基本法》不過是中共憲法中的一個臨時「附件」而已。如果「中央」還可以隨時「管一點」，

2 可看Paul Theroux, "Letter from Hong Kong: Ghost Stories", *The New Yorker*(May 12, 1997): 56.

3 可參看許家屯：《許家屯香港回憶錄》，上冊（香港聯合報有限公司，一九九三），頁八二—八三；一五一—五二；二二九；一三一。

4 見同上。

那麼香港這「制」的脆弱就可想而知了。

第二、今年四月中我在德國，已讀到了歐洲英文報紙上關於香港原有的「公民自由」已正式為即將上任的特區行政長官，通過一種「立法程序」作了大幅度的修改，歐洲報紙對此給予了顯著的報導。回到美國以後，報紙和電視更有深入的採訪和分析。現在看來已成定局，即集會遊行、反對黨活動以至對中共的批評等自由，在七月一日以後或將不復存在，或將受到嚴格的限制。凡是對於共產黨，特別是中國共產黨稍有認識的人，對於這些變化是一點也不會感到意外的。鄧小平當初雖有收回後香港報紙還可繼續「罵共產黨」的諾言，但這終究只是他個人的興到之語，在法律上毫無根據。現在鄧小平已死，此言已無人負責。何況從毛澤東開始，中共領導人的「諾言」，其性質久已為世所知，因此大概也不會有誰傻到一種程度，竟把它當真。事實上，早在一九九〇年初，江澤民已關照即將赴任的新華社社長，要他改變香港的反共輿論，意即控制香港的言論自由。[5]這在香港收回之前是不可能完全辦到的，但今年七月一日以後必可逐步實現。從最近香港言論界所表現的「自律」傾向來看，今後香港文化和新聞界的生態勢將全面改觀。這一點似乎已沒有懷疑的餘地。

第三、香港的「資本主義制度」會不會改變呢？這要看我們對「資本主義」怎樣下界說（definition）而定。就目前大陸的發展傾向說，中共大概不會像一九四九年以後對待當時「民族資本家」那樣，在兩、三年內便沒收其資產，進行「社會主義的改造」。這不是由於有「五十年不變」那句不值錢的書面保證，而是由於中共黨內上上下下都已嚐到了「錢」的甜味，而且許多高幹本人及其子女也已響應了鄧小平的號召，變成「先富起來」的那「一部分人」了。一九七九年鄧小平「請香港的投資者放心」那句名言，當時似乎未取得預期的效果。但這十幾年的對外「開放」，特別是一九九二年「商業潮」興起以後，私營企業的空前活躍已基本上改變了中國大陸的經濟體制。香港的「投資者」已看出這一趨勢不大可能逆轉了。

中共自八〇年代初即通過香港的新華社向本地的「富豪」進行全面統戰，而香港工商界愈是有錢的人便愈願意和中共合作。他們眼看著政治主人即將從倫敦換為北京，在「唯利是圖」的最高原則下，自然逐漸倒向中共。在中共的最初設想中，它必須取得香港社會上最有勢力的人的支持才能站得住腳，因此也打定主意先建立一個以「大資本家」為基礎的香港政權，而香港的「大資本家」當然也必須依靠中共的政治力量來阻止中、下層市民的民主要求。因為一旦中、下層人民在民主選舉中取得多數，提高稅率、工資和實施大幅度的社會福利政策，這些大資本家的利潤便要受到嚴重的傷害了。在這種情形下，雙方自然一拍即合。一九九二年商業潮以來，大陸上「先富起來」的階級和香港「早已富了起來」的階級更如水乳交融，今天香港即將登台的行政和立法兩個部門便是這樣形成的。香港的「大資本家」根本沒有「民主」、「自由」之類的問題；他們既不會遊行、集會，更沒有什麼特別的「思想」和「言論」需要「自由表達」。他們今後的唯一問題是怎樣取得北京新主人的寵信，增

5　見同上。

加自己在市場上運作的力量。早在八〇年代，中共的新華社已特別運用政治勢力解救某些「親中」的大資本家的困難，故當時已有「政治救火隊」的稱號，並且引起「違背自由市場規律，可能對自由市場起破壞作用」的批評。[6]但這還是出於「公」的考慮，至於「講關係」、「走後門」之類的「私」的活動，更是難以估計。後一類的活動在「回歸」後必然日益猖獗，則是可以斷言的。

總之，由於中共本身已走上了「資本家化」的不歸路，香港的「資本主義制度」確是安全的。至於香港原有的自由市場是不是還能保持它的「自由」性質，則是一個難以回答的問題。今天中共不但在大陸、香港專門和「大資本家」結成親密盟友，即在全世界範圍內也是如此。以美國而論，今天為中共在白宮遊說的正是政界和企業界的主流力量。以季辛吉（Henry Kissinger）為首的一個組織包括了四個卸任國務卿和五、六個卸任國家安全委員會的高等顧問，他們的後面則是無數規模最大的跨國公司。正是這一群人，為了擠進大陸的市場，全力以赴為中共爭取最惠國待遇，呼籲美國政府必須放棄一切「人權」的要求，以改善「中美關係」。[7]相反地，從「人權」立場上批評中共政權的力量則主要是新聞界、學術界、文化界及一般知識分子。以馬克思主義的「階級分析」來說，他們不折不扣地屬於中、下層階級。而中共在美國的「盟友」則恰恰是「帝國主義霸權」的核心力量。總之，中共的支持者今天普遍是「大資本家」，這些人和中共一樣怕中國大陸發生任何「動亂」，因此也以「穩定」為最高的價值。所以我說，香港的「資本主義制度」在未來是安全的。

自鄧小平「經濟放鬆，政治加緊」的政策出世以來，中共近二十年都一直嚴格遵行著，並且愈走愈遠。最近《紐約時報》（*New York Times*）的一位專欄作家曾指出：中共今天實踐的已不再是馬列主義（Marxism-Leninism）而是市場列寧主義（Market-Leninism）。這句話不但妙不可言，而且一針見血。但這樣一來，中共的經濟制度和政治制度也就分家了，變成了不折不扣的「一國兩制」。現在中共正在把這個「一國兩制」推行到即將回歸的香港。這也可以說中共忠實地履行了對香港的承諾。從七月一日起，香港的命運即將永遠和大陸的命運連為一體，香港的前途從此將寄託在大陸的前途之上。這是可以斷言的。

（原載《二十一世紀》第四十一期，一九九七年六月）

---

6 見同上。

7 詳細資料見Richard Bernstein and Ross H. Munro, *The Coming Conflict with China*(New York: Alfred A. Knopf Inc., 1997), ch. 4。

香港的政治變局與社會變遷

今天開始寫此文是一九九七年六月五日，《紐約時報》上恰好刊出了兩則有關香港的報導：第一篇見於第一版，是香港富豪向華府遊說，為大陸爭取最惠國待遇。他們說香港的未來形勢「一片大好」，叫美國千萬不要開罪「北京」；只要香港能維持「穩定」和「繁榮」，美國的企業界一樣可以「利益均霑」，美國至少已有一百一十家大公司在香港設有分支了。第二篇見第十一版，是關於「六四」晚上香港五萬五千公民手持燭光，坐在維多利亞公園的地上，悼念八年前的「六四」英靈。參加的人包括教師、牧師、工程師、學生、社會工作者、計程車司機、銀行職員等。總之，和前一則的新聞相反，這一場活動的主角代表了香港社會中、下層的人民。但這則新聞又說：香港紀念「六四」這也許是最後一次了。

我們如果想認真地了解七月一日以後的香港，必須同時注視以上兩則報導。簡單地說，香港的中國居民在政治意識上不但不是一致的，而且明顯地有兩極分化的趨向。以大資本家為主體的上層社會集團，已順理成章地從依賴過去英國殖民地統治階級轉為靠攏北京的新主人。但以知識分子和一般上班族群（包括工人和計程車司機）為主體的中、下社會階層則要求民主自由和人權的保障，因此和中共當權派處於對立的位置。當然，在這兩極之間還有不少中間集團，這裡便不必一一分析了。今年七月一日以後，香港究竟是繼續保持「穩定」還是會發生一定程度的波動，基本上便要看這兩極之間的分歧朝著哪個方向發展：是加深呢？還是緩和呢？以「勢」而言，大資本家集團自然是居於絕對優先的地位，因為他們有一個強大的極權政權為後援。但以「理」而言，香港的中、下層居民對於民主、自由和人權的強烈要求畢竟具有「此心同、此理同」的普遍性，並不是僅靠所謂「亞洲價值」、「中國式人權」或「中國式民主」這類新興的說詞便能一筆勾銷的。

而且香港居民早已形成一個自由生活方式的傳統，與大陸人民長期受極權暴力摧殘壓抑的背景終有所不同。今年「六四」之夜竟然還有五萬五千人奮不顧身而持燭靜坐，這便說明他們是不會在七月一日以後自動消失的，除非天安門的屠殺重新在香港上演。

中共八〇年代初和英國談判「收回香港」問題時，便已擬定了一套在香港「統戰」的嶄新政策，即專以大資本家為爭取的對象。一九七九年鄧小平傳給香港的第一句話——「請香港的投資者放心」——已為新「統戰」定下了基調。正式執行這一政策的則是一九八三年任命的新華社香港分社社長的許家屯先生。現在許先生為我們提供了一部可信的第一手史料——《許家屯香港回憶錄》，使我們在討論中共的香港政策時有確實的根據。關於中共爭取大資本家的基本路線，下面幾條記述表達得十分清楚：

總之，未來的「港人治港」，其性質是資產階級為主體的各階層聯合政府。（頁一二一）

繁華穩定香港，我領會中央意圖，首先要把華人資產階級中的大資本家穩定下來。（頁一二七）

八三年深圳工委擴大會，我在政治報告中指出，統戰工作主要爭取的對象，是中間階層，亦即中產階級。為打開香港的統戰工作局面，必須從大資產階層突破。（頁一三二）

許先生在香港六年多的任上是認真而且相當成功地執行了這項新政策的，他親自擬的十多名對象，用他自己的話說，「都是華人大資本家中的頂尖人物」（頁一二九）。

中共為意識形態所拘限，自然不能公開認同於大資本家而置中下階層於不顧。因此許先生《回憶錄》中也記載了一些爭取其他社會階層支持的「統戰」工作。但讀者不難看出，他的工作中心是放在最上層富豪的身上，因為他必須執行中共的最新方針。尤其有趣的是在港英政府打出「民意牌」、推行「代議制」以後，中下層港人的民主意識突然高漲，引起了大資本家集團的驚慌，中共面對著社會的兩極分化，終於不能不選擇和大資本家站在一邊了。

《回憶錄》說：

香港華人大資產階級經濟上多數依賴英人起家……他們在政治上缺乏獨立性，主要願

> 望是維持現狀。對待日漸洶湧的民主浪潮，他們……擔心中下層參政、執政、改變現狀，大搞「免費午餐」，大量增稅，喪失香港賺錢天堂的優勢。……
>
> 在草擬基本法過程中，他們之中有人產生依靠中國，以應對香港民主潮流的思想和行動。（頁一八六）

中共自八〇年代以來已和香港的大資本家成立了親密的政治聯盟，這是無可否認的事實。在許家屯先生一九九〇年離任出走以後，這二者之間的關係則發生了深刻的變化。許先生當年所執行的是一種「統戰」的策略，我們還不能說中共本身那時已認同於大資產階級。但這幾年來，由於所謂「商業潮」席捲了整個大陸，中共各級當權的幹部和他們的子女親戚已大批「下海」，響應鄧小平所謂「讓一部分人先富起來」的號召。這一新發展不但坐實了當年毛澤東關於「黨內走資派」的論斷，而且引導著中共的核心分子迅速地轉化為大資本家。

這批資本家是歷史上的新品種，他們既不是勤儉起家，也沒有任何倫理的憑藉，其財富主要是通過世襲的「革命特權」化公有為私有而來。這一批新資本家不但是今後大陸經濟的主導力量，而且也早已開始和香港的大資本家合流了。從這一方面觀察，資本主義在香港的保障，今天比八〇年代更為堅固，因為它已從最初策略上的空言承諾變為中共政權的現實基礎了。我們不能預測的是這兩類背景完全不同的大資本家群之間將發展出何種錯綜複雜的關係，以及這種關係對於未來的香港市場將投射何種影響。許家屯先生最近指出：九七後大陸上各部門、各省市都將挾著「特權」到香港來「做生意」，而且這是一個「擋不住」的潮流（見李怡〈當中港矛盾成為主要矛盾之後——許家屯的勸喻〉，《九十年代》，一九九七年六月號）。這正是未來香港資本主義市場上一大變數，我們只有拭目以待。

在「大資本家化」的中共支持下，香港的統治權已落在大資本家的手上，代表中、下層社會的民主力量在未來的處境將是十分困難的。特區政府在未上台前已先通過一種「立法的程序」，將已有的公民自由加以嚴格限制，我們便不難由一葉之落而斷定秋天即將到來了。

「五十年不變」之說，雖出自鄧小平之口，並已載入香港《基本法》，其實是沒有人會認真相信的。任何社會都在變動，而且天天在變，問題僅在於朝什麼方向變？怎樣變？九七以後香港的變動，就眼前可見的跡象而言，有兩個主要趨向：第一、經濟上仍然依循著資本主義的方向，但將變得更為極端，即以大資本家為市場的主宰。第二、在政治上，香港不但將逐漸喪失在殖民地時期所一直擁有的自由，而且近幾年才興起的民主要求也將面臨被扼殺的命運。香港的民主潮流確是港英政府有意挑動起來。英國人的動機出於自利也毫無可疑。但是正如許家屯所說的，「民主是潮流，在『理』上無法反對，在『勢』上無法阻擋。」（《回憶錄》，頁一八六）所以香港的政治變化與經濟恰恰相反，將成一種逆轉，被迫走上了與大陸相同的方向。不知是有意還是無意，這兩個背道而馳的轉變竟為「一國兩制」一詞提供了一個全新的詮釋，其實這也正是大陸上近二十年來的發展模式——政治制度與經濟制度完全分裂，從「馬列主義」（Marxism-Leninism）一變而為「市場列寧主義」（Market-Leninism）。後面這個新名詞是美國《紐約時報》記者的創作，現在已開始流行了。我所一再強調過的「經濟放鬆，政治加緊」，所指與此相同，但以英文表達而言，則遠不及「市場列寧主義」來得生動而俏皮。今後中共和香港特別行政當局所追求的香港前景也是「經濟放鬆，政治加緊」。至於他們究竟能成功到什麼程度，我們唯有拭目以待。

香港內部的分化使我們認識到，「回歸」一事與中共官方宣傳所製造的民族主義神話幾乎全無相似之處。「六四」之夜五萬五千個持燭靜坐者所代表的中、下層香港居民並沒有因「回歸」而顯得興高采烈，相反地他們卻憂慮著將失去原有的自由生活方式。難道這許多香港的中國人都沒有民族意識？都甘願作殖民地的子民嗎？當然不是。如果中國是一個開明的、開放的（且不說民主的）政治社會體制，我敢斷言，這些人早就吵著要「回歸祖國」了，何至於像現在這樣趑趄不前，萬般無奈？即使是上面所分析的那些大資本家群，儘管今天表現出一副歡天喜地的樣子，又何嘗不是值得同情的可憐蟲？在八〇年代初，「九七」之說剛剛出現的時刻，正是這一批富豪急得像熱鍋上的螞蟻一樣。一九八三年九月中許家屯在北京對中共中央作匯報時指出：

香港同胞知道中央決定收回香港後，出現大動盪、大分化、大改組現象。這種現象在中、上層社會尤為嚴重。基於民族大義，他們即使不贊成，口頭上亦要說擁護，至少也不好說反對香港回歸。但實際上，他們擔心九七後私人財產被社會主義改造、共產，擔心失去自由。此外知識分子怕「洗腦」，中下層擔心生活水平下降。據我這幾個月的接觸，香港多數同胞還不知道中央收回香港，實施一國兩制的方針政策。少數知道的，擔心將來會變；他們對黨不信任，社會上瀰漫著一種世紀末來臨氣氛，逃資、移民情況在發展中。

我注意到與會者都在專注地聽。李先念插話：「逃資嚴重不嚴重，逃了多少？」

「根據我了解，情況是嚴重的。帶頭逃的是一些愛國資本家。中央負責同志請他們來北京談話，他們得到消息，回香港轉頭便逃。但據香港中國銀行的估計，進來的資金比出去的多，他們認為，只要香港繼續有錢賺，出去的還會回來。」

李先念再沒說什麼。（《回憶錄》，頁五七—八）

這是中共最高層匯報會議的現場對話，若不是許家屯先生被迫出走這一偶然事件，它也許永遠不會曝光。但這一記載的史料價值是無比重要的。它至少可以說明三個問題。第一、許家屯當時作為中共駐港的最高代表，已清楚地認識到香港上、中、下各階層的人民都普遍地害怕「回歸」。這是一個「實事求是」的客觀估計，當年香港報刊的大量記載都證實了這個估計的正確性。第二、當年帶頭「逃資」的正是中共最先打招呼的「愛國資本家」。最近香港《九十年代》中有一篇文字點出了這些人的姓名，並說：「傳聞說有人隨即大手買入外匯和海外的證券或資產。」這可以補充許家屯所說「逃資」的具體方式（見《九十年代》一九九七年六月號，頁六三）。也就是這一批「愛國資本家」最初向中共陳情，讓英國交還「主權」，繼續保留「治權」。「六四」之後他們更建議由香港華人財團出十億英鎊向中共「租用」香港十年，以符合「港人治港」的要求（見許家屯《回憶錄》，頁四三四—五）。

可見他們雖然「愛國」，卻千方百計想阻止中共「收回」香港。在即將到來的「回歸慶典」上，他們當然又將成為最耀目的「愛國」明星。但這應該是可以理解的：他們的畢生基業都在香港；離開了這塊地方，他們的榮耀、地位、權力都將黯然失色。除了爭取新主人的寵愛之外，他們已別無選擇了。

第三、許家屯的忠實紀錄更在無意之間透露了共產黨的本質。在他報告香港「世紀末來臨的氣氛」時，許先生同時強調「逃資」和「移民」兩大可憂的潮流。李先念的唯一插話則是「逃資嚴重不嚴重，逃了多少」？顯而易見，他全神貫注的是香港的「資金」流失了多少，對於「人才」的外流他大概連聽也沒有聽進去。只要有貝之「財」，不要無貝之「才」，這是中共自一九四九年以來所表現的一貫態度。「言為心聲」，中共的「領導人」確能隨時隨地不失其「唯物主義」的立場。在中國儒家傳統中，孔子聽到馬廄失火的立即反應是「傷人乎？不問馬」，中國人一向視此為人文精神的自然呈露。在西方人道主義的傳統中，遇到任何天災人禍，一般人首先關懷的也是「有多少人傷亡」？然後才進一步估計：「財產的損失有多大？」這在日常的西方新聞報導中表現得清清楚楚。對於我們認識中共政權的本質來說，李先念的一句話真比千百萬言的理論分析和實例研究還要深刻。

香港的中國人和世界上所有的人一樣，都具有深厚的民族意識，這是毋庸再說的，然而在「生米煮成熟飯」之前，他們面對「回歸」的命運所表現出來的普遍情緒卻是徬徨、疑懼、以至抗拒，即使在今天，許多人的疑懼也還沒有消失。姑且撇開五萬五千位持燭靜坐者不說，前兩天加拿大的電視也播出了新界的「愛國者」所組織的慶祝活動，主持人一再勸喻群眾不必再抱恐懼之心。這豈不恰恰告訴我們：惶恐不安者還大有人在嗎？

從民族主義的觀點說，香港回歸中國是天經地義的事，不但海內外華人一致肯定，全世界所有的人（包括英國人）也都找不出任何正當的理由說半個「不」字。但問題在於「中共政權」和「中國」之間絕不能畫等號。事實告訴我們：中共自一九四九年以來，從沒有以民族主義的立場對待香港問題。為了經濟利益，它一直不肯正式收回香港和澳門。葡萄牙早在二、三十年前便要從澳門撤退，中共竟拒絕接受，要拖到一九九九年才終結其殖民地的統治。五、六〇年代的香港「左派」誤信中共是真心反帝、反殖民地的，因此而進行了激烈的「反英抗暴」的活動，有許多人為此而坐牢、失業。但中共卻並沒有給予支援。今天全世界早已進入「後殖民主義」時代，以我所知，香港和澳門也許是僅存的兩個殖民地了。更不可解的是中共與英國談判了兩、三年，最後竟然接受了今年七月一日為中英交接的一天。這便正式承認了一八九八年英國和滿清政府簽訂的關於新界的不平等條約是合法的。根據英方檔案，英國政府早在六〇年代便已認定：「一九九七年的年分在法理上是有意義的，不可以隨便廢除。」（見《九十年代》一九九七年六月號，頁五八）一八九八年租借條約恰好在一九九七年六月三十日滿期。英國爭取到了這一天，它在香港的一百五十五年的殖民統治便自始至終都是合法的了。因為今天的香港已不能離開新界而單獨存在，將來英國史上一定會這樣記載：「由於中國不肯續簽新界的租借條約，英國只好從香港合法撤退了。」所以「九七」對於英國而言是「合法」的象徵，對於中國而言則恰恰成為「恥辱」的符號。如果中共真能從民族主義的立場考慮中國的國家尊嚴，「九七」是一個萬萬不能接受的年分（關於這個問題，我另有文字討論）。

「六四」前夕香港五萬多持燭靜坐的人絕不是不愛「中國」，而是不願接受中共迄今為止所堅持的極權政治體制。從這一觀點看，香港「回歸」的實質意義是自由生活方式落到了極權統治的籠罩之下。這絕不是「民族大義」的表象所能掩蓋的。香港居民中有很大一部分是先後從大陸投奔自由而來的，他們自能分辨「回歸」的實質與表象。棄極權而投自由雖是現代西方的說法，中國傳統中也早有相類似的觀念，即所謂「去無道而就有道」。清末經學大師王闓運在八國聯軍攻入北京以後，曾憤慨地說：「彼入吾京師而不能滅我，更何瓜分之可言？即令瓜分，去無道而就有道，有何不可？」（《胡適留學日記》一九一七年三月七日條所引）由其言之激切而可見此老對清政府憎惡之深。「民族大義」至少不能淹沒他對於「去無道而就有道」的嚮往。這也是道地的「亞洲價值」！

前面已指出，七月一日以後，香港將出現一個大資本家專政的局面，而在後面支持著它的則是一個掛著「無產階級專政」招牌的極權體制。維繫在這兩者之間的「統一戰線」則又是所謂「民族大義」或「愛國主義」。這真是極人世之奇詭的變局，古今中外，未見其例。「民族大義」或「愛國主義」確可以激發人們的狂熱情感；它在相當一段時間之內未嘗不能淹沒理性、扼殺個性，使人心甘情願地「犧牲小我，完成大我」。但歷史告訴我們，「愛國狂熱」必須不斷地靠狂熱行動來保溫，否則終將有靜息的一天。靜息之後，人們還是要一天一天地過常態的生活，是自由還是束縛，這在常態的生活中是無法隱藏的。

香港的歷史背景畢竟與一九四九年的大陸不同，多數居民已經歷了現代公民社會的轉化，自由、民主、人權對於他們而言，並不是與實際生活脫節的空洞概念。他們也不大容易被大資本家的「愛國」表演所感動。不久之前，要以「主權」換「治權」、以十億英鎊租借香港十年，以及帶頭「逃資」的是誰，香港的居民大概記憶猶新。這些中、下層的港人似乎也不會為「民族大義」之故，便輕易地放棄他們的公民權利。我估計他們在七月一日之後，還是要繼續爭取民主、自由、人權這些普遍價值的。在爭取這些價值的同時，我相信他們也不會失去關於家庭、人情、人格尊嚴、文化意義等等中國傳統的價值。他們將是大資本家專政下的一個難以預測的社會變數。

香港還大有人在，有人，便有希望！

一九九七年六月十五日完稿

（原載《聯合報》，一九九七年六月二十日）

「九七」七月一日的歷史意義——民族主義與香港回歸

現在距離「香港回歸」只有幾天了。在官方刻意宣傳之下，這件事似乎已成為「普天同慶」的大喜事。中共再一次掀動民族情感以轉換其政權的精神基礎。所以這件事值得從民族主義的觀點略作分析。在二十世紀的最後二、三年，全世界早已進入「後殖民地時代」，除去香港和澳門兩個地方以外，我再也想不起這地球上還有別的殖民地存在。

在這時候再寫文章強調殖民地必須廢除或香港回歸中國是一偉大的歷史事件之類，未免過於輕視讀者的判斷能力。因此，我決定不說門面套語，直入本題，即在所謂「香港回歸」的歷史過程中，民族主義究竟有沒有發生過作用？要回答這個問題，只有從兩方面入手：第一、我們要看殖民地的居民是不是表現了明顯的脫離殖民統治的願望，如要求獨立或回歸宗主國。亞洲和非洲許多以前的殖民地在第二次大戰以後紛紛宣布獨立，便是民族主義力量的具體發揮。第二、我們要看原來宗主國是不是表現過收回殖民地的決心。一九六一年，印度出兵收回葡萄牙在印度西海岸的殖民地戈牙（Goa）也是民族主義的表現。當時印度政府顯然把民族尊嚴看得比任何東西都更重要，因此，不計一切後果，結束葡萄牙在印度土地上的殖民統治。

如果把上述兩項標準應用在「香港回歸」的問題上，我們便不能不得出一個十分確定的結論：民族主義只是便於引用的一個藉口，充其量也不過是一個背景的觀念，實際上則絲毫沒有發生積極的作用。首先是八〇年代初「回歸」問題剛出現時，香港絕大多數的中國居民不但沒有表現出半點興高采烈，反而是一片愁雲慘霧，好像世界末日即將來臨一樣。那幾年香港報刊的議論文字仍在，不難一索即得。但許家屯從當時中共官方立場所提供的材料更是鐵證。他說：

> 來香港前，所有向我介紹情況的人都講，大多數香港同胞擁護祖國收回主權，只有「極少數」不願香港回歸。
>
> 來港不久，我就感覺，這一估計和實際情況差距甚遠。
>
> 我估計實際狀況是，相當多人不願香港回歸，但不便公開反對，只有極少數公開表態。（《許家屯香港回憶錄》，頁八九—九〇）

他又接著分析說：

七〇年代開始，香港經濟起飛，各階層生活得到很大改善，文化教育水準提高。英國殖民政府利用時機，改善和市民的關係，扭轉形象。在它的誘導下，相當多的香港人，特別是在中青年港人中，產生一種「歸屬」的情緒，自稱「香港人」。我在和社會各方人士接觸中，有強烈感覺，不少人出口便是「你們中國人」、「我們香港人」，似乎香港已非中國的一部分，而是一個獨立實體似的。（頁九〇）

這兩段實錄百分之百證明香港居民並未為民族主義所掀動。相反地，他們或者希望「獨立」，或者希望英國人放棄「主權」而保留「治權」。這在許氏《回憶錄》有詳細的記載，此處不必重複。最有趣的是當時所謂「愛國資本家」帶頭逃資：中共請他們到北京談話，他們得到中共「收回香港」的確訊之後，「回香港轉頭便逃」（頁五八）。甚至香港「左派」的基層群眾也擔心「九七」後生活水平下降。因為「大躍進」後他們「向大陸家人、朋友寄送糧、油、食品的記憶猶新」（頁五九二）。

其次，中共雖一向以「反帝」為號召，並且信誓旦旦地宣稱不承認一切不平等條約，但它自一九四九年奪取政權之日起卻從沒有「收回」香港的打算，因為它的經濟利用價值太重要了。一九七九年港督麥理浩到北京向鄧小平直接提出一九九七年「新界」續約的問題，使中共再無躲閃的餘地，這才逼出了「收回」的決定。許家屯在最初階段還沒有參與有關香港的工作，所以他只能推測：「如果不是麥理浩來試探續約，不是英國首先提出香港前途問題，中英關於香港問題的談判不會那時開始，很可能會推遲。」（《回憶錄》，頁八三）但他的推測現在已為黃文放所證實。黃當時是香港新華社的副秘書長，也是最早研究「收回香港」五人小組的成員之一。援余集文〈中共在催逼下作痛苦抉擇〉中的報導：

最近，在香港浸會大學的一個講座上，黃文放透露，在一九七九至八二年間，北京在解決香港前途問題時，曾經歷過「痛苦的抉擇」。中共本來並沒有想過要收回香港，而是希望繞過九七這個年限，延長英國對香港的管治。但英國卻在那時候逼北京表態，堅持要就九七問題進行談判，要北京將不平等條約延續三十年至五十年，使中方沒有退路，只好決定收回香港。黃文放形容那是「痛苦的抉擇」，因為收回主權容易，但維持繁榮安定則殊不容易。他承認，當時中方陣營中，也有不少人不贊成收回香港。

（《九十年代》一九九七年六月號，頁八五—八七）

這便充分證實了中共「收回」香港完全出於被動，民族主義根本沒有起主導作用，只有在被迫攤牌時才不得不露面，葡萄牙則至少在二十年前便表示要將澳門歸還中國，但中共竟拒而不納，一直要延遲到一九九九年才肯「收回」。中共雖以煽動民族激情而起家，但只有在港、澳問題的處理上我們才能看出它對民族主義的真實態度。

以上從香港居民和中共政權兩方面分析，民族主義都沒有推動過「香港回歸」的歷史進程。這是無可反駁的客觀事實，但是我們也不能否認民族主義在二十世紀，特別是第二次大戰以後，確是世界歷史潮流中一股沛然莫之能禦的力量。亞洲和非洲許多殖民地一個個都獨立了，便是這股力量的具體表現。在一九四五與一九六〇年之間，以前的殖民地因反抗西方帝國主義而取得獨立國家地位的已有四十五個之多，此後繼起者更是年年不斷。首當其衝的帝國主義國家自然是英國，我們可以說英國對民族主義的威力感受最深，因此反應也最敏銳。以老謀深算著稱的英國人早就擬定了一套處理殖民地的方案，即主動地合法撤退，但盡量留下英國的影響。我們回顧英國在各殖民地撤退的歷史，沒有一個例外。英國對於香港也早已有此計畫。現在我們知道，英國外交部早已開始研究香港問題。這是英國人伊斯（Walter Easey）在一九七九年所透露的消息（原文中譯本見《七十年代》一九七九年十二月號）。最近更有人揭露，一九七二年英國響應聯合國「取消殖民地」（decolonization）的號召，準備把香港和其他若干英屬非洲殖民地一起改變為「獨立國家」，但因其時中共已入聯合國，力持異議，只好作罷（見Paul Theroux在《The New Yorker》一九九七年五月十二日號，頁五六）。這一舉動尤可證明英國早就想改變香港的政治地位。如果不是由於中共的反對，香港已變成另一個新加坡了。

這個歷史背景是我們了解英國談判香港問題的關鍵。一九七九年麥理浩的續約試探已是有備而來。一九七二年英國的香港「獨立」計畫雖為中共所阻，但中共卻並未進一步有「收回」香港的表示。這也許給英國一個幻想，以為中共困於內部問題，一時尚無暇顧及香港，延長續約並非完全不可能。但以英國人的經驗主義傳統而言，他們一定也作了最壞的打算。

一九八二年九月英首相柴契爾夫人訪北京與中共正式交鋒時，英方顯然已知道中共的收回決心。柴契爾最初之所以仍然強調英國與清廷所訂的三個國際條約的有效性，並堅持將「主權問題」列入談判，則是由於她代表英國的國家立場，不得不然。否則她在國內必將受到嚴厲的譴責。

事實上，一九八四年十二月十九日雙方簽訂的《關於香港問題的聯合聲明》及其三個附件，已滿足了英國從殖民地合法撤退並盡量留下影響的一般要求。在留下影響的方面，從香港政府在一九八八年推出「代議制」的綠皮書到一九九四年英國發表政制改革的白皮書，顯然為香港民主運動發展提供了契機，這真是所謂「臨去時秋波一轉」！其長遠的影響是難以估計的。在合法撤退這一方面，英國的成就更是出人意表。為世界新形勢所迫，英國不但在其他殖民地已先後撤退，而且在一九七二年又有讓香港「獨立」之議，所以它在放棄香港的主權這一點上早有腹案。柴契爾夫人最初根據條約爭論主權，一方面固是政治表演，已如上文所言；另一方面則是擺出高姿態，以為「漫天要價」的張本。英國的真正意圖是要取得中國方面對於它統治香港一百五十五年的合法性的正式承認。

前面提到的英人伊斯曾查閱英國各種官方文件，他在一九七九年所了解的英國立場是這樣的：

從憲法的角度，英國必須肯定一八九八年簽訂的新界租約為之前有關香港島和九龍的兩個條約的合法性，否則英國對香港的統治就不合法。既然英國肯定本身擁有條約賦予的權利，則應接受條約的規定，在租約終結時將租借的土地歸還。（見余集文〈《七十年代》最先掀開九七話題〉，《九十年代》一九九七年六月號，頁五二—四）

在這一基本立場之下，英國政府還特別重視下面這一項原則：一九九七年的年分在法理上是有意義的，不可以隨便廢除（頁五八）。

伊斯所看到的英方檔案大概包括六〇年代的官方紀錄，因為他的資料中透露：「早在一九六八年，英國外交部已設立了一個特別委員會，關注英國撤出香港所引起的問題。」一九六八年也是一個特別值得注意的年分：那正是香港左派響應「文革」的號召，大搞「反英抗暴」的恐怖活動的時期。英國當時摸不清中共的意向，但顯然已準備在必要時撤出香港。上引伊斯研究這個問題所得到的兩項結論，完全證實了英國遠在提出續約試探之前已有成竹在胸。它的策略是：如果試探竟得到效應，那是喜出望外的事，英國可以盡量延長在香港的統治。如果原來的估計不錯，續約無望，則首先必須爭取一九九七年七月一日為交接的時間，因為這是新界租約期滿後的一天。在三個條約之中，前兩個涉及「主權」，英國早知道沒有商量的餘地。所以柴契爾首相在正式表態之後，即不再提。在柴契爾一九八三年三月十日致中共總理趙紫陽的正式公函中，她表示「對中國主權的立場已有所了解，不反對中國以自己對香港主權的立場進入談判」。又說她「願將香港主權問題交國會重新討論」（見《許家屯香港回憶錄》頁八五所引大要）。瞭然外交辭令的人大概都理解，這是說中、英雙方可以各自表達關於香港「主權」的認識。在英國方面，「主權」問題必須在國會「重新討論」之後才能決定。但當時北京「港澳工作會議」上，中共方面對於這封信的理解則完全不同。據許家屯記述：「現在戴卓爾（即「柴契爾」）這封信顯示英國終於退卻了，不得不放棄『三條約有效』的立場。姚廣（編按：當時中英談判中方代表團團長）讀完信後，會場笑聲一片，都為這個結果高興不已。」（《回憶錄》頁八六）

其實英國何嘗放棄了「三條約有效」的立場？它是在採取迂迴戰術，用一八九八年新界租借條約的「有效性」來暗中支持《南京條約》與《北京條約》的有效性。換言之，只要中共承認一九九七年六月三十日是新界租約「滿期」的日子，那麼英國在香港的「主權」在這一天以前也是「有效」的。事實上，人人都知道「香港」早已是「香港島」、「九龍半島」和「新界及周圍島嶼」的集合名稱，根本不可能分開。只要中國收回租借地區，香港島和九龍半島根本便不可能獨立存在，除了一併交還之外，別無他途。這是為什麼英國的內部立場是：「應接受條約的規定，在租約終結時將租借的土地歸還。」英國統治香港的「合法性」完全建立在條約的有效性之上。我們更可由此而懂得英國政府為什麼要強調「一九九七年的年分在法理上是有意義的，不可以隨便廢棄」。英國所堅持的主要在「合法性」這一點上：如能續約則「合法性」隨之延長；如不能續約則「歸還」的日子必須是「一九九七年七月一日」，這也是「合法」的。新界既根據租約歸還，那麼香港島和九龍的「主權」自然不得不自動放棄了，中共完全承認了一八九八年《展拓香港界址專條》的合法性，它所謂「不承認歷史上帝國主義強加給中國人民的所有不平等條約」的壯言便徹底的幻滅了。

所以「九七」七月一日這一天，在大英帝國史上是「合法撤退香港」的日子。然而在中國史上，這一天將象徵著什麼呢，特別是從民族主義的觀點看？

（原載《自由時報》，一九九七年六月二十四日至六月二十五日）

大錯已鑄成，政府應謀補救恢復

今天讀美國《世界日報》七月十八日台灣新聞第二版，看見李遠哲院長的公開信及相關報導，才知道國大修憲二讀已通過刪除憲法第一百六十四條教科文預算下限的規定。稍後又悉，十八日進入三讀，此案已成定局，無可挽回了。對於修憲的具體內容，我從來沒有說過一句話，因為我身在海外，不知國內政治問題的實情，只能守「不知為不知」之訓。現在我忍不住要表示一點意見，這是因為我的本業是教育，又與中央研究院有正式的關係。我自覺有說話的責任。

這次修憲的主題是政府結構的變動，其正誤得失非我所能置辭，可不必論。但使我大惑不解的是：何以主其事的人以「瞞天過海」的方式，暗中塞進這樣一條關係到國家教育、科學和文化前途的修訂條文？更可詫異的是，教育部、國科會、文建會、中央研究院、各大學的負責人事前一無所悉，一直要到三讀通過以後才獲得消息？報載的理由是「取消下限有助於彈性編列預算的空間」，但在各方責難交至之後，有關方面又說下年度的教育預算反而會增加。我雖完全不懂政治，但看了這樣自相矛盾的說詞，也覺得這是大人在哄小孩子的辦法。試問若教科文預算仍在百分之十五甚至以上，有何彈性、空間之可言？若要彈性和空間，下年度的教育預算如何能增加？

一九四六年憲法草案中本無關於教育文化的專章。經過胡適、朱經農等二百零四位文教界國大代表在當年十二月間的提議，才得列入。百分之十五的下限便是那時確定的，我們萬萬想不到在五十一年之後，主持修憲的政府人員和舉手通過的國大代表們與半個世紀前的先輩們相形之下，不但沒有進步，反而倒退了幾十年。我一向都說中華民國在最近五十年中已進入現代化的階段。這次取消教科文預算下限之舉逼使我不得不修正我以前過於樂觀的看法。但是我仍然希望這是倉促修憲中一時不小心的失誤，不是經過深慮的決定。人總是不免會犯錯的。

現在大錯已經鑄成，補救之道是政府必須公開承認這次的錯誤。除了行政院長出面保證預算絕不少於百分之十五以外，政府還應該盡快聲明，決定在國大下一次集會時，重新提案恢復憲法中原有的條文。對國民政府而言，這是一次嚴峻的考驗！

一九九七年七月二十二日

（原載《聯合報》，一九九七年七月二十三日）

家天下、族天下、黨天下

「家天下」、「族天下」和「黨天下」是中國史上到今天為止的三種基本的統治形態。「家天下」的概念開始得很早，秦始皇時候便有人提出「五帝以天下為官，三王以天下為家」的分別（《說苑．至公》）。在這個意義上，漢朝的天下是屬於劉家的，唐朝屬於李家的，餘可類推。「家天下」的治與亂繫於皇帝一人的是否有「德」或有「道」。但歷史上的「有道之君」實在太少。在君「德」不足或竟「無道」的時候，皇帝便不免「與天下為敵」，而首先是與他的統治機器——政府組織——直接衝突。這時他的「家天下」便愈來愈沒有社會基礎，只有依賴外戚、宦官維持他的統治了。這是「家天下」最脆弱的地方：它沒有確定的統治集團作後盾。一般地說，「家天下」的王朝在初創時期多少能給人民以某種期待——這是它「得天下」的根據，再下去便靠不住了。

中國史上另有一型「族天下」的王朝，這是由漢人以外的少數民族建立的。中國歷史家稱之為「異族入主」，日本和西方學者則稱之為「征服王朝」。在這一型的王朝體系之下，「天下」屬於整個「族」，而不是屬於某一「家」。例如鮮卑的北魏、契丹的遼、女真的金、更有統一了中國的蒙元和滿清都可以說是「族天下」。「族天下」主要是以力服人。但這一型的王朝能以少數征服多數並統治多數，其中如滿清甚至還能維持其統治至二百六十八年之久，則是因為它有一個特殊的優勢是「家天下」型的王朝所不具備的。上面已指出，「家天下」政權的後面沒有一個確定的統治集團作後盾，「族天下」政權的優勢便恰好在此，它不是以孤零零的皇帝一家為本位，而是以全族為本位。「族」不但構成了征服王朝的統治集團，而且還是有嚴密組織的。滿洲的八旗制度便是一個最明顯的例子。征服王朝沒有所謂外戚或宦官亂政，其原因也在於此。滿清王朝最後的崩潰，原因很多，但八旗制度不再能有效維持以致多數旗人連生計都發生問題，也是其中之一。

「黨天下」是二十世紀的新現象，在結構上它是從外面（前蘇聯）移植過來的。國、共兩黨都是以列寧、斯大林的黨組織為原型而建立起來的。所不同者一個不徹底（國），一個徹底（共）而已。「黨天下」的政權揚棄了王朝形式。就這一點說，它代表了一種「現代化」。但在精神上「黨天下」並沒有完全擺脫掉王朝的若干主要特徵。最明顯的，劉邦「馬上得天下」，趙匡胤「一條桿棒打下四百座軍州」，而「黨天下」的開創者也深信「槍桿子出政權」是絕對真理。政權可以和平轉移的想法在「黨天下」的世界裡是根本不存在的。像「家天下」王朝一樣，「黨天下」政權在建立之初也曾給人民帶來了期待。但也僅此為止，天下到手以後黨便再也不受任何拘束了。像「族天下」王朝一樣，「黨天下」也有一個確定的統治集團，而黨組織的嚴密更遠非傳統的族組織所能比擬。

「黨天下」的概念是四十年前由儲安平叫響的（恐怕不是他最先發明的），他為此付出了最沉重的代價。中國政治的「現代化」是不是到「黨天下」便已臻止境了呢？到今天為止，天下還沒有出現過萬世一系的政權。如果政權必須轉移，是從槍桿裡面出來好呢？還是和平的方式比較合乎文明的標準呢？如果接受和平轉移的原則，人們又應該作些什麼準備呢？這些問題似乎都是值得想想的。

（原載《明報月刊》第三十三卷第二期，一九九八年二月）

周恩來的教訓

——寫於周恩來百年誕辰之際

一九九四年我曾應台北《中國時報》「人間副刊」之約，寫過一篇〈霸才無主始憐君——談周恩來〉，現已收入我的《歷史人物與文化危機》一書中（東大出版，一九九五）。在該文中已說過的話，這裡便不再複述。

我曾將中共初期黨內的成分劃作兩類：一是後來以毛澤東為首的鄉村邊緣人，一是城市邊緣人，周恩來、劉少奇都是其中的領袖人物，而尤以周最具代表性。他們都沒有受過較完整的教育，無論是傳統的或現代的，但又在造反（他們稱之為「革命」）的過程中吸收了一些為造反所需要的知識，因此也可以說是邊緣知識分子。這兩類人所吸收的知識也有鄉村取向與城市取向之別。在中共成立後的最初十年左右，由於直接受第三國際的指揮，城市知識分子居於領導的地位。城市暴動失敗之後，中共的基地先在江西，後竄到陝北，鄉村邊緣人逐步得勢，毛澤東終於成為中共的最高領導人（詳見我論毛澤東二文，收入同上書）。

在陝北立足以後，周恩來不但已從以前的領導變成了毛的下屬，而且也代表城市邊緣人而向毛全面輸誠。從已刊布的毛的侍衛、醫療人員所描寫的若干鏡頭來看，周之於毛恰恰符合孟子所謂「以妾婦之道事君」。在一九五六年毛指責周「離開右派只有五十米」以後，周更是嚇破了膽，從此更是戰戰兢兢，表現出一副「南人不復反」的樣子。這並不是說毛、周關係全面繼承了中國史上的君臣關係。必須承認其中確已增加了現代的因素，即共產黨的組織和紀律。這個組織從蘇聯，西方其他國家，到中國，都是同一模型，即全黨服從中央，中央服從一個最高領袖。

一九四三年中共政治局決議賦予毛「最後決定之權」以後，中共的格局便完全定型了。自此周恩來便已義無反顧地全力「聽毛主席的話，讀毛主席的書，照毛主席的指示辦事」。這三句話雖是後來林彪發明的，但事實上周早已這樣做了。周在臨死之前，據說還靜讀廣播中毛的「放屁」詞，細加體味，可見這個精神早已深入他的骨髓之中（即〈念奴嬌〉末句「不須放屁，且看天翻地覆」）。周的內心是否與外表一樣，達到徹底誠服的境界，我們也許已永遠無從知道。但這一點不關重要，我們只需認識到周臣服於毛以後，再也沒有他自己的獨立意志、獨立判斷、獨立主張、獨立人格……便足夠了。自延安時代始，至斷氣之一剎那止，周都努力使自己成為毛的最馴服又最有效的工具。

也許有人會懷疑，以周之才氣與能力，他怎麼可能如此徹底地消滅自己，把自己完全轉化成另一人的「馴服工具」或「螺絲釘」？其實我也同樣有此疑。但這是表面上人人都看得見的事實。我們真不能不佩服周的城府之深、偽裝之巧、忍耐之堅而且久。但毛對於與權力有關的一切大小問題上都是超人銳敏的，他在日常接觸中仍能察覺到周的最細微的異樣處，所以終於還有晚年「批儒、批孔、批周公」的一番舉動。

周之所以有此韌勁，從另一方面說，也是共產黨的這一特殊組織所逼出來的。他深知參加了這一組織之後，若想生存下去，便唯有一切唯毛命是從，即不能立異，也不能脫離。除非索性大幹一場，搞黨內最高層的權力鬥爭，成功後自己取毛而代之。但在城市邊緣人失勢以後，周已有清醒的估計，知道這是決無此可能的。如果立異或脫離，其結局也很清楚；輕則身敗名裂如陳獨秀、王明、張國燾之流，重則死於非命如托洛斯基、瞿秋白（被出賣，借刀殺之）之類。所以周無論內心怎樣想，是絕不敢稍有異動的。這是人的求生本能的作用，但也必須有過人的忍耐性才能做得到底。

我們認識了以上關於共產黨的客觀狀況和周的主觀性格，一切關於周的道德評論就都屬題外話了。共產黨人實實在在地屬於「特殊材料」，其中只有最精確的利害計算，任何人間的價值語言對他們都用不上。儘管他們自己口口聲聲不離「道德說詞」，但「道德」在他們那裡已徹底、完全乾脆地「工具化」了。他們成功的一個最大秘訣便是最擅於站在「冷酷的工具理性」層面上，對人間一切道德資源加以政治上的靈活運用。因為他們深知道德意識在群眾心中的巨大力量。但他們自己在政治利害的層面上則永遠不會受任何道德規範的約束。這正是辯證法所謂的「對立統一」。

但是周畢竟是中共黨內城市邊緣人的公認領袖。儘管他幾十年來都盡量掩飾這一面貌，然而這是「階級本性」，在緊要關頭，不知不覺間便流露出來了。因此在「文革」期間他確曾在巧妙的手法之下，用種種包裝的藉口，保護過不少幹部。如果將來有人作統計，一定可以發現：他所保護的都是毛所憎惡的城市邊緣人，特別是知識分子。他究竟比毛多了一點現代眼光，知道中共政權如果要維持下去，絕不能缺少具有現代科技訓練的人。他的最高目的還是擁護此極權政權，就此點言，他始終是一個最忠誠的共產黨人。

不過他對政權前景的看法確與毛有分歧。但他同時又估計到，如果公開動搖了毛這個全黨刻意炮製出來的「神」的權威，整個政權便可能崩潰。所以在毛做一切錯誤決定而他又無力挽回時，他便索性把心一橫，不顧一切後果跟隨著毛，而且不惜全力幫毛加深其錯誤。這一矛盾說明他為什麼一方面獲得一切受他保護過的城市邊緣人的真心感激，另一方面卻又在政治上使這些感激他的人不滿。

鄧小平一九八〇年對意大利記者法拉奇的談話最有代表性。鄧說：「他（指周）處的地位十分困難，他說了好多違心的話，做了好多違心的事。但人民（編按：其實只是中共內部被毛迫害過的城市出身的幹部）原諒他。因為他不做這些事，不說這些話，他自己保不住，他不能在其中起中和作用，起減少損失的作用。他保護了相當一批人。」鄧正是受他保護過的人，他這一番話是相當公允的。周自死後至今天還能受到官方宣傳的頌讚，主要便是因為受他直接間接保護過的人（「間接」指子女）今天大多數還在當權。再傳下去，情形便未可知了。

最近讀到一則新華社（一九九八年二月七日）的報導，今年為了紀念周恩來誕辰百年，中共製造了一個文獻影片，題為《周恩來外交風雲》。據說此片的主旨在展示「周恩來與本世紀國際政壇上一批風雲人物的交往」和「他作為外交家的風采和傑出的業績」。報導又說江澤民也對周在外交上的「卓越貢獻，予以高度評價」。中共的一舉一動都有政治用心的，都是經過仔細盤算的。此一動作也絕不是例外。更值得注意是同日新華社電，中共又同時推出鄧小平《豐碑》紀念影片，全面歌頌一代「偉人」和「領袖人物」的「理論、業績、風範」以至「內心世界」。在此特殊的對照之下，周、鄧兩人的地位之高下已不可同日而語，其分別即是當年毛與周的比例了。我在〈霸才無主始憐君〉一文結尾處曾說：

他（周）所處的是「亂世」，所事的是「暴君」，空具一身才能而無所展佈……所以將來在中共的歷史上，他的地位還會在鄧小平之下，因為後者畢竟開創了自己的時代。（《歷史人物與文化危機》，頁九四—九五）

我三年多前寫這幾句話時，萬萬沒有料到會在這樣短的時間內便為中共官方所證實。中共紀念周的百年生日，不提其他，只說「外交」一項，絕非偶然。這是在政治上否定了周恩來。這一否定是必然的，因為周根本沒有他自己的「政治」可言，他不過是毛的「政治」附庸而已。

但即使是「外交」，其「風雲」也禁不起分析。冷戰時代中共外交上唯一真正重要的對象是蘇聯。這是毛自己抓的，或派劉少奇去交涉，周僅僅作為外長例行簽字而已。周的「外交」舞台主要在承認中共的西方國家，和當時所謂中立的國家，如亞非各國。一句話，即進行「國際統戰」。嚴格言之，外交總方針完全操於毛一人之手，他要軟便軟，要硬便硬。周也只有執行其方針的份。所以只有在「軟」的時期，周才有可能展現其「風雲」，一到「硬」的時候，外交便完全派不上用場了。

中共只有在最初八年（一九四九—五七）是實行「軟」外交，五七年蘇聯衛星上天，毛便趕快宣稱「東風壓倒了西風」，從此一天比一天強硬，周也再無展佈折衝樽俎的機會了。所以一九五四年日內瓦的各國外長會議和一九五五年參加亞非二十九國的萬隆會議，是周的「外交風雲」的大高峰。我雖未睹《外交風雲》的影片，也可預測其必以此兩大會議為中心。這兩次會議熱鬧誠是熱鬧，可惜都無實質的「業績」可說，因為並沒有影響一絲一毫世界歷史的發展。在日內瓦會議中，周恩來伸出手向美國國務卿杜勒斯示好，竟為對方所拒絕。這大概是他一生「統戰」的最大的一次挫折。

平心而論，周的最大才能便是對黨外人士「統戰」，無論在國內和國際皆然。他在國內的成績更大，許多所謂「民主人士」都被他「統」過去的。他的手腕靈活、口齒便捷！扮相上乘、表演逼真、哭笑皆恰到好處，贏得了不少中外人士的真心信任。但這也是站在「冷酷工具理性」層面的運用。共產黨人的「統戰」本來便擺明著是階級性、過渡性、工具性的「策略」。

此時此地，黨外人士在利害上與我黨有一致之處，我便與之結成「統一戰線」，共同對付更大的共同敵人。事過境遷，統一戰線便立刻成為明日黃花，再也沒有半點對我黨的約束力。但黨仍然要說：我們是最夠「朋友」的，絕不忘記與「朋友」共患難的情誼。從「開明地主」、「民族資本家」、「民主人士」，到兩次「合作」時期的國民黨，甚至毛當面三呼過萬歲的蔣介石，無一例外。周恩來在此道尤可稱中共第一高手，翻雲覆雨，可以瞬息萬變。一向「尊重」的梁漱溟，在毛痛罵之後，他便舉出梁以往「一向反共」的罪行，如數家珍；罵了幾十年的「蔣匪」，在與美國和解之後，立即又改口為「蔣先生」，並稱讚其「民族大義」。但這一切都是「表演」，而且是黨的共同意志的體現，絕不應苛責周本人。他則始終是一個最忠實的共產黨員而已。如果從性格上說，他倒很有幾分像《紅樓夢》裡的花襲人，起先服侍賈母，心中眼中只有一個賈母；後來服侍寶玉，心中眼中又只有一個寶玉。至少我們旁觀的人看來是如此。這種性格不能簡單說它好還是不好，主要看用在什麼地方，對什麼人用，以及為什麼這樣用。

對於周恩來，我從來是同情的。他具有非凡的才能，可以成為「治世之能臣」；但不幸為現代的亂流席捲以去，勉強在「亂世」苟全性命。對於這樣的人，我們何忍苛責。但他的立身處世卻可為現代中國知識人提供一個鑑誡：姑不提傳統之「士」以道自任、從道不從君或君臣以義合這些陳舊的話頭，也不必提近代知識人所標榜的「獨立之精神、自由之思想」。知識人的社會功能主要是以其專門的特長貢獻於社會，無論貢獻是大是小，這是知識人報答社會培養的唯一方式。特別是知識人進入權力世界之後，時時刻刻都在「天人交戰」之中，他究竟應該怎樣自處呢？談周恩來不能不令人發生這樣的感想。

蘇東坡說：「非才之難，所以自用者實難！」這句名言在今天依然為知識人的座右銘。

一九九八年二月十九日於普林斯頓

（原載《開放雜誌》第一三五期，一九九八年三月）

香港的自由與學術文化

香港是今天世界上一個重要的金融中心。最近幾個月來由於亞洲的市場風暴，西方媒體特別注視香港的股市，恆生指數的升降成為電視和報紙爭相報導的首要對象。我自然也不能忘情於香港，但與經濟毫無關係。我所關注的是香港學術界和文化界的動向，因為它是我的知識生命的故鄉。

我是一九五〇年初抵達香港的，一九五五年十月才離開，先後差不多有六年的時間。但這六年對於我的一生卻有無比的重要性，無論在思想上、知識上或價值觀上，我都是在這個期間逐漸定型的；以後雖有改變，但已是「萬變不離其宗」了。所以我始終感念香港對於我的塑造之恩。一九七三至七五兩年我回到新亞書院工作，一方面固然是回報母校的培植，另一方面也是因為我對於香港確抱有難以排遣的鄉情。

五〇年代初期的香港，以硬體設備而言，是最不利於學術文化發展的。在我記憶中一個最深的印象便是書籍的貧乏。新亞書院當時是一所流亡學校，根本沒有圖書館，甚至中國文史課程也找不到書店可以出售指定的參考書。香港大學的馮平山圖書館雖然庋藏甚富，但對於我們這些流亡學生而言，簡直是海上神山，可望而不可即。英文書籍也同樣難求，勉強可稱為公共圖書館的只有兩處：一是香港中環的「英國文化協會」（British Council），一是花園道的美國新聞處附設的閱覽室；但所藏的都是一般性的書刊，稍求深入便不夠用了。所以我在香港的最初兩、三年常常想起明初宋濂寫的〈送東陽馬生序〉。宋濂早年借書的種種困難，和我在香港的經歷幾乎可以說是異代而同情。

那麼我為什麼特別珍惜這一段在香港的歲月呢？這是因為香港所提供的不是研究方面的有形便利，而是一種無形的氣氛。這個氣氛我只能稱之為「自由」。我常常回想，若果五〇年代初我留在大陸或去了台灣，我的思想成長或治學方式也許是另外一個樣子，至少至少，我不可能完全逃開官方意識形態的干擾。無論我是反抗或順從它，我都已先陷於被動的境地。我始終覺得，一個在思想走向定型時期的少年，時時刻刻都必須在「定於一尊」的價值系統之下掙扎，這是人生最大的不幸。我在香港的成長過程中完全避過了這種掙扎的命運。我所選擇的人生道路是好是壞，是另一問題。但至少我在自覺的層面確曾享有過抉擇的自由。這點自由是當時香港的環境給我的。

這裡我決沒有頌揚英國殖民地制度的涵義。英國的殖民政府自有其利害打算，也自有其維持殖民地秩序的一套辦法，它並不是特意給香港人以「自由」。我所說的自由其實不過是殖民統治在無意中留下的社會和文化空間。而這點空間在當時中國本土上卻是找不到的。我也不是說香港完全不存在任何意識形態或價值系統，那是不可能的事。自由只能是相對的。我只是說，香港的殖民政府並不曾用巨大的政治暴力強迫人人在思想上就一種特定的「範」，如此而已。

大概是一九七三年，唐君毅先生在《明報月刊》上發表過一篇文字，其中有一句話，他初到香港的幾年「與香港社會互不相干」。這句話曾引起當年受「文革」影響的香港左派不斷的譏諷。其實這是一句非常真實的話，我完全有同感。這個「互不相干」便是我們當時的「自由」。而且我今天回想起來，四十多年來香港的學術和文化之所以取得可觀的成就，主要也是靠「自由」兩個字。我們只要稍稍比較一下五〇年代至八〇年代期間，香港和大陸的人文研究的狀況和成績，問題便再清楚不過了。

我常常說，香港是中國對外面世界開放的唯一門戶，自十九世紀下葉起便發揮了溝通中西的橋樑作用。王韜受清廷迫害，逃到香港和理雅各（James Legge）合作，譯中國經典為英文，並加詳細的註釋。這是世界漢學史上一件大事，其影響至今猶在。而王韜也因為在香港和歐洲受到西學的啟發，無論在學問上或思想上都發生了新的變化。他終於成為中國現代化史上一位文化前驅。何啟與胡禮垣都是在香港成學立業的，他們不但倡導變法，而且也主張「天人一貫」，以融通中西，因此在戊戌前後對中國思想界大有啟蒙之功。孫中山如果不是在香港受教育，也絕不可能成為中國的革命領袖，他們都是善於利用香港的社會和文化空間——自由——的人。

今天香港的學術設備和學術文化界的人才，和五〇年代相比，已不可同日而語。它的發展潛力是無窮的。香港的學術與文化，特別在人文和社會科學的領域中，能不能更上一層樓，繼續其溝通中外的巨大任務，恐怕關鍵更在於如何善用「自由」兩個字。在我看來，香港的政治身分雖已改變，它的自由仍然是政治體制在無意中所留下的空間，與真正開放社會所擁有的自由也仍有所不同。因此學術文化工作者的主觀努力便成為保障自由繼續存在和擴大的一個重要因素。香港現在還沒有官定的意識形態，但隨著形勢逼人而來的無形壓力則足以使學術文化界人士自我設限，原有的空間便可能因此而逐漸萎縮。清初黃宗羲曾說：「士大夫不耐寂寞，何所不至。」中國現代知識分子的身上並沒有洗淨傳統士大夫攀龍附鳳的殘餘意識。「不耐寂寞」還是知識分子的胎裡病，迎合權勢之念難免在不知不覺中現形。這是學術前途的生死關，千萬不能輕易放過。我絕對不是提倡學術政治化，更不是主張以學術文化與政治抗爭。我只是說，學術文化在各自的領域中都有明確的鑑別是非的準則，不能由政治標準取而代之。學術和文化工作者只要能嚴守自己領域中的準則，為真理而真理，不雜他念，則他們所取得的業績自然會在長期過程中發出批判的力量，因而使我們的社會逐步地得到改善。這是學人反饋社會的唯一正道。

（原載《明報月刊》第三十三卷第三期，一九九八年三月）

改革、民主、科學，喚醒北大三魂

北京大學百年紀念據說今年改在「五四」這一天舉行擴大慶祝。這確是一件足以激動中國學術界和教育界的大事。北京大學的前身是京師大學堂，那是戊戌變法之年（一八九八）正式成立的，所以今天不僅是北大創建的百年紀念，而且還是戊戌變法的百年紀念。事實上，北大是變法的產兒。這年（陰曆）四月二十三日光緒頒布了著名的「定國是」詔書，其最後一節便說「京師大學堂為各行省之倡，尤應首先舉辦」。所以，嚴格地說，紀念北大百年只能是紀念變法百年的一個環節。「變法」用今天的話來說便是「改革」。

北大究竟是哪一天正式創立的，我們始終找不到最可靠的記載。據胡適的考證，京師大學堂是戊戌十月二十日（一八九八年十二月三日）開學的，但也不能算是定論。民國以來，北大校慶一向定為十二月十七日。然而也有最早的校友說，那是一九〇二年京師大學堂因庚子之亂停辦了兩年之後，重新開學的日子。現在把校慶提早到五月四日，也不失為一個富有創意的舉措。因為北大對於現代中國的最大貢獻便是民國八年的「五四運動」，明年恰好是八十週年。廣義的「五四」是指新文化運動，必須從民國六年的文學革命算起，這是我們慣常的用法。新文化運動的主要目標則是追求「民主」和「科學」在中國的實現，這也早已是人盡皆知的常識，用不著再說。

我扼要地敘述了北大從創立到「五四」的一段經過，是要指出北大的靈魂有三個組成部分：第一是改革、第二是民主、第三是科學。這三魂之中，失去任何一個，北大的健康便會受到嚴重的損害；如果三者皆失，北大便只剩了一個僵死的軀殼了。今年的「五四」，我們究竟是慶祝北大的百年生辰，還是為北大舉行「招魂」祭典，這是極容易分辨的，因為上述三魂為我們提供了再清楚不過的指標，絕非任何花言巧語所能掩飾得過去的。

民國三十七年十二月北大曾籌備過一個五十週年紀念的校慶。但是當時北平已在中共軍隊的包圍之中，校長胡適也不得不在校慶的前兩天乘飛機南下。這個本來應該是十分熱鬧的校慶自然也隨之流產了。胡適為《紀念特刊》寫了一篇〈北京大學五十週年〉的短文，記述了北大生於憂患、長於憂患的歷史。最後他很沉痛地指出：「現在我們又在很危險很艱苦的環境裡給北大做五十歲生日，我用很沉重的心情敘述他多災多難的歷史，祝福他長壽康強，祝他能安全的度過眼前的危難正如同他度過五十年中許多次危難一樣！」

不幸的是從一九四九年開始，北大進入了一個被侮辱、被踐踏的長期厄運。這五十年中，除了八〇年代中期到天安門屠殺這三、四年間，北大因短暫的還魂而重新發出了自由和智慧的光芒之外，這所中國最老的現代大學所經歷的滄桑是不堪回首的。毛澤東在「五四」

時代曾在北大圖書館工作，不為北大師生所重（據史諾所記），因此對北大一向交織著羨、恨、嫉的複雜情緒。得志以後，報復的意識隨時顯露。「池淺忘八多」便是他對北大的著名評論，而且發生了實際的影響。八〇年代初一位北大教授親口告訴我，「文革」時期北大教授們都被集中在「牛棚」裡，但隨時要集合在一起，聽紅衛兵頭頭的訓斥。他說，最離奇的是開口第一句對他們的稱呼。「各位教授們」是不能用了，當然更不配稱作「各位同志」，至於「先生」、「女士」這些封、資、修的名稱，則早已廢除了。那麼造反派頭子怎麼稱呼這些北大的「牛鬼蛇神」呢？誰也猜不到竟是「忘八們」三個字！其經典的根據便是毛澤東的那句評語。

我們絕不能把這件事當作笑話來看，更不能以為這只是毛澤東一個人的偏見。由於北大的三魂所共同體現的是一種批判性的自由精神，它始終是中共當權派的憎恨對象。九年前的「六四」，北大師生重振「五四」精神，他們所付出的代價是極其沉重的。「六四」以後北大曾長期受軍警嚴密監視；外來的訪客如果沒有通行證或官方批准，是不能自由進出的。而且八、九年來，每到「六四」前夕，公安部門必對北大加強戒備。今年六月，因為將有美國總統的訪問，中共正在全力以赴地企圖改變它的國際形象，那時究竟怎樣對待北大的師生，倒是值得我們留心觀察的。但是我可以斷言，只要北大的自由精神沒有消逝得一絲不剩，北大在中共當權者的心中永遠是一個「池淺忘八多」的地方。由於今昔的形勢大異，而繼毛澤東而起的一批新當權派又缺乏當年太祖高皇帝的自信，他們不敢公開形之於筆墨口舌之間而已。

中共對北大的真實感受如此，但是為什麼今天竟會這樣大張旗鼓地為北大舉行百年校慶呢？其實稍稍了解中共黨史的人對此是完全不會感到奇怪的。這裡我只想指出一點：即中共是最懂得運用一切文化符號為它的政權服務的。在民國三十八年以前，它運用過「五四」的「民主」與「科學」，也運用過典型的西方「人權」（三〇年代由宋慶齡出面領導的「中國民權保障同盟」），甚至也運用過國民黨的「三民主義」（抗戰時期）。中共能奪取政權，很大一部分要歸功於文化符號的運用成功。今天「北京大學」恰好是一個最合用的文化符號。這個符號再和「五四」這個日子連在一起，儘管官方絕口不談「民主」兩個字，它的號召力之大是不可想像的。在國際學術界和教育界，它象徵了中國大陸的「開放」和「開明」，足以一新耳目，洗掉「六四」屠殺的記憶；對於海外的校友和華裔學人，它激動了文化認同感，可以收到「天下歸心」的表象。更重要的，對於台灣的學術文化界，它也發生了無可抗拒的誘惑力。台灣的心防是不是就此一舉而攻破固未可必，但眼前在國際和大陸的宣傳上，則已收到「台灣省各大學」參加「普天同慶」的實效。北大儘管「池淺忘八多」，但作為文化符號，它的利用價值是無比卓越的。

今天中共所利用的文化符號並不僅僅是「北大」和「五四」。最值得注意的是和這兩個符號在精神上恰恰相反的另一符號——復古主義——也正像幽靈一樣在中國大陸上到處遊蕩。「北大」和「五四」的文化符號只有一次性的利用價值，過了今年便自然會偃旗息鼓。所以它即使稍有危險性，也不足深慮。中共之所以敢於走這一步險棋顯然是經過冷靜計算的。復古主義的符號則不然，它是官方學術界刻意提倡，以取代破了產的意識形態的。因此這將是一個長期性的發展。

這個復古主義在西方叫作「亞洲價值論」，它的開山大師是新加坡的李光耀，今天則在中國大陸上發揚光大了起來。根據這個理論，亞洲文明自始便與西方處處相反，它重視權威、集體、安定、等級、長老、溫飽……。所以舉凡一切西方的價值如自由、個人、變動、平等、民主、人權之類在亞洲價值系統中全是次要的，甚至是負面的東西。中共官方學術界現在則運用大量考古和經典材料來建構這一理論，把它的起源愈推愈早，已超越黃帝的傳說而上之。我不能在此討論這種大理論本身的得失。我只想指出今天大陸上有些聞此風而起的學者，包括北大的教授和出身北大的學人，怎樣進行他們的論證。正是在這一治學的程序上，他們回到甚至超過了「五四」以前的北大學風。民國六年在胡適講授中國哲學史以前，教這門功課的一位老教授是「從三皇五帝講起，講了半年，才講到周公」（見馮友蘭《三松堂自序》）。胡適到北大以後則改從老子、孔子講起，引起軒然大波。他的主要論點便是未經嚴格考訂過的史料，不能用來作為重建歷史的根據。這個批判性的態度並不是胡適從西方搬回來的，而是出於中國學術傳統的內在發展。他不過作了更具系統的應用而已。但由此而引出的疑古辨偽學風後來確變得太遠了（其風早起於乾嘉考校，更大揚於康有為）。但不可否認的，中國史學的現代轉化是以「五四」時代的北大為起點。這一批判的態度基本上已成為現代學術的普遍紀律。後人必須不斷糾正其偏頗，但絕不能棄之不顧。事實上，胡適、顧頡剛、傅斯年等人的後期著作也已作了大幅度的自我調整，這裡毋須多說。

最近我讀到一些大陸學人的古史論著，有的為了要證成亞洲價值論，有的則為了要強調中國文化起源最早，以宣揚民族主義的精神，竟拋棄了對史料的批判立場，回到了講三皇五帝哲學史的時代。他們藉口地下新出土的簡牘已證明「五四」時代的某些疑古辨偽是錯誤的，因此對先秦一切史料都照單全收。今天不僅有人相信《易經》中的《十翼》確是孔子所著，而且連馬王堆出土的《易經》佚文，只要有「子曰」字樣，也都成為講孔子思想的基本材料。我這裡所講的絕不包括為學術而學術的嚴肅學者。上面所指的都是「聞弦歌而知雅意」的作品。但這一系統的「著作」現在漸漸有成為古史研究的主流的趨勢，而且官方用大量經費來鼓勵這一類的「研究」也是人盡皆知的事實。所以我說，復古主義已成為現階段最重要的文化符號。在一片復古聲中慶祝「五四」時代北京大學的百年紀念，我們不能不佩服「矛盾統一」的偉大妙用。

也恰恰在北大「五四」校慶的前夕，真正繼承了北大傳統的學生王丹被長期放逐到美國來了。這是中共當權派對「池淺忘八多」的北大的真情流露。王丹的放逐不但掃除了美國總統訪問的障礙，而且也防止了北大同學要求讓他復學的困擾。以政治謀略而言，計算真是既精巧又深沉。但是世人也不見得個個都患了善忘症，北大百年校慶和王丹萬里放逐這兩件事畢竟相距太近，總不免有人會為此而納悶的。

王丹在《紐約時報》說，他有一個野心，便是將來能做北京大學的校長。他還年輕，這個夢想未必不能成真。我們希望在王丹就任北大校長的時候，再舉行一次大規模的校慶。那應該是北大三魂同時歸來的一天！

（原載《聯合報》，一九九八年五月四日）

愛因斯坦的人生智慧

——獻給台灣的大學畢業生

今年六月，我在普林斯頓大學所教的小班課程中也有好幾位是四年級的學生。他們在課堂上和課後也偶然和我談起畢業後的計畫和抱負。其中有人準備繼續進研究院從事更專門的研究工作；但也有人打算先就業，以後再決定是不是還要繼續進修。這大概是現代大學生的普遍選擇，不僅美國為然。我執教了幾十年的大學，但直接有交流的都是美國學生，當然也包括華裔學生在內。一九七三至七五年我曾在香港新亞書院工作過兩年，不過那時的職務以學校行政為主，和學生的個別接觸較少。所以我決不能說我對於中國大學生有什麼深度的認識。現在要寫一篇給台灣應屆大學畢業生的贈言，我不免感到十分惶悚。我只能假定台灣的大學畢業生大概和美國學生相差不遠，他們在知識和思想上都已相當成熟，而且基本上已決定了人生的路向，用不著再聽任何人的「說教」了。下面我要借愛因斯坦的一些話和青年朋友們談天，並且也不限於今年的大學畢業生。

最近偶然讀到一部新編的《愛因斯坦語錄》（Alice Calaprice編*The Quotable Einstein*，普林斯頓大學出版社，一九九六年），其中有兩條恰好可以作為這番談天的始點：

一、一九五一年加州一位學生寫信向愛因斯坦求教，究竟怎樣才能研究科學而獲得大成就。這當然反映了一位中國所謂有「大志」的青年的焦慮。但是愛因斯坦告訴他：科學的奇妙誠然是最能引人入勝的，不過有一個條件：你不能靠它吃飯。一個人首先應該根據自己的能力找一種職業來養活自己。只有在我們完全獨立自主，不仰賴任何人時，我們才能在科學的努力中尋著樂趣。（頁一七九，意譯，下同）

二、教育的目的必須是訓練出能獨立行動、獨立思考的個人，但他們又必須能認識到為社會服務才是人生的最高成就。（頁三九）

我引這兩句話其實也近於中外古今的老生常談。我也並不是崇拜科學天才而引愛因斯坦的話，但是我的確欣賞他那可敬愛的人格和人生智慧。我是想借用他的特殊號召力使青年們能認真地體會這兩句話中的涵義。以下讓我再用他的其他言論，對這兩句話加以發揮。

第一段話自然是愛因斯坦現身說法。他早年大學畢業後找不到教書或研究的位置，曾在瑞士的發明專利局中先後工作了七、八年（一九〇二—九），養家活口。但是他一生最重要的物理學論文便是在這段時期內發表的（一九〇五年）。所以這一句話不能從字面的意義去理解，更不是人人可以效法的。我想他的主要意思是說：追求系統的知識（他的母語是德語，「科學」在德文中不僅指自然科學）是一件十分莊嚴的事，青年人不應抱著一般求職業的心理去作這樣的選擇。這代表了西方為知識而知識、為藝術而藝術……的理想。但另一方面，每一個人都必須首先對自己的生活負責，不能存著靠別人養活的念頭。所以初出校門的青年，第一件事便是根據自己的能力以取得生活上的獨立。如果真正有志於追求學問，公餘之暇也未嘗不能繼續努力。他這個見解，在中外歷史上都有無數的實例可以作證。事實上中國過去根本沒有專門研究的機構，許多大學者都靠作小官謀生，一有空閒便自己進修，最後終能在知識上取得很高的成就。即使在今天這樣專業化的時代，某些學問（如文、史、哲之類）也仍然可以由業餘自修而達到相當高的水平。相反地，在專門教學或研究機構中工作的人，如果純從職業觀點出發，並無真正獻身學問的精神，最後恐怕還是空入寶山。但是上引愛因斯坦的話，其重點並不在教青年人怎樣作學問，而是根據他自己早年的切身經驗，告訴他們自食其力的重要。他在大學畢業一年後（一九〇一）寫信給他未婚妻說：「有關我們的未來，我已作了以下的決定：我將立刻謀求一個職位，不管多麼低微。我的科學目標和個人虛榮心都不能阻止我接受一個最起碼的職位。」（同上，頁五）他在死前一年（一九五四）又告訴人說：「如果我再是一個青年，而必須決定怎樣謀生的話，我將不要變成一個科學家、學者，或教師。我寧願選擇作一個修水管的工人或商販。因為我希望在今天的情況下，像這樣起碼程度的獨立生活還是可能的。」（同上，頁一四）他這句話也是發自內心的。大約十年前，我認識一位開車接送機場的老人，相識久了，一路上談得很多。他告訴我，他在十幾歲時，曾多次隨著他的父親到愛因斯坦家中去修理廁所，他的父親正是一位水管修理人（plumber）。他說，每一次愛因斯坦都出來看他們怎樣修理，並且問東問西，表現出很高的興趣。從這些話中，可以看出愛因斯坦關於人生價值的取向。他最重視的是青年人具有獨立的精神和健康的人生觀。一般人往往以自己為標準，衡量一切，因此自己最有成就的部分便成為世界上最高的價值。中國古人也有主張「量才適性」，以選擇人生路向的，其意便和愛因斯坦比較接近了。

但是本文開頭所引愛因斯坦的第二句話必須和第一句話配合起來讀，才能顯出他的較為完整的意思。我已解釋了他的第一句話。總結起來，第一句話是要青年人在入世之初，首先要對自己的生活負責，然後才能進一步談到學問和事業。這代表了一種現代的觀點。試比較《論語》所說：「士志於道，而恥惡衣惡食者，未足與議也。」（〈里仁〉）精神上也未嘗不相通，但重點顯然有別了。若與「君子謀道不謀食，憂道不憂貧」（〈衛靈公〉）之說相對照，字面上甚至還有衝突。這是因為時代不同，立說的對象不同。孔子時代的「士」、「君子」畢竟是貴族中的最低一級，經濟雖然困難，大致還有最起碼的基礎。愛因斯坦的話則是對現代社會上一般受教育的青年說的，他們如果不能自謀衣食，便沒有獨立的精神去追求更高的學術、文化、藝術，或其他創造性的活動了。所以我們既不能誤認愛因斯坦的話，以為他僅僅教青年人注重謀生，也不能誤讀《論語》，以為孔子的調子太高，要人餓著肚子去追求「道」。

愛因斯坦第二句話中，最要緊的部分則是「為社會服務才是人生的最高成就」這個觀念。可見他的始點雖是具有獨立精神的個人，他的終點則是整個社會。這裡他所用的「社會」是「community」，日文曾譯為「共同體」。這是一個可大可小的概念，大至全人類，小至個人生存所依附的社群，都能適用。總之，愛因斯坦並不突出小我，也不突出小我所追求的特殊興趣（如科學）。個人也好，科學或其他事業也好，都離不開人群。所以他答覆紐約猶太人辦的《青年雜誌》的編者說：「為他人而生活的人生才是最有價值的人生。」又說：「個人生命的意義便在於幫助世界上一切生命，使之都生活得更高貴，也更美好。」（同上，頁一〇七）相反地，如果一個人只知追求一己私欲的充實，那麼他遲早會嚐到失望的苦果（頁一〇九）。

我們把這兩句話合起來，大概便可以看出他對初入社會的青年抱著怎樣的期待了：一方面，他重視青年的獨立、自主，這是因為只有獨立、自主才能充分發揮出個人的才能和創造力。另一方面，他又把個人生命的意義緊密地和社會大群綰合成一體。「大我」和「小我」兩面都得到了安頓。但是有一個特別之點值得鄭重指出來：他的「小我」並不被「大我」所吞沒。所以他又現身說法告訴我們：「我的科學工作的動力起於對探索大自然的奧秘有一種無可抗拒的渴望。此外再也沒有別的情感纏雜在內了。至於我熱愛公平和致力於人類狀況的改進，則完全是獨立於我的科學興趣之外的。」（同上，頁一一二）這就是說：個人固然應該量才適性以完成「小我」，但同時也要有一種關懷「大我」的熱忱。明末一位東林派領袖曾這樣批評過當時的士風：「吾嘆夫今之講學者，恁是天崩地陷，他也不管，只管講學耳。」

愛因斯坦也一定會同情這一批評的。我讀他的語錄，往往發生一種感想：為什麼他這位出身於西方文化傳統的大科學家，在人生境界上往往和中國一些最高的道德情操竟可以互相溝通？例如他又說道：「樂人之樂，憂人之憂——這是人生的最好的指南。」（頁八九）這豈不十分近於孟子所謂「樂以天下，憂以天下」，和范仲淹的名言「先天下之憂而憂，後天下之樂而樂」嗎？可見中、西文化的差別是絕不應強調得過了頭的。

我已說過：愛因斯坦在指點青年立身處世的方面，並沒有任何驚世駭俗的言論。這一點和他在科學方面石破天驚的創新，截然不同，甚至相反。但這也正好說明：他在人生智慧上達到了極高的境界。從這一點而論，他在科學家之中確是別具一格的。今天世界上儘有第一流或超一流的科學家，然而很少人能在人生境界上和他相比。我特別介紹他的名言雋語，而不引古今中外無數相似的格言，絕不因為他是牛頓以來最偉大的科學發明者。最要緊的是因為他的話不是空言，而是他自己實踐了的人生證詞。所以我要用他切身體驗過的許多自白來說明本文開頭所特別標出的兩大原則。

但是本文是應約為今天台灣大學畢業生而寫的「贈言」。我雖然不敢有自己的「贈言」，卻也不能不下一轉語，以致使愛因斯坦的話僅僅變成了空洞而抽象的原理，毫無實際的指涉。我的第一個轉語是愛因斯坦未曾明白說出，然而暗中預設了的。關於青年人初入社會，在人生價值方面應該如何取捨，他當然首先預設了一種判斷的能力。如果不具備這個能力，上引的種種指點都不免將全部落空。

我們不妨從個人的和社會的兩個層面來看判斷力的重要性。一個初入世的青年怎樣選擇自己的專業——包括學業和事業？這是考驗判斷力的第一道關口。愛因斯坦強調個人的性向和才能，因此個人首先要對自己內在的蘊藏加以判斷。這是中國人所謂「人貴有自知之明」。蘇東坡說：「非才之難，所以自用者實難。」便是這個意思。後來章學誠對這一點發揮得更為細密。他說：「人生難得全才，得於天者必有所近……博覽以驗其趣之所入，習試以求其性之所安。」這是對自我判斷所作的具體描寫。但章氏是十八世紀的人，所說還是以讀書治學為限。今天我們必須擴大範圍，推到各行各業。世界上固少「全才」，不過個人「性之所近」也未必只限於一、二點；也有不少人具備了多方面的才能和興趣，那便更難選擇了。擇業雖說是個人的事，其實也不能脫離社會。今天的青年擇業大致都受到「冷門」、「熱門」等觀念的影響，這可叫作「市場取向」。從前的教育家往往戒青年不要「趨風氣」，而專以自己的性向為重（章學誠便是如此）。我不敢說這樣太絕對的話，哪些行業比較有更輝煌的發展、更遠大的前景？似乎也不能完全不加注意。但在今天的多元化社會中，分工愈來愈細，究竟什麼才是最能完成自己生命的專業，這又需要判斷的能力。我想有一點是必須注意的，個人的性向和才力是已有的、是確定的，而「市場」的冷或熱、盛或衰，則是未定的、變動不居的。在擇業之前我們必須對此先有一番深刻的認識。最重要的是青年時代每一個人大概都有一個美夢，或理想。這是我們一生中最珍貴的東西，也是失去便不可復得的東西，因此絕不能輕易放棄。愛因斯坦把生活和科學研究分開，正是他極端重視理想的證明。然而所謂「美夢」或「理想」又絕不能和「爭名於朝，爭利於市」的庸俗觀念混為一談。宗教家以苦行救世，清末武訓以行乞辦學校，今天許多「綠黨」獻身於自然環境的保護……這些才是我們所重視的「美夢」或「理想」。上面提到各種行業的「發展」與「前景」，也是從這個角度提出的。凡是值得我們去認真選擇的「行業」都必須能實現正面的人生價值，這才符合愛因斯坦所說的，「為社會服務才是人生的最高成就」。

個人的擇業是為自己尋找一個安身立命的所在，使一己的潛在才能和智慧得到最大限度的發揮。在現代的多元社會中，一切正當的專業都具有同等的價值。上面我們已看到，愛因斯坦便把科學家、學者、教師、修水管工人、商販等行業看作是沒有上下之別的。他的話絕不是矯情，這是我深信不疑的。我還記得胡適在一九五九年寫過一封信給一位在南港賣芝麻餅的袁瓞，對他在賣餅之餘還能關心國家大計、關心英美政治制度，表示了衷心的敬佩。胡適在《日記》中還特別記了下面一句話：「早上有一位叫賣芝麻餅的朋友袁瓞來談。」（一九五九年十月三十一日）這位賣餅的袁瓞在他心中的位置恐怕遠在許多所謂「大人先生」之上。在今天的社會，一個人只要是自食其力，而所從事的行業又不是「損人利己」的，他的人格價值一絲一毫也不低於任何有權、有錢或有名的人物。我自然知道「勢利」觀念即使在現代民主社會中也不可能徹底消除。但有一點不容否認，社會愈民主、愈開放、愈公平，勢利觀念便愈淡薄。

我引袁瓞的故事是要為愛因斯坦的第二句話下一轉語，即個人在尋到了足以「安身立命」的專業以後，又怎樣才能達到「為社會服務」的境界？照一般人的天真想法，各行各業本來都是社會性的，因此只要人人安居樂業、各盡本分，便已經是為社會服務了，不必再另設「社會」這一項目。西方的個體論者也有類似的見解。他們認為社會是一切個人的集合，社會整體利益的總和是可以用一切個人的利益的分數來除盡的，更無除不盡的餘數。但西方也有另一派的見解，認為社會整體並不等於一切個人的簡單集合，更不必說個人與個人之間，社會集團與集團之間還有多種複雜的衝突了。因此利益與社會整體利益之間也往往會發生矛盾甚至衝突的情況。理由不能詳說，但我是相信後一派的理論的。所以我也敬佩袁隗，因為他在從事本業之餘，還能進一步關心國事、天下事。前面引東林學者顧允成批評當時的「講學家」的話，也說明他相信在個人專業之上，還有一個涉及全社會的共同領域，同樣需要每一個人去關心。否則「講學家」的專業便是「講學」，何必更管什麼「天崩地陷」？用現代的話說，這便是「公民意識」。

在本文撰寫之際，正值美國總統柯林頓訪問中國大陸的前夕。這幾天批評者的聲音幾乎掩蓋了一切。其中一個吵得最厲害的問題是指責白宮受企業集團的包圍，不惜以有關國防的尖端科技出售給中共，已嚴重損害了美國國家安全的整體利益。這件事的內情究竟如何，我們在外面的人不容易判斷，姑且不加詳論。但有一個事實是白宮也不得不承認的，即美國各種工商集團都想打進大陸的市場，對白宮施種種壓力，要美國改變政策，不惜放棄一切原則包括人權在內。照常理說，作生意的人在商言商，正是自敬其業的精神表現。這又有什麼不對？何況他們還振振有詞地說，他們打開大陸市場，為美國人創造就業的機會，為美國拓展經濟空間，恰恰符合於美國的整體利益！然而為什麼美國的輿論界和知識界又會有那麼多的批評聲音呢？這幾天以來我們無論閱讀任何一家大報，或收視任何一家電視台，簡直是一片反對的論調。為白宮或工商業辯解之言幾乎很難找得到。這又是為什麼呢？我引此眼前之例，不在討論這件事本身的是非，而是藉此說明，個人專業與社會整體之間確實存在著種種潛在的矛盾。這種種矛盾在平時也許不容易暴露出來，但在社會發生危機的時候便再也掩蓋不住了。

今天的台灣似乎並不是一個不受任何威脅的社會。因此恐怕不能假定：只要人人各盡本分、各守專業，台灣便可以長治久安了。如果承認愛因斯坦「為社會服務才是人生的最高成就」這句話，那麼今天剛剛走進社會的青年恐怕在個人專業之外，也必須隨時隨地提醒自己，還有一個公共領域的整體利害更是絲毫放鬆不得的。這幾乎可以說是今天台灣知識青年所負的特殊使命。他們不像一般美國大學畢業生那樣，只要找到可以發揮一己才能的專業便大致可以心安理得了。美國青年的公民意識是屬於太平時期型的，台灣所需要的公民意識則顯然具有高度的緊迫性。這是一種特有的挑戰，然而我並不願說它是憂患。相反地，挑戰往往是創造力的泉源。

但是應付挑戰尤其需要判斷力。在這一方面，通識的培養比專業技術和知識便遠為急迫了。這裡所說的通識包涵著但並不止於專業以外的博雅多聞，而是對個人、社會、國家的處境和世界的情勢尋求深刻的認識。這是一切判斷的基礎。所以深度比廣度更為重要。判斷力的培養必須由每一個人自己作主，沒有人能提出一個簡單而普遍適用的公式。這是孟子所謂「自得之」或「歸而求之有餘師」。不過在開始培養判斷力之前卻不能不具備一種超越小我的精神和意志。我已指出，愛因斯坦絕不主張用「大我」來淹沒「小我」。所以「超越小我」不是否定自己。然而他又一再強調「小我」的生命意義必須和「大我」連在一起。這就是說，我們不能忘記這世界上除了自己以外還有別人，除了個人之外還有社會。這是所謂「超越小我的精神」。但精神如不能實現則將流為一種懸空的境界，而懸空的境界則是很難持久的。所以精神如果要化為真實，必須依賴一種動力，這是只有意志才能提供的。過去傳統教育首標「立志」和佛家要人「發願」，都是指意志而言。傳統與現代的分別至少在這一點上是不存在的。如果青年朋友們覺得愛因斯坦的人生智慧是值得參究的，那麼請你們記住：這些智慧不但來自他那超越小我的精神，而且更發動於他那超越小我的意志。孔子說「為仁由己」；又說：「知及之，仁不能守之，雖得之，必失之。」這是我借一位中國古聖人的話，再為愛因斯坦下一轉語。

（原載《聯合報》，一九九八年六月三十日）

文化多元化與普遍價值的尋求
——祝台灣大學七十週年校慶

今年是台灣大學七十週年校慶。在這個最值得慶祝的時期，台大和校友會舉辦了這一規模浩大的學術討論會，以「跨世紀台灣的文化發展」為主題，這是特別值得高興的，同時也是十分適時的。我個人能有機會在這次會議上發言，真是感到無比的榮耀，然而也甚為惶悚。這不是泛泛的客套話，因為我沒有作台大學生的幸運，而且對於台灣的文化發展也沒有深刻而親切的認識。如果我的發言不能緊密地配合會議的主題，只好請大家原諒。我的專業是史學，因此我也只能從歷史的角度提出一點粗淺的觀察。

「文化」今天已成為世界上最熱門的一個話題，其確切的涵義已無法作精密的界定。如果四、五十年前人類學家已發現它的定義不下一百五十多個，那麼今天恐怕可以分析到一千個以上了。最廣義的「文化」可以是「文明」的同義語，如杭廷頓的「文明衝突論」，最狹義的我們可以在一個小社區、甚至一個家庭之內，找到多種文化。無論廣義還是狹義，總之文化的多元化是當前世界一個不容否認的事實。我看到這次會議議程中所提出的豐富題目，大致上是偏向較廣義的一邊。我想遵守「吾從眾」的原則，下面談到「文化」，有時可以廣到「文明」的層次，有時則近於美國流行的「多文化論」（multiculturalism），不能過於細緻。大家可以就我說話的脈絡去作判定，請原諒我不能隨處加以界定。我的基本立場是承認文化的多樣性，無論就一個地區或國家說，或就全世界說，都是如此。

首先我想提出關於文化價值上「普遍說」（universalism）和「殊異說」（particularism）這一對概念。無論就整個世界而言，或專就一個地區或國家而言，我們都不能離開這一對觀念而討論文化發展的問題。在我所談到的有限的嚴肅論著中，今天的哲學家、政治理論家、社會學家、人類學家，以及史學家都或顯或隱地預設了「普遍」與「殊異」的糾結。和這一對概念密切相關的還有「一元」與「多元」、「共識」與「衝突」、「合一」與「分歧」…等成對的概念，在不同的語境之下和「普遍」與「殊異」可以互為支援、互相補充。但是必須聲明，我並不是在這裡提倡「二分法」的思維。上面提到的許多表面上似乎是對立性的概念，在我自己的理解中都沒有彼此絕對排斥的意思。我運用它們只是為了分析疏解的方便。這裡不能深談這個方法論的問題，因為這是必須由哲學家另作發揮的論題。

回到文化價值上的「普遍」與「殊異」，我想下面這個歷史現象是值得注意的：即十九世紀中葉到二十世紀六〇年代前後，「普遍」基本上壓倒了「殊異」；七〇年代以後，特別是最近一、二十年來，則顯然「殊異」壓倒了「普遍」。十九世紀之所以成為「普遍」開始大行其道的時代，其背景相當複雜。就一般的理解說，自然科學的空前成功和西方帝國主義霸權之如日方中都是重要的歷史因素。以我較為熟悉的歷史觀而論，從清末中國學人擁抱的社會進化論，到二十世紀六〇年代風行在台灣和香港的美國現代化理論，都假定西方學術界已發現了社會發展的普遍規律。我們把西方史看作標準，把西方現代社會當作楷模，中國之所「異」於西方只是因為中國「落後」於西方整整一個發展階段。但由於人類社會最後都逃不開歷史規律的支配，中國如果想早日擺脫「落後」的狀態只有服從客觀規律，以主觀努力加速社會進程的步伐。這一心態在中國早已開始於十九和二十世紀之交，不過後來愈演愈烈而已。

西方人看非西方的文化和社會，其中也有不少人以西方代表常態，因而對非西方的文化投以奇異的眼光。薩依德（Said）在七〇年代初的名著《東方主義》便提供了豐富的文學資料。美國現代化論者自然較之十九世紀的西方觀察家遠為成熟。他們研究了許多東方社會的「革命」，特別是中國的發展，不能不承認在前工業化的社會，佔人口大多數的農民是一股重要的社會力量。這些社會不可能一步跳上西方現代化的道路。在資產階級幾乎不存在的情況下，議會民主是無法出現的。因此必須經過一個集權專制的階段。巴靈頓·摩爾研究俄國和中國所獲得結論，在六〇年代受到西方學術界的高度讚揚。總之，從十九世紀的孔德、斯賓塞，到二十世紀中葉的西方社會科學家，或多或少都假定西方現代的價值具有「普遍性」。非西方社會基本上是處於「未發展」的狀態，只要一旦「起飛」，總會曲曲折折地走上與現代西方大同小異的境地。我承認以上的概括是很粗疏的，對於其中少數傑出的西方學者有欠公平。但我在這裡是要說明一般的趨勢，即文化價值的「普遍性」受到廣泛的肯定，而且這種「普遍價值」主要便是「西方價值」。世界上各民族或國家之間的文化差異最多不過是次要的，都將隨著現代化而逐漸消失。因此現代化和西化也差不多成為同義語了。在三〇年代中國「全盤西化」討論得最熱門的時期，有人竟主張筷子也須由刀叉來代替。這種主張甚至一直影響到八〇年代大陸初「開放」的階段。舉此一例，即可見文化的「殊異性」受冷落狀態的一斑。

在學術思想領域內，科學的巨大成就引出了科學主義的氾濫，要把一切知識和思想統一在實證的普遍模式之下。三〇年代維也納學派的興起和「統一科學」的呼聲更把科學主義推向高峰。以中國而言，「五四」運動提倡「賽先生」一開始便混淆了科學與科學主義之間的界線。所以幾年之後便有所謂「科玄論戰」，而以「科學的人生觀」一派片面地宣布勝利落幕。以二〇年代初的中國思想界而言，科學派的聲勢確實遠在所謂玄學派之上，以致印度詩哲泰戈爾來華都感到莫大的威脅。他曾向胡適傾訴委屈，不懂中國青年一代為什麼那樣反對他講「精神文明」。他說：「我不是每次講演都很恭維科學嗎？」所以早在邏輯實證論出現以前，中國儘管科學貧乏，卻已是科學主義意識極為濃厚的國度了。在科玄論戰中，陳獨秀也參加了丁文江、胡適的陣營。這可以看作馬克思主義和舊自由主義在中國的一次短暫的聯盟。馬克思和馬克思主義一方面以反西方現代文化主流（所謂「資產階級」文化）的姿態出現，另一方面則同樣繼承了所謂「研發心態」，在重「普遍」、輕「殊異」這一點上，只有比舊自由主義走得更遠。

二戰以後，在整個所謂「冷戰」時期，所謂自由與極權雙方事實上同依歸於「普遍性」的文化價值，並且也同以西方價值為座標，不過彼此取捨之間大相逕庭而已。波普的《開放社會及其敵人》一書便是最好的見證。今天北美和西歐多元文化的興起和前蘇聯及東歐的民族主義的衝突，恰可看作是對於西方普遍價值論長期霸權的強烈反彈。西方舊自由主義和馬克思主義都同視民族主義是過時的東西；在五〇年代只有極少數的西方學人（如柏林）認識到它的韌力。馬克思主義者在非西方地區奪取政權時，雖主要靠他們對於反帝國主義的民族意識的巧妙操縱，但在奪取成功以後則使盡一切力量將民族意識壓縮在「階級」觀念之下。只有在轉移內部危機為對外抗爭的時候才動用民族意識。內部絕不容有威脅到極權統治的文化「殊異」的出現。對於少數民族和一切弱勢族群更不恤以強力鎮壓之。前蘇聯和南斯拉夫解體後的分裂和衝突正是和從前的強制的程度成正比的。北美和西歐的民主自由體制在相當長的時間內似乎發生了緩和內部族群公開衝突的作用，但終究沒有真正解決問題。西方普遍性的文化價值現已證明不能完全消解非主流的族群意識。美國「大熔爐」的神話今天已出現了許多掩蓋不住的漏洞。這是美國「多文化論」（multiculturalism）崛起的根本原因。共同承認的「經典」（canon）已搖搖欲墜，美國史研究的重心已從「共識」轉移至「衝突說」。

最近二、三十年來歷史大變動的結果，以西方文化為座標的普遍價值觀正在全世界範圍內根本動搖，這是不可否認的事實。甚至西方主流文化本身也開始從「普遍」走向「殊異」。例如在權利理論上，今天已明顯分裂為「個體論」和「社群論」兩派，爭辯得十分激烈。公民社會究竟應該以個人為本位呢？還是以社群為依歸呢？最廣義地說，我認為這是西方民主自由傳統內部的爭執，不是個體主義與集體主義的尖銳對立。但無論如何，即使是西方文化主流也很難建立起普遍的價值標準了。「公平」和「理性」是西方自希臘以降的兩大基本價值。但今天便有人（如麥金泰）要問：究竟是「誰的公平」？「哪一種理性」？

在全世界範圍內承認民族文化是多元的，在每一地區或國家內承認不同族類都有其殊異的文化，這是今天文化思潮的兩個明顯的趨向。杭廷頓的「文明衝突論」說明了前者，泰勒（Charles Taylor）關於「多文化」與「政治承認」的論點說明了後者。文化思潮的鐘擺從「普遍」的一端迅速地向「殊異」的一端移動。這是今天稍稍留心思想動向的人都看得見的。但是現在的問題是：文化不斷「殊異化」下去，最後是否必須徹底否定「普遍性」價值的存在？如果世界上七、八個文明各有自己殊異的價值系統，不一定能互相轉化，甚至不一定能互相了解，那麼未來的世界是不是將陷於永恆衝突之中？杭廷頓似乎正以此為他的立論基礎。至少他斷定伊斯蘭基本教義派和中國的儒教文明有聯手對抗西方文明的可能。在較早出版的《第三波：二十世紀末的民主化浪潮》一書中，杭氏曾指出「第三波」限於基督教文明的國家。伊斯蘭教和儒教國家的民主前途，在他眼中是很黯淡的。對於台灣和南韓的民主化，他則歸功於「基督徒政治領袖」。無論他的立論是否有充足的經驗證據，此說顯然已否定了民主、自由、人權等價值的「普遍性」。

中國學人之中自清末以來已頗多承認民主、自由、人權的價值雖直接起源於西方，卻可以和中國文化中的若干基本理念相通。這些學人幾乎全是儒家教育所培育出來的，如今文學派的康有為、梁啟超和古文學派的章炳麟、劉師培等。如果說，這些早期宣揚民主、個人自由、人權的知識分子對西方文化的認識有限，那麼我們不妨用倡導這些價值最力的胡適為例，胡適在許多英文論著中曾肯定中國傳統中有民主的「歷史基礎」，說孟子是「民主哲學家」，以董仲舒的「天」和宋儒的「天理」可以和西方「自然法」相比擬，又一再強調孔子的「為仁由己」即是自由。

誠然，一個世紀以來，抗拒民主、自由、人權等「普遍價值」的中國政權也往往以「特殊國情」為藉口，但爭取這些價值的中國知識分子，包括正在企圖奪取政權的馬克思主義者在內，則站在「普遍價值」的立場上，對於「特殊國情論」予以迎頭痛擊。左派奉為「聖人」的魯迅不是當年「中國民權保障同盟」中十分活躍的一員嗎？今天新加坡李光耀的「亞洲價值論」正是以前「中國國情特殊論」——即文化殊異性——的擴大版。他引儒家為根據，而將亞洲的「人權」界定為犧牲小我、成全大我以求溫飽，確曾獲一部分中國「國情特殊論者」的激賞。但值得注意的是，讀過《論語》譯本的捷克總統哈維爾卻對這一論點痛加鞭撻（見他的講演集《不可能的藝術》）。大陸官方最近也在聯合國關於人權的公約上正式簽了字，這就表示「人權」之為「普遍性」的文化價值在今天是難以公開否認的。至於簽約後履行與否或如何另尋取消之道，那當然是另一問題了。

我在這裡並不想特別強調民主、自由、人權等政治價值的「普遍性」。我只是藉此以說明，在文化多元化獲得應有的尊重和承認的今天，世界不同「文化實體」（這是杭廷頓對於「文明」一詞所作的界說）之間具有「普遍性」的成分仍然是不容否認的。其終極的根據是文化系統無論如何相異，不能抹殺創造不同文化的「人」同時還有他們的共同人性。人性有「殊異」的部分，也有「普遍」的部分。所以中國古人既說「人心不同，各如其面」，又說「人同此心，心同此理」。「人心不同」也許在很大的程度上是由他們在社會、經濟、政治以至文化方面所處的不同位置造成的，但「人同此心」則不妨說是與生俱來的。「天地之性人為貴。」這句話曾出現在漢代禁止買賣奴婢的詔書上，誰說「人權」的意識是中國所從來沒有的？「把人當作人看待」是一切「人權」的精神內核。西方「人權」的特別成就在於以法律形式來保障「人」的尊嚴。但這也是最近期的新發展。希臘、羅馬的「人權」是屬自由公民的，大批的奴隸都沒取得「人」的身分。西歐農奴和美國奴隸的完全解放是十九世紀才完成的。

西方主流中的新自由主義者現在放棄了以西方為座標的普遍文化價值論，他們也開始承認不同文明、不同族群都有保持他們文化「殊異」的權利。但他們仍然要在大大小小的諸「殊異」文化之間尋求「普遍性」的共同價值。這種共同價值不再是西方所獨有的，而是來自各不同文化之間的最大公約數。羅爾斯（John Rawls）在《政治自由主義》中，要在一切文化傳統中（他稱之為「合理的綜合性宗教和哲學之說」）求取「重疊的共識」；華爾澤（Michael Walzer）則借用人類學家「厚」（thick）與「薄」（thin）的一對概念，說明各不同文化「殊異性」與「普遍性」之間的關係。這些都是值得注目的新發展。即使是以《東方主義》著名的薩依德也不肯為了重視文化的「殊異」而完全拋掉「普遍」。他在九〇年代初出版的《帝國主義與文化》的近著中，也說有些價值，即使起源於西方，在傳播到多地而受到普遍接受之後，便應該承認它已是人類共有的文化成就了，如貝多芬的音樂便是其一。

在上述的思想背景下展望台灣跨世紀的文化前景，我們有一切理由保持樂觀。尤其是自解嚴以來十多年的民主化進程，使我們深信文化「殊異」與「普遍」之間是可以取得一種動態的平衡的。一個世紀關於東西文化的種種爭論已從社會實踐中取得初步的答案。無論轉型時期暴露出多少不滿人意的地方，一個最重大的關口畢竟渡過了。藉這次慶祝七十週年的會議，我要特別向台灣大學致深摯的敬意。我最近重讀了傅斯年先生在任不足兩年的言論，使我認識到台大很早便是維護多元文化的精神堡壘。傅先生在法學院《社會科學論叢》發刊詞中，早已點出「用多元主義代替主觀主義」的精神。他一方面有強烈的民族文化意識，但另一方面又是現代多元價值的維護者。在〈台灣大學與學術研究〉的長文中，他在結尾處特別引用了《尚書・秦誓》中「其心休休焉，其如有容」一段話。他的白話譯文一再強調「有容人之量」、「能包容」的涵義。毫無可疑的，他把蔡元培時代的北京大學傳統移植了過來。由此可見台灣大學確是一個「有容乃大」的大學。文化一元化是「包容」的反面，固不必說。但文化多元則絕對離不開一個「容」字。「容」的主體不是任何個人，而是大學制度的本身。一個有「容」的大學制度才能為學術的多元化提供繼續發展的可能。反過來說，學術的多元化也在不斷擴大大學制度的「容」量。「普遍」與「殊異」之間的動態、平衡，在台灣大學的校史上恰好獲得了具體而微的實證。

讓我用最後這一句話作為我對於台大七十週年校慶的祝詞！

（原載《聯合報》，一九九八年十月二十三日）

重覽二十世紀文明圖像

十九世紀英國小說家狄更斯寫十八世紀末法國大革命時代的歐洲，為我們留下了一部不朽的《雙城記》。他在全書的開場白中更寫下了幾句流傳天下的名言：「這是最好的時代，也是最壞的時代；這是溫煦的春天，也是嚴酷的寒冬……。」讀到這部《OUR TIMES: 20世紀史》，我們更深切地感到：這幾句話應用在二十世紀實在遠比十八或十九世紀更為合適。

二十世紀是人類文明——特別是以科技為中心的文明——空前快速發展的時代。十六、七世紀與科學革命時期的夢想，如培根所預期的「征服自然」，差不多已完全實現了。一九五〇年《登陸月球》的電影曾轟動一時，但當時的觀眾——包括我自己在內——不過是把它當作科學幻想來看待而已。不但普通人民如此，太空科學家也不敢推想得太遠。一九五一年，在英國星際協會的年會上，最尖端的專家也認為他們的有生之年是看不到人類登陸月球的。誰會想到僅僅十八年後（一九六九）科幻竟化為千真萬確的事實呢？在二十世紀七〇年代中，我們又親歷了一場電子革命，這在人類資訊方面的發展更投下了比原子彈爆炸還要巨大無數倍的影響。我們現在還完全無法估計這個影響在人類生活上所激起的變動將達到何種深度和廣度。但到目前為止，整個人類已確實居住在一個「地球村」之內了。

以上我們僅僅提到了二十世紀兩項最光輝的科技成就。此外，在基本科學、醫學、生產、企業組織、交通、音樂、舞蹈、藝術，以至服裝時尚等等多方面的突飛猛進或變遷流轉，簡直多得無法計算。如果我們以人的平均壽命作為一個重要的文明指標，在科技先進的國家中，從美國、西歐多國到亞洲的日本，大體上都已從一九〇〇年的四十多歲增高到一九九〇年的七、八十歲。僅從這一方面來說，我們不能不承認二十世紀真是人類最好的時代。

但是換一個角度看，二十世紀整個人類所經歷的苦難也是空前的。在本世紀的上半葉中，便發生了兩次世界大戰；第二次世界大戰更是屬於所謂的「總體戰爭」。據本書的估計，這場戰爭中，平民死亡有五千萬人，士兵則是一千五百萬人。但是我覺得這個估計也許還偏低，對中國平民和士兵的死亡數字未必準確。因為本書中〈總體戰爭〉一文的作者有一點西方中心論的傾向，把第二次世界大戰的時間上限定在一九三九年，這是歐洲大戰的開始。但更嚴格地說，第二次世界大戰是從一九三七年日本侵華開始的，至少要推前兩年。除了世界大戰之外，革命也是二十世紀的苦難根源之一，尤其是在俄國和中國所發生的革命。今天俄國已公開了前蘇聯時代的檔案，列寧所領導的暴力革命，其殘酷是以前所無法想像的。今天西方的冷戰雖告結束，但「文明衝突」卻又有待之而起的趨勢，暴力恐怖正在多處氾濫。人類的苦難仍在加深，而不是減輕了。本書曾提供了一些世界各地的難民人數：在一九八〇年，非洲是兩百六十萬人，亞洲是兩百一十萬人，中東是一百八十萬人。但在一九九一年，非洲已增至五百三十萬、亞洲四百七十萬、中東五百七十萬。在十年之中，難民人數是兩倍到三倍的激增。這樣看來，二十世紀又是人類有史以來最壞的時代了。

但無論是最好還是最壞，我們生活在二十世紀即將結束的前夕，都必須對這一個世紀的全貌有一番清楚的認識和理解。從好的一方面說，我們知道了二十世紀的一切正面成就，便可以在以往的業績上繼續努力，把人類文明推向更高的層面。從壞的一方面說，我們更應該對人類的愚昧、執著、偏狹等進行深刻而系統的反思，以為進入二十一世紀的精神準備。這部《OUR TIMES: 20世紀史》的重大價值便在這裡充分顯現出來了。

這是一部經緯萬端、交織而成的二十世紀文明史，其中包括了我們的成功，也包括了我們的失敗。今天是一個知識爆炸的時代，我們的生活的每一角落都離不開正確而相關的知識的指引；「盲人騎瞎馬，夜半臨深池」的危險是絕不能重蹈的了。中國人在這一世紀中所遭遇的特別痛苦和挫折，基本上都是從知識不足而來。我們讀了本書，不能不發生一個很痛心的感慨：在整個二十世紀的漫長過程中，中國人在文明方面的積極貢獻上竟然交了白卷。在有關中國的部分，我們讀到的主要是戰禍、混亂、破壞。只有在極權主義的建立、成長和解體這一方面，中國曾扮演過重要的角色。此外，似乎是一片空白。即使像美洲黑人在音樂方面的成就、在全面爭取公民權益上的努力，中國人也遠遠落在後面。這是不能不引起中國人的警惕的。

這部壯麗的二十世紀文明圖像囊括了無數重要的史實——這是它的「緯」的部分。這些史實，從政治制度、經濟發展、文化流變、科技發明到日常人生，都和我們今天的實際生活密切相關。所以本書並不是無數不相涉的事實的堆砌，而是文明全貌的整體呈現。但是本書在「經」的一方面則由十篇「塑造本世紀的思想」構成的。這十篇文章的執筆者都是最有權威的專家，有些並且是各階段思想的參與者和領導者。每一個十年便有一篇鉤示提要的論文揭出其最具代表性的文明趨向。它始於佛洛伊德的「潛意識之謎」，終於「自由冉冉升起——民主的挑戰」，中間有極權主義的興起、電子革命、環保主義的抬頭等，都是本世紀文明的重要里程碑。以此十篇為「經」，本書無數的「緯」便一一綱舉目張，各有統屬了。

這個譯本是中國讀者人人必備的參考書。

（原載《中國時報》，一九九八年十二月十三日）

民族主義取代了民主嗎？——「六四」十年的反思

「六四」今年是十週年，除了中國大陸以外，世界各地都有紀念這個日子的活動。美國尤其熱鬧，我所看到的報紙雜誌已有多起，最重要的是《紐約時報》、《週末雜誌》和著名的《紐約客》（*The New Yorker*）等，五月三十日晚間美國廣播公司（ABC）和CNN兩家電視台都播出了特製節目。幾天來又陸續有更多的報導和評論。

關於「六四」的意義和歷史功能，我以前早已多次談過，現在不想重複。看了今天中外輿論的趨向，我願意針對眼前的現實說一點簡短的感想。

最近中國大陸因為抗議北約轟炸南斯拉夫中共使館的事件，爆發了民族主義的憤怒。北京、上海、成都、廣州等各大城市都有以青年學生為首的大規模遊行，和包圍與攻擊美國使領館的激烈行動。海外的輿論界因此而出現了一個說法，特別是在華人社群之間，即認為中國的人心已經轉向了，從八〇年代的親西方，變成了今天的反西方，美國更是第一號的敵人。青年學生也走向了「六四」前後的反面，從反抗中共政權轉為積極擁護中共。他們已不再相信西方的價值如民主、自由、人權之類。相反地，他們終於選擇了「亞洲價值」或「中國價值」，一切以國家民族集體的尊嚴和榮譽為重，唾棄了源出西方的「個人主義」。

這個說法在海外華人之中十分流行，幾乎是眾口一辭。我彷彿又聽到了毛澤東一九四九年十月一日在天安門上所喊出的響亮口號：「中國人民站起來了！」

北約炸中共使館的事件（無論怎樣解釋）是荒謬絕倫的行動；民族、國家的尊嚴也是沒有人能夠不同情的。這些基本事實和原則引不起任何嚴重的爭議。但是如果說今天的民族主義已徹底否定了十年前的「六四」，或更進一步認為大陸上的中國人已普遍有了「今是而昨非」的大徹大悟，則至少我個人是不能不抱深刻的懷疑的。使我懷疑的理由十分簡單：我還沒有看到可以接受這個看法的證據。

談到這裡，一定有人會反駁：「你沒有在電視上看到那麼多的青年學生在各大城遊行示威時的憤怒表情嗎？你沒有看見那麼多反西方、反美的布條嗎？你沒有在報上讀到各地群眾包圍使領館、砸毀外國人汽車、焚燒房屋的壯舉嗎？這些豈不都是活生生的證據嗎？」

但是抱歉得很，從研究歷史的角度看，這些表現不但不足以構成嚴格意義上的「證據」，而且還有「反證」的嫌疑。因為它們恰恰和「文革」時期的遊行示威是屬於同一類的。這和一九八九年天安門前的學生運動是完全相反的。「六四」的學生行動是純粹自動自發的，是我們親見它一天一天發展起來，所以高潮迭起，意外很多，沒有人能預測它走向何處。這次各大城的群眾行動則同起同落，口號、標語、動作全是一個模子裡印出來的。以最近，特別是今年，中共對學生集體活動防範之嚴、監視之密，而竟然能井井有條地出現這些大規模的遊行示威，並且在每一個使館前面都恰好有那麼多的磚石可供攻擊之用，這究竟是什麼性質的「群眾運動」已不問可知。年紀大一點的中國人大概都記得，一九七六年「四五」天安門事件後，所謂「四人幫」曾組織過大規模「打倒鄧小平」示威，北京、上海等大城市都有百萬人參加，每一參加者在電視鏡頭前面都顯出一副義憤填胸的樣子。但半年以後，「四人幫」倒了，又是同樣一批的示威群眾作完全相同的演出。今天我們所看到的所謂學生示威遊行，正是一九七六年那些運動的「具體而微」。因為時代變了，控制和操縱的力量也大為減弱了，「具體而微」是無可奈何的事。

所以我要說：剛剛出現的民族主義的激烈表演不能成為大陸上中國人已完全放棄了民主的證據。這是因為參加遊行的人究竟有多少是自動自發的，我們是無法判斷的。相反的，一切跡象都顯示：這些遊行的後面是有人導演和組織的。我說「六四」天安門的民主運動是自動自發的，這次的遊行則不像是如此。我有什麼根據說這句話呢？我又有什麼證據呢？「六四」的自動自發是早已證實了的。中共在八九年鎮壓時期便曾一再說它後面有「外國勢力」，但經過幾次「審判」，送了無數參加者入獄，卻至今拿不出一絲一毫證據來支持這個論斷。一個極權政權，一切得心應手，竟不能找到「六四」有任何背景，這便十足證明了「六四」是青年學生自由意志的自由表現，其他社會上無數參與者也都出於自動，出於良知的不容已。至於這次遊行示威，我們眼前當然還不能到中共統治下的大陸去搜求「證據」，五年、十年或更長的時間內，證據是必然會出現的。但是我雖未掌握到「證據」，根據卻是極其堅強的。

我只用舉出一個絕對性的原則，便可以徹底答覆這個問題了。古今中外一切自動自發的群眾集體抗議活動，尤其是以青年學生為主體的運動，都是首先針對著政府而來的。中國史上學生運動發生最早，東漢便有太學生反宦官的大運動，宋代也有陳東等領導的抗金運動，現代更有康有為「公車上書」和更著名的「五四」等。其對象無一不是政府。或者由於政府太腐敗、太不公平，或者因為政府對侵略的外敵太軟弱。六〇年代從美國到歐洲各地的「反越戰」、「反殖民」運動都完全是學生們自己發動的，抗議本國政府「帝國主義」、「殖民主義」之類的霸道行為。最近印尼學生民主運動逼蘇哈托下台也是反政府的收穫。在歷史上從來沒有青年學生忽然自動自發地掀起大規模運動以擁護政府的政策的。相反的，凡是學生運動或群眾運動，專以擁護政府或執政黨為目的者，無一不是由政府或黨在後面操縱的結果。在二十世紀史上，以群眾運動的方式擁戴執政集團的政策，最著名的有納粹德國、軍國主義時期的日本、法西斯的意大利和毛澤東時期的中國大陸。這是極權政治或專制政治的最大特徵之一，根據這一絕對性原則，這次大陸上學生示威遊行的本質便再也無從掩飾了。中共利用民族主義情緒反美、反西方以爭取在國際政治上的主動性，抵銷「人權」問題的干擾，遠遠走在青年學生的前面，學生們的一切要求都是政府和黨早已實踐了的，他們有什麼理由再去組織大規模的遊行示威呢？

在「六四」十週年的紀念日子裡，我鄭重提議對於這一重大的歷史事件採取嚴肅的態度，無論多少個別的人今天對民主和中共政權是否已調整了看法，我們似乎不應忘記，至少在八九年「六四」前後的一段相當長的時期內，我們都曾在精神上受到巨大的震動。這幾天看到美國電視上重播當時實況的鏡頭，至少我個人的感受還是和十年前一樣。「六四」的「成敗」是一回事，其「是非」則在十年前已有全世界的公論，我敢斷言是永遠不可能改變的。「六四」之後中共再也不敢談政治改革的話，轉而以全副精神去引進外資，發展所謂「社會主義市場經濟」，許多海外的華人特別是台灣、香港的商人，都因此發了財。發財本身不是壞事，不過我們不能不承認這是發「六四」財。好幾萬大陸來美的留學生都因此得到了「綠卡」，可以持之自由出入於美國與大陸之間。因此也有不少人後來「發跡」了，這也是發「六四」跡。但「六四」是用鮮血換來的，當時被屠殺的學生和普通群眾究竟有多少，至今仍是一個謎，少則數百，多到逾千，大概是不成問題的。最近我收到死難家屬的訪問錄音，其中便有我的一位至親，她的十九歲的獨生子便被殺死在東長安街口。現在有人批評當時幾位學生領袖，說他們今天能在美國發展自己的事業是用死難者的血換來的。我想不出世間還有比這個批評更不公道的了。這些領袖們我都很熟悉，深知他們都還在奮鬥的階段，而且並沒有忘卻初衷，不過想另走一條迂迴的道路去促進中國的民主化罷了。比起那無數發「六四」財、發「六四」跡的人們，他們連「小巫」見「大巫」也說不上。我們的批評家真可以說是「明察秋毫而不見輿薪」了。

但是不少發財、發跡的人今天都變成了大義凜然的民族主義者；他們異口同聲地譴責西方價值，說民主、人權不合中國的民族性。「十年河東轉河西」，他們今天都是李光耀主義者了。

民族主義確是一股主要的原動力，對於處於弱勢的國家和民族，它尤其是不可少的精神屏障。但民族主義的目的何在？簡單地說，它是為了爭取每一個民族國家在國際社會中的尊嚴、自由、平等和主權不受侵犯。明白了這個簡單的道理，我們便認識到它不折不扣是民主原則的引申，在一國之內，每一個個人的尊嚴、自由、平等和人權不容侵犯，這是民主的最原始的涵義。在以國家為單位的國際社會中，同樣的民主原則也必須遵守不渝，尊嚴、平等、自由的概念照舊不變，只是用之於個人的「人權」在國家只能改稱為「主權」，因為「主權」便是「國權」。威爾遜總統的「民族自決」便明明是民主原則的延伸，它的原型是「個人自主」。這裡只有個體與集體之別，從以個人為本位的社會到以國家或民族為本位的國際社會，都只能建立在民主的原則之上。

我不相信大多數中國人今天已放棄追求了一百多年的民主原則。民主自然不是唯一的價值，也不是最高價值。相反的，民主只是最低限度的社會構成原則，像考試制度一樣，它是公平的起碼保證。說大陸上中國人放棄了民主，就等於說：他們每一個人都願意在不公平的狀態下生活。對於少數有權有錢的人不公平當然是可取的，但大多數無錢無權的老百姓呢？難道他們都願意被人蹂躪踐踏麼？我們不妨讓未來的歷史去答覆這個問題。

從中國近代史觀察，民主運動是一個長期的接力賽，一波接著一波。「六四」也是其中的一波，然而是非常壯闊的一波。十年前天安門廣場上的無數人群，無論是領袖還是群眾，無論是生者還是死者，當時都接過了民主的火炬，並且跑完了他們能跑的路程。以後將不斷有繼起者接著火炬再跑。事實上火盡薪傳，民主的火炬從來沒有熄滅過。

最近十幾年的歷史告訴我們：民主運動是和暴力絕緣的。八九民運便是以請願和靜坐的方式出現的，台灣的民主化過程，還有菲律賓和印尼的經驗也是如此，東歐和蘇聯極權體制的崩解則明顯地受到了「六四」的感染，基本上沒有流血，以和平理性的方法爭取民主，這是「六四」留給二十一世紀中國人的一筆最珍貴的遺產。

（原載《聯合報》，一九九九年六月三日）

讓一部分人在精神上先富起來！

一十九稘初告終，摶摶員地趨大同。神機捭闔縱變化，爭存物競誰相雄？大哉培根氏告我，即物觀道冥緯洪。（中略）三皇五帝各垂法，所當時可皆為功。蚩蚩之氓俾自治，奚翅洲渚浮艤艟。及其已過尚墨守，無益轉使百弊叢。矧今天意存混合，殊俗異種終棣通。是時開關用古始，何異毛毳當爐烘。履而後艱常智耳，如懲弗毖寧非懵，四百兆民皆異種，卒使奴隸嗟神恫！所以百千萬志士，爭持建鼓撾頑聾。賢愚度量幾相越，聽者一一褎耳充。膠膠擾擾何時已，新舊兩黨方相攻。（下略）

——嚴復〈贈熊季廉〉

上面所引的是嚴復在一九〇一年寫的一首七古。因為原詩太長，我不得不稍作一點刪略，但原詩的主要旨意都已包括在上引的二十六句之中了。我不想為此詩作註釋，因為原詩並不難解。我只想借它起興，說一說我對於二十世紀終結的感受，以答《二十一世紀》編者殷勤下問的盛意。

中國人有「世紀」的觀念當然是二十世紀以後的事。嚴復寫此詩時其實心中仍然是用光緒紀年。但由於他是「西學鉅子」，這才意識到「十九世紀」已經「告終」了。當時中國顯然還未流行「世紀」一詞，因此他選了這個典雅的「稘」字來譯「century」。事實上，「稘」字原義並不是百年，不過由於「稘」通於「期」，註經家解「期」常有作「百年」者（如「期頤」百歲之人），嚴復轉彎抹角想到了它。可見他所說的「一名之立，旬月踟躕」，確是毫無誇張的自白。從中國文字學的嚴格意義上說，「稘」字自然遠比「世紀」為正確。但約定俗成之後，「世紀」大概已無可變了。從這一個字上，我們也不免發生一種感想：嚴復提倡的「進化論」震動了整個中國，幾乎籠罩了全部二十「稘」的中國思想界。然而就每一具體的中國事物而言，「變化」是不是都等於「進化」呢？「稘」為「世紀」所取代這一微不足道的小事因此卻富於極不尋常的象徵意義。它在新舊「稘」交替的今天為中國人提供了一個「反思」的起點。

從一個字轉到嚴詩的本身，我們的感慨便更深了。除了「四百兆民」今天應該加三倍，千真萬確地證明了「進化」之外，其餘幾乎原封不動，句句都可以移作今天中國的寫照。嚴復在當時是一位最熱心推動「改革」和「開放」的知識界領袖，全詩講的便是這兩件大事。和許多同時代的人一樣，嚴復對世界走向「大同」、「混合」似乎深信不疑。一百年後的今天，「大同」、「混合」的語言差不多已絕跡了，代之而起的是「多元文化」以至「文明衝突」。這好像是今昔的一個重大的異點。但是換一個角度看，又不盡然。由於一百年來科技的驚人發展，特別是八〇年代以來的電子革命，再加上市場經濟全球化的無孔不入，這個世界雖未進入「大同」，卻縮小成一個「地球村」了。最近有一位電子專家格萊克（James Gierek）說得最傳神：[1]

> 「我們大家都連在一起」，乃是一家電話公司的廣告文案，但也已是這十年來的真實寫照。從柏林圍牆倒塌到天安門事件等政治動盪不再只單單是歷史：除了電視和傳真相輔相成外，資訊與願望的全球分享使得暴政即使不會馬上過時，至少也無法逞其花言巧語。

從這個視點看，今天的世界仍然是嚴復的世界的延續。他在詩中所特別提到的培根（Francis Bacon），正是最早預見到科技足以根本改變世界的近代先知。中國已不可能孤立於科技所主宰的現代世界之外，這也是嚴詩中鄭重傳達的一個意思。

回顧二十世紀的歷史足跡，我們的視線自然不能僅僅停留在中國一地。這裡我要略提一提上面引過的《Our Times: 20世紀史》那本書。這是由美國一家大出版公司，集合了歷史界

1 龐君豪主編：《Our Times: 20世紀史》（貓頭鷹出版社，一九九八），頁五八四。

的名家為指導顧問，再加上由作家、編輯、研究人員、美術家等組成的一支龐大隊伍，精心撰寫而成的。英文原版刊於一九九五年，其目的便是要以圖文並茂的方式，呈現出二十世紀人類文明的全貌。這部書以十年為一單元，另請最有權威的專家撰寫一篇精簡的論文，把每一個十年中最有代表性的文化趨向及其意義概括出來。例如第一個十年是弗洛伊德（Sigmund Freud）的「潛意識之謎」、三〇年代的「極權主義」、七〇年代的「環保」、八〇年代的「電子革命」等。全書不但記述了文明的正面成就，也暴露了人類的愚昧和偏狹及隨之而來的無數災難，如兩次世界大戰和革命暴力便是顯例。

我不是說，這本書已成學術性的經典，字字都是珠璣。恰恰相反，這不過是一部資料性質的參考書，再過兩、三年，也許便無人問津了。但此時卻恰好為我們回顧二十世紀的歷史提供了最大的便利。

我讀了這部資料書，不能不發生一個很深的感慨。在這本書中，二十世紀中國只有在戰禍、混亂、破壞的記述中佔著很可觀的世界地位，也在極權主義的興起和衰落過程中扮演著重要的角色。然而在文明發展的部分，無論是科學、文學、藝術、宗教、思想、音樂、舞蹈等等，中國竟完全交了白卷。但中國千真萬確是一個古老而又悠久的文明，擁有過商、周銅器藝術、魏晉以下的繪畫、《詩經》、《楚辭》、唐宋詩詞、先秦諸子、禪宗、宋明理學……。為什麼進入二十世紀以後，在整整百年之中，中國的人文精神竟如此一蹶不振呢？我曾聽到不少人說，二十一世紀中國即將成為科技大國，因為中國人既聰明，又靈巧，特別在技術方面確實具有無窮的潛力。我沒有理由懷疑這一說法，而且已有不少事實在支持著這個推斷。但是我總想問一個問題：即使這一天到來了，中國人便真的感到完全滿足了嗎？科技徹頭徹尾是西方文化的產品，而且毫無可疑是從一種更高的精神境界中轉出來的。難道中國人百年以來追求的僅僅是魏源所謂「師夷之長技以制夷」這一件事嗎？

在世紀末的今天，中國的精神貧困更遠在物質貧困之上，這已是無可爭辯的事實。眼前正轟動著中國大陸和整個世界的所謂「法輪功」事件便是活生生的例證。我不想、也沒有資格去評論這件事，但如果說這個現象足以證明中國人有一股要求填補精神空虛的強烈欲望，大概是不成問題的。其實此事由來已久，八〇年代初的「特異功能」和「氣功」的大行其道早已為今天的局面奠定了基礎。真要理解像法輪功及其同類新民間信仰的氾濫，還有以《易經》為中心的種種「醫、卜、星、相」的再生，我們恐怕還得參考蘇聯解體前後俄國的一般思想狀態。一九九四年以研究歐洲中古文化史著名的俄國史學家古烈維奇（Aaron I. Gurevich）指出：[2]

> 官方意識形態長期壓抑下俄國民間文化的多層積澱，在極權體制崩潰之後，突然爆發了出來。無論是政客、史學家、學人對此都毫無心理準備。與此同時，數十年來宰制了史學思維的馬克思主義史學完全失去了信用，留下來的則是一片「哲學空白」

---

2 Aaron I. Gurevich, "The Double Responsibility of the Historian", in *The Social Responsibility of the Historian*, ed. François Bédarida (Oxford: Berghahn Book, 1994), 65-66。

（philosophical void）。而填補這一大片空白的便是神秘主義、「怪力亂神」（occultism），以至侵略性的沙文主義等等現成的東西。

幾年前我初讀此文便印象很深，今天我更感到中國精神的貧困還遠在俄國之上，因為俄國在極權時代仍存在著東正教的根荄，更重要的是文學的反抗傳統始終不絕如縷，有一些作家和詩人即使在斯大林恐怖統治下，也不肯在思想上作一絲一毫的妥協。我們只要一讀柏林（Isaiah Berlin）的那篇訪談錄便可見其大概。[3]這和中國大陸從一九四九年起知識人全部「閉口休談作啞羊」或「文章唯是頌陶唐」（陳寅恪一九五三年詩句）相去何止萬里，八〇年代雖有一段短暫的「春天」，但不久又進入嚴冬。九〇年代以來「作啞羊」、「頌陶唐」的流風餘韻基本上又復活了。不過時移世易之後，頌聲已加上層層古今包裝，從「三後」到「三代」無不盡有，如此而已。即使眼前沒有人能看得穿或願意戳破，但將來陵谷變遷（這是必然的），後世必有能辨之者。在這種情況下，中國的精神貧困豈能不日益加深？

參加「法輪功」一類活動的人自黨幹部、知識分子，至下崗人員、普通老百姓，幾乎應有盡有，人數之眾多更令人難以置信。如果再加上地下的基督教信徒之類，則今天中國一般人民的精神饑渴所達到的深度和廣度，真可謂史無前例了。精神饑渴只有精神食糧才能解救。在過去，這是儒、釋、道三教所負擔的任務。今天姑不論支離破碎的三教已自顧不暇，即使完整，恐怕也不足以應付這全新的精神危機。知識分子雖然「洋話語」五色斑斕，但這種局勢卻不是花言巧語所能化解得了的。那麼，嚴刑峻法可以奏功嗎？我們不妨略略翻閱一

下《宋刑統》和《宋會要輯稿・刑法》諸卷中關於禁止「吃菜事魔」的「妖教」的立法。但南宋初已有人指出：[4]

伏見兩浙州縣，有喫菜事魔之俗。方臘以前，法禁尚寬，而事魔之俗猶未至於甚熾。方臘之後，法禁愈嚴，而事魔之俗愈不可勝禁。州縣之吏，平居坐視，一切不問則已，間有貪功或畏事者，稍蹤迹之，則一方之地，流血積屍，至於廬舍積聚，山林雞犬之屬，焚燒殺戮，靡有孑遺。自方臘之平，至今十餘年間，不幸而死者，不知幾千萬人矣。

方臘曾經是大陸史學界的「起義英雄」，大家對這一段史事應該耳熟能詳。值得指出的是，在方臘之亂（一一二二）之前的十幾年間正是「黨禁」嚴厲風行的時期，「諸邪說詖行非先聖賢之書，及元祐學術政事，並勿施用」。史學之書和三蘇、秦觀、黃庭堅的文集都毀

3 Isaiah Berlin, "Meetings with Russian Writers in 1945 and 1956", in *Personal Impressions* (London: Pimlico, 1998), 198-254. 關於柏林和這些作家訪談的內幕和後果，現在可看Michael Ignatieff, *Isaiah Berlin: A Life* (London: Chatto & Winds, 1998), 135-69。

4 李心傳：《建炎以來繫年要錄》，卷七十六，紹興四年丑月癸五條（中華書局，一九五六），頁一二四六。

板不許刊行，甚至「以元祐學術政事聚徒傳授者，委監司察舉，必罰無赦」。[5]所以那也恰好是一個精神最貧困的時代。

我已說，對於「法輪功」事件本身，我不想置評。以上所說都只是環繞著「精神貧困」的主題。今天（一九九九年十一月六日）我在《紐約時報》讀到一篇報導，標題赫然是：〈現在中國說：國家命運全靠擊潰法輪功〉，其來源是《人民日報》十一月五日的頭版評論。這便更證實了我的論點。幾千萬甚至上億的老百姓都在追求這樣或那樣的超世間的「天國」，這只能說明他們受「精神貧困」的困擾至少不在「經濟貧困」之下，甚且過之。近年來，一位以人王而兼教主的「新儒宗」提倡「亞洲價值論」，其要義包括：「穿衣吃飯」是第一「天理」（或「人權」）；亞洲人民要權威不要自由等等。其說創闢，石破天驚，不但震動世界，而且風行中國大陸，進入官方「人權」文獻。[6]孰料如此偉論今竟無意中為「法輪功」所破，不免掃興。

但是我卻由此而得到了一個靈感：物質貧困既然可以通過「讓一部分人先富起來」獲得解決，那麼精神貧困是不是也應該如法炮製，即「讓一部分人在精神上先富起來」？也許有人會駁斥我：「這豈不是在提倡精神貴族麼？」我說不然。在經濟上「先富起來」的已不在少數，但到現在為止，還沒有聽到有誰指責他們是復了辟的「資本家」，為什麼「在精神上先富起來」的人便一定會變成「精神貴族」呢？

「讓一部分人在精神上先富起來」當然必須具備一定的先決條件。大體說來，有客觀條件和主觀條件兩類。經濟上一部分人先富起來的客觀條件是市場機制，無論是姓「社」姓

「資」都不相干，市場必須具有一定程度的開放和自由競爭，否則它便死了。精神上一部分人先富起來也離不開一個「思想的市場」（西方現稱之為「market of ideas」），這個市場也同樣必須有最低限度的「開放」與「自由競爭」的保證。這便是通常所謂「言論自由」、「出版自由」。主觀條件則更為困難，其關鍵端在有沒有一部分人能建立起譚嗣同、梁啟超、章炳麟以來所大力提倡的「個人自主」。陳獨秀在「五四」前夕說得最清楚，這是「尊重個人獨立自主的人格」。[7]把「個人自主」應用到學術和思想的領域內，在西方大致可以韋伯（Max Weber）〈科學作為一種志業〉中所表達的態度為代表，其核心只是「知識的真誠」（intellectual integrity）。但其中有一段話值得介紹。他說：[8]

> 一個有用的教師的主要任務是教他的學生認識那些「不方便」的事實——也就是對他們的黨派意見不方便的事實。相對於每一個黨派的意見都有許多極不方便的事實，對於我自己的意見或別人的意見，都是如此。我相信，如果教師能迫使他的聽眾習慣於這一類事實的存在，他所完成的已不止是一種知識上的任務。我甚至可以毫不謙遜地說：這

5 均見《宋史．徽宗紀一》（中華書局，一九七七），頁三六六、三六八。

6 可看Information Office of the State Council, *Human Rights in China* (Beijing: Foreign Language Press, 1991)。

7 陳獨秀：〈一九一六年〉，《青年雜誌》，第一卷第五期，頁三。

8 Max Weber, "Science as a Vocation", in *From Max Weber: Essays in Sociology*, trans. and ed. H. H. Gerth and C. Wright Mills (New York: Oxford University Press, 1946), 147.

是一種「道德的成就」。

敢於為求真實、說真話而不計一切後果，這是「在精神上先富起來」所不可或缺的主觀條件。其實這種精神並不用向西方搬取。孟子稱之為「大丈夫」的三個條件——「貧賤不能移，富貴不能淫，威武不能屈」——用於開拓精神資源上，便和韋伯所謂「道德的成就」基本一致。《中庸》記孔子論「強」有「和而不流」、「中立而不倚」、「國有道，不變塞焉」、「國無道，至死不變」諸語，又何嘗不是「個人自主」的最有力的詮釋？現代中國知識分子人人都知道這些道理，只不過「知及之仁不足以守之，雖得之，必失之」罷了。但我們現在談的是「一部分人」，是「創造少數」。而且近年來經過發掘，使我們確知，即使在現代最「無道」的時期，知識分子中也仍然存在著這樣的典型。這就夠使我們有信心了。

嚴復詩中「所以百千萬志士，爭持建鼓撾頑聾」，便是當時「在精神上先富起來」的「一部分人」。可惜整個二十世紀的暴虐和無道耗盡了中國的精神財富。我們要想在二十一世紀重建新的精神財富，幾乎一無憑藉，一切都要重頭做起，這確是一個長期而艱苦的進程。然而除此已別無他途。所以我只能用「讓一部分人在精神上先富起來」這句話，作為我對於二十一世紀中國的獻詞！

（原載《二十一世紀》第五十六期，一九九九年十二月）

說「勝殘去暴」

——「千禧世紀」人類的新使命

「千禧世紀」是一千年才有一次的新紀元，全世界好像都在熱烈的期待之中。其實這是以假定的耶穌生年為根據而推算出來的。事實上，我們並不知道耶穌是哪年出世的。百年前中國人還沒有「千禧」、「世紀」的概念。嚴復在一九〇一年寫詩，有「一十九稘初告終」之句，這大概是近代中國人最早使用耶穌紀年的例子，這個典雅的「稘」字便是「世紀」的前身。中華民國四年（一九一五）胡適初倡「文學革命」的一首長詩中已有「再拜迎入新世紀」的說法，可見「世紀」的名詞在十四年後已經普遍流行了。我並沒有「考據癖」，上面這一段話只是為了表達一個簡單的意思：我們不必把「千禧世紀」看得太嚴重，以致引起不必要的心理緊張。紀年無妨從眾，但面對所謂「千禧世紀」，保持「平常心」還是很重要的。

二十一世紀將是二十世紀的延續，絕不會因為一九九九的數字變為二〇〇〇即「萬象更新」，這是可以斷言的。我們如果想對新世紀有所期待，必須回顧一下本世紀中人類種下了一些什麼因。人類集體造成的種種「共業」常常產生出巨大的內在動力，積成各式各樣的趨勢，短期之內是不容易改變的。就正面的成就說，二十世紀科學和技術的發展已達到了「奪天地造化」的境界。十九世紀末中國人已震驚於西方的科技文明，但那個時代的所謂聲、光、電、化和今天的太空發展、電子革命、生命科學等比較起來真是「小巫見大巫」了。科技不是孤立的，它迅速地滲入我們日常生活的每一角落，向傳統的社會組織、人際關係、價值系統等挑戰。事實上，許多新興的科技將給人類文化帶來什麼樣的長期後果，我們現在還無法推測，更不必說怎樣去調整文化以消解它的衝擊了。科技發展的內在動力，再加上它的巨大實用性，保證了它的輝煌前景。在下個世紀，無論是基本科學研究或實用技術改進，都將加速度地日新月異，這也是勢所必至。因此科技發展對於人類生活方式的挑戰勢必愈來愈深化，也愈來愈普遍。

二十世紀人類在征服自然方面雖然取得了驚天動地的成就，但在克服自己方面卻似乎很少進展。最近我在美國電視上聽到好幾位知識界的領袖談「新千禧、新世紀」的展望，其中有政治學者、物理學家、文學家、生物學家等，他們幾乎異口同聲表達了上述的隱憂。二十世紀人類精神的發展是不平衡的，我們的太空航行已能遠達火星，但在地球上我們最常見到的依然是以殘暴來解決人群之間的衝突。這是他們的一個主要論點。

說到殘暴，二十世紀的紀錄在人類歷史上斷然是空前的。撇開無數局部性的互相殘殺不說，僅僅在上半葉的三十年之內便發生了兩次世界大戰。所以除科技的成就之外，暴力構成了二十世紀另一最顯著的負面特色。但過去百年中的暴力與以前的表現方式又大有不同，不但規模浩大，而且組織嚴密。無論是日本、德國的侵略戰爭或從俄國開始的「世界革命」都具有這兩大特徵。戰爭與革命的後果是殺人盈野，然而最初發動戰爭與革命的少數核心分子——所謂領袖——卻一點也不衝動。他們用最冷酷的理智，作最精密的策劃，然後撩撥起一大批合乎他們政治需要的群眾的激情，巨大的暴力便是這樣被納入組織的軌道。二十世紀人性的殘忍在這裡暴露得再徹底也沒有了。

這股有組織的暴力既經形成之後，是不會在短期內突然自動消失的。像科技一樣，它內在的動力——保住由暴力奪到的大權——也仍然在推動著它尋求各種延續的途徑。我們都知道，二十世紀有組織的暴力最早是寄託在兩型極權主義上面：列寧、史達林的共產運動和希特勒的納粹運動。今天這兩型極權主義在歐洲已崩解了，但暴力本身仍表現出強勁的生命力，到處借屍還魂。南斯拉夫的民族大清洗和俄羅斯極端民族主義的抬頭，都是眼前的例子。西方的暴力也刺激了伊斯蘭基本教義派的暴力意識與活動。在世紀末的今天，暴力衝突正在全世界範圍內轟轟烈烈地上演，我們不可能想像這股勢頭能在進入二十一世紀後很快被遏止住。

二十世紀的中國尤其不幸，在侵略暴力的摧殘之後，緊接著便受到「革命」暴力的蹂躪，至今已整整半個世紀。從這個特殊角度看，我們可以說中國在過去一百年中經歷了一個徹底暴力化的過程。以暴力奪得的權力必須靠暴力才能維持下去，因此大權在握的人也變得愈來愈凶暴、殘忍、冷酷。由於上行下效的緣故，甚至僅擁有小權的人也不得不把人性的陰暗面發揮得淋漓盡致。中國的暴力現在也找到了狂熱的民族主義為新的寄身之所，因此在南斯拉夫中共使館被炸以後，「主權」高於「人權」的呼聲響徹雲霄。從此中共政權便可以理直氣壯地用暴力鎮壓一切人權的思想與活動；大陸上少數自由主義者今天已被逼至絕地，連透氣的地方也沒有了。

西方新自由主義者現在有一個新口號：「殘忍是萬惡之首。」這是一個低調，但卻是針對二十世紀暴力蹂躪人的尊嚴而提出的，確不失為對症下藥。這使我聯想到孔子的一句話：「善人為邦百年亦可以勝殘去殺矣。」孔子生在春秋之世，也正是中國史上暴力大爆發的時代，所以孟子用「邪說暴行有作」來形容它。如果根據二十世紀的現實而對新的「千禧世紀」表達一個最迫切的願望，那麼我希望二十一世紀能成為一個「勝殘去殺」的世紀。

我雖然不得不硬著心腸揭示二十世紀的殘酷現實，但是我並沒有對人性的健康面完全失去信心。要求過一個正常而幸福的生活畢竟是絕大多數人的願望。暴力也不是絕對不能化解或減少的。北愛爾蘭和以色列的和談至少證明崇尚暴力的人終屬少數，雖然這兩處的和平還未完成。列寧、史達林的暴力政權也不過持續了七十五年，這大概也是一切暴力政權的極限。

但「勝殘去殺」又談何容易？孔子的「百年」事後看來顯然是太樂觀了。二十世紀的暴力源遠流長，要化解它絕不是短期內所能辦得到的，而且必須人類共發宏願，更造無數新因。前面曾提到，二十世紀的人長於征服自然而短於克服自己，精神上陷於極端不平衡的狀態。中國古語說：「童子操刀，其傷實多。」二十世紀的人對於自我的認識仍停留在「童子」的階段，但手上「操」的已不是「刀」，而是由高科技所提供的最具毀滅性的武器了。這是現代暴力特別可怕的一個重要原因。這樣看來，人怎樣克服自己，使精神恢復一定程度的平衡，恐怕是「勝殘去暴」的首要條件之一。這是人類在新千禧、新世紀所不容逃避的神聖使命！

（原載《聯合報》，二〇〇〇年一月一日）

「王道」在今天的世界

「王道」理想確是儒家政治思想中一個非常吸引人的觀念。在現在的世界，我們究竟應該怎樣看待這個理想？它應用在今天國內和國際政治，又具有什麼實質的意義？它和西方政治思想能不能互相溝通和互相詮釋？這是我最感興趣的幾個相關的問題。我覺得只有抉破古今中外的藩籬，使它的現代性和普遍性充分顯露出來，「王道」才有可能從一個陳舊的名詞轉化為活的意識。

先從中國的歷史事實說起。漢宣帝早就宣布過：「漢家自有制度，本以霸、王道雜之，奈何純任德教，用周政乎？」漢代是大家公認的「獨尊儒術」的時代。現在漢宣帝說破了歷史真相，原來是王道和霸道混雜的政治制度。而且按之實際，漢代政治的「霸道」成分還遠大於「王道」。所以我曾指出儒家的政治觀念在漢已經過了一個「法家化」的階段。法家重視「力」和「勢」，可以歸於「霸道」的範疇之內。因此漢宣帝才說「霸、王道雜之」。

「霸」字還放在「王」字的前面。這就難怪朱熹要說「千五百年之間……堯、舜、三王、周公、孔子所傳之道，未嘗一日得行於天地之間」了。朱子的「一千五百年」正是從漢代算起的。

但是朱子當時似乎仍然相信，至少表面上要強調，「堯、舜、禹三代」是施行過「王道」的。以我們今天的歷史知識來說，古代是不是有過一個「純任德教」的「王道」時代，恐怕也很難下斷語。

歷史是一回事，理想則是另一回事。中國過去歷史上沒有「王道」的事實並不能減少「王道」作為一個理想的重大價值。柏拉圖的「共和國」也是一個從未實現的理想，但是西方知識界今天仍然不斷在探索它的深奧涵義，並且很多政治思想家想在《共和國》這部經典中尋找種種可能的現代啟示。對於中國的「王道」我們正應該作如是觀。

在二十世紀的中國政治家之中，我們只能承認孫中山先生一人對於「王道」的現代意義有最真切的理解。他在答覆一個俄國革命家的問題時曾說，「中國有一個正統的道德思想，自堯、舜、禹、湯、文、武、周公至孔子而絕。我的思想就是繼承這一個正統的道德思想，來發揚光大。」（戴傳賢《孫文主義之哲學的基礎》所引）孫先生沒有用「王道」兩個字，但是他所說的「正統的道德思想」自然只能指「王道」的理想而言。孫先生受了經學今文派的影響，十分看重《禮記》中的〈禮運〉篇，特別是「大同」的理想。這一理想也就是「王道」的延伸和發展。但是孫中山自己的政治思想的結晶是《三民主義》這部講演紀錄。在《三民主義》中他也隨時隨地試圖把中國的文化傳統，和西方現代的政治、經濟、社會思潮互相印證，但是他的基本概念——民族、民權、民生——則是現代的民族，民權更是西方的，只有「民生」才保存著中國的味道，但內容仍然以討論資本主義、共產主義為主。這個取經正合乎他所說「發揚光大」。所以我認為，《三民主義》是中國「王道」理想的現代版。

說到這裡，我必須先對「王道」一詞在本文中的用法作一澄清。語言隨時代而變遷，今天我們所說的「王道」已與孔子時代的意義有別。春秋時代出現了「霸」的觀念，從此一提起「王」字，我們便會想到「霸道」，「王道」的涵義，也只有和「霸道」對照之下才能充分顯現出來。

但是孔子時代的「王」與「霸」並不是一對完全相反的概念，像「善」與「惡」那樣的兩極化。「霸」即「伯」，原義是家族親戚中年長或輩高者的稱謂。當時是封建社會，周王室東遷後太弱了，已不能行「天子」統一天下的職務，所以由本家或親戚中的長者「伯」共同出面維持一種統合的政治道德秩序。這些本家和親戚都是「諸侯」，是由周王分封的，因此具有合法的身分。他們必須開會來決定大原則，即所謂「盟會」，會後所有參加的諸侯都立誓遵守。但開會時不能不推出一位最有勢力、也最受尊敬的人作「盟主」，今天可稱之為「主席」。這個盟主便叫作「伯」，也就是「霸」。可自歷史起源說，「霸」字全無貶義。否則後來項羽怎麼肯自稱「西楚霸王」呢？漢宣帝又怎麼肯說「漢家……以霸、王道雜之」呢？

在政治思想史上，把「王」和「霸」發展為兩個對照性的——但還不是完全相反的——

概念的人是孟子，他的主要論點是說：「王」以「德」服人，「霸」則以「力」服人。這個說法在中國政治理論上很有貢獻，但同時也不免是「王」與「霸」兩極化的開端。到了宋代理學家手上，兩極化終於完成了。「王」與「霸」的分別便和「理」與「欲」，「公」與「私」，或「善」與「惡」的黑白分明沒有什麼不同了。雖然其間也有少數思想家持異見，但已挽回不了語言的自然趨勢了。《水滸傳》寫「小霸王周通」，這個「霸」字便帶著不好的涵義，是指用橫暴力量欺壓善良人民的意思。所以「小霸王周通」和「西楚霸王」絕不能混為一談。宋以後民間語言中的「霸」字大體上都涵著「強橫」、「不講理」的意味。「胡說霸道」便是至今還活在我們口頭的日常字彙。

「王道」的現代涵義是和「霸道」分不開的，它是「霸道」的對立面。我們很難為「王道」下正面的界說，但是我們不妨從正面著手，即它處處和「霸道」相反。「王道」是儒家思想中一份珍貴的遺產，這是不成問題的。但問題在於：為什麼中國現代學人卻避免用這個名詞呢？我已指出，孫中山「發揚光大」了中國的「王道」精神。然而他也不會用「王道」兩個字來代表他的思想體系。否則他為什麼不能乾脆稱「三民主義」為「王道主義」呢？這裡顯示出一個關鍵性的問題：「王道」至少在字面上受到嚴重的歷史限制。今天我們用「霸」字，絕不會聯想到春秋的「五霸」，但提起「王道」，我們便免不了心中浮起一個高高在上，「君臨天下」的「王」。據我讀最近出版的《鄭孝胥日記》所得的印象，好像日本軍國主義者去侵略中國的時期，曾在東北和華北地區正式宣揚過「大東亞」的「王道」或「東方的王道思想」。手頭已無此《日記》，不能徵引了，也不必徵引。可是「王道」作為一個概念，如置之於今天的語境中，頗有「時代錯誤」的嫌疑。我們今天在精神上應該繼續「發揚光大」「王道」，但在語言層面上也許更應該超越「王道」。日本軍人在五〇年代和四〇年代明明在實行十足的「霸道」，但卻口口聲聲在喊叫「王道」。這件事不能不使我們特別警覺。不過在本文中，我暫時還用「王道」一詞，以遷就習慣。我必須鄭重聲明我的「王道」概念中的「王」字，大概和「仁」字相近，其中絕不指涉一個有「德」的政治領袖。孔子說：「為政以德，譬如北辰，居其所而眾星拱之。」這話合乎傳統中國人想像中的「聖王」，在當時也是一個很美的觀念，但在現代的世界則已完全沒有意義了。宋儒最欣賞孟子所發揮的「王道」理想，即以「仁政」來解釋「王道」。這也是前近代的政治思維，因為「仁政」必假定有一個「仁心、仁術」的「王」在位，由他來向人民「施仁」。因此我也避免用「仁政」。我建議合「王道」與「仁政」為一，再予以轉化，稱之為「仁道」，這才能與世界的普遍政治思潮互通，而又不失其中國特色。「仁道」即「人道」，又與humanity可以互訓。正面我用「王道」兩字，其涵義便是「仁道政治」四字。

為什麼今天大陸以外的中國人會想到提倡「王道」呢？為什麼特別是台灣學術思想界近來發出「王道」的呼籲？這絕不是忽然興發，妙想天開的事，背後必然有迫切的現實。什麼是這個現實呢？

前面已說過，今天一提「王道」，我們一定會想到它的對立面——「霸道」。大家重揭「王道」理想自然是針對著「霸道」的現實。這是毫無可疑的。這個「霸道」便是大陸上的共產黨政權。民國三十八年是中國歷史上天翻地覆的一年，共產黨廢除「中華民國」在一九四四年十月一日（在這之前還用中華民國紀年）。這並不是指國民黨政權為共產黨所取代。政權轉移或朝代更替在歷史上是常常發生的事，不足為異。但是我至今不能忘記在共產黨佔據上海之後的兩、三個月，我第一次讀毛澤東的〈論人民民主專政〉的感受。當時各報都以整版的篇幅刊出這篇文字，等於是中共的「開國宣言」。文章有這兩句令人震動的話：「你們不仁」，「親愛的先生們，正是這樣，我們絕不施仁政。」（文字憑記憶，但自信意思絕不錯。）中國史上無論是怎樣「霸道」的王朝，在開國時期總不免要重申「仁政」的話。這些話也許毫無誠意，開國皇帝也許是偽君子，但是迫於傳統文化的巨大力量和人民的普遍心理，這些門面話總是不可少的。然而對毛澤東「無法無天」的心態，我當時毫無認識。讀到這兩句，我幾乎不知如何反應。毛文中充滿暴力語言，從頭到尾是一片殺伐之氣。今天回頭來看，我才認識到這代表了一個徹頭徹尾「霸道」政權的精神。

但這個「霸道」政權並不是中國文化的產物，中共極權統治出於蘇聯「斯大林體制」，這是許多大陸知識分子近來公開指出的。我讀了派譜斯（Richard Pipes）兩巨冊的《蘇聯帝國興衰史》，「斯大林體制」之說完全可以證實。如果說其中另有「中國特色」，則是中共黨內的大權至少從延安時代開始已完全掌握在霸道人物之類的人物手中。抱著真正理想參加革命的知識分子，最後都以悲劇收場，最低限度也要「靠邊站」。這個「霸道」政權的本質至今仍沒有改變，只有更厲害了，因為它的本錢比從前更充足了。

另一方面，由於近二十年來的「開放」，大陸的經濟和社會方面確已因市場制度的介入而變得鬆動了。這便引起了外面世界（包括台灣）的一種幻想，以為中共政權本身也開始變化了。除了「極左派」以外，中共領導人好像也不大講「馬列主義」了，甚至還有時和李光耀隔海唱和，「五千年文化」、「中國的人權是吃飯第一」之類的話，也偶然出現在國際場合或在對台灣的「統戰」（其實是「招降」）的文件上。在意識形態上，中共今天已不再能全部依靠「馬列」，因此又轉向「民族意識」，偶爾也不免要在字面上與「中國文化」甚至「儒家」掛鉤（例如「國際儒學聯合會」）。

我很清楚，大陸以外的「華人」很多都抱著善良的願望，認為時機到了，強盜也能「放下屠刀」，中共很可能從「霸道」轉上「王道」的路上來了。我不忍戳破這些天真「華人」的幻想，但是我不能不說，到目前為止，我們還沒看見一絲一毫證據，使我們相信中共在政治上有意作這個轉變。在台灣的中國人由於恐懼之故，更容易對中共發生幻想。這是身家性命相關的大事，恐怕更不能不加倍戒懼。國民黨已兩次在和共產黨打交道中輸得落花流水。再輸一次便斷送了唯一自由地區兩千多萬人的命運了。

今天的「王道」只能是「仁道」，不能寄望於「聖王」、「發善心」。「仁道」是尊重「人」，是把每一個人看作「目的」，而不是「手段」。這個原則和聯合國《人權宣言》是一致的。人權的具體規定可以有民族、國家之間的小差異。美洲和歐洲各國之間的具體人權內容也非完全一律。但大端而言，基本人權是相同的。正如孫中山以「三民主義」發揮二十世紀初的新「王道」一樣，在二十一世紀，「王道」又必須配合世界更新的潮流再作一次全新的調整。

「霸道」是建立在赤裸裸的暴力之上，到了「圖窮匕首見」的關頭，它一定顯露本相。

二十世紀出現了兩大國際「霸道」勢力，即以希特勒為首的右派極權和以斯大林為首的左派極權。屠殺戰爭、鬥爭是二者的共同特徵。現在主流「霸道」都已解體了，但餘波猶在，中共、北韓、越南、南斯拉夫都還在死守「霸道」的殘壘。「王道」的基礎是理性，是人情味，是人道主義。但是發揚「王道」則不能靠天真的善良的意願，而必須以合法、合理的力量作後盾。這個力量主要是自衛的，不是侵略的。世界上並沒有一個純「王道」的國家。如果用中國古代的觀念說，「王道」任「德」，「霸道」用「力」，那麼「王、霸雜之」是今天民主國家的普遍狀態。但這裡「霸」字是原始意義，不涵「凶惡」或「殘暴」的意思。

所以今天的「王道」包涵了兩個重要因素，一是以道理說服人，一是有力量保護自身。只有二者兼備，和平才有真正的保障，在國際上如此，在一國之內也是如此。

一九九九年六月三十日

（原載《文明融合與世界大同論證文集》，台灣中華書局，二〇〇〇）

打開民族主義與民主的百年歷史糾葛

《聯合報》專欄以「回顧百年，前瞻新世紀」為主軸，推出「全球化元年——新世紀、新挑戰、新思維」系列，承編者不遺在遠，約我加入討論。編者給我的題目是「打開民族主義與民主的百年歷史糾葛」。我實無能力，更不敢妄想在短短一文中完成這一莊嚴的任務。幾經考慮，我只能略略提出個人的歷史觀念，疏淺與漏失是不可避免的。這雖是一個歷史性的議題，但鑑往知來之間，終不能與當前中國的現狀全無照應。不過這種照應僅僅是原則性的，不涉及實際人事與政策，只有如此，歷史觀察才能保持其最大限度的客觀性。

在整個二十世紀中，民族獨立和民主都是中國人追求的基本價值，但兩者相較，民族獨立的要求卻比民主的嚮往也不知道要強烈多少倍。這是我們必須首先認清的歷史事實。孫中山的三民主義首標民族主義，其次才是民權主義，這一先後次序便真實地反映了中國人的普遍心理。二十世紀上半葉中國共經歷了三次政權的變更：一九一二年滿清讓位於中華民國；

一九二七至二八的北伐，建立了南京的國民黨政權；和一九四九年中共建立了北京的共產黨政權。我們稍一追究這三次政權移轉的歷史，便不難發現，其原動力無不來自民族主義。不過中國近代史上民族主義的成分相當複雜，不能不稍加分辨。

辛亥革命所憑藉的民族主義是中國傳統的，並不是從西方傳來的，因為它的主要號召力是「排滿」，即推翻滿清征服王朝的統治。所以一九〇二年東京革命派留學生開「支那亡國二百四十二年紀念會」，一九〇五年同盟會誓詞中，民族主義也只是「驅逐韃虜，恢復中華」八個字。當時大概只有孫中山對歐洲的民族主義較有認識，但追隨他革命的人則仍然取傳統的解釋。他們的基本策略是恢復明清之際民族仇恨的記憶——如「揚州十日」、「嘉定三屠」之類，以激動人心。儘管辛亥革命是在「列強瓜分在即」的背景下發展起來的，現代的民族主義意識至少還沒有透顯出來。

北伐時期的民族主義則已是現代的，它所針對的是帝國主義的侵略。一九一九年的「五四」學生運動是現代民族主義在中國的成熟表現；「外抗強權，內除國賊」的口號事實上已為未來的北伐規定了具體的目標。但是北伐時期的民族主義又有其特殊的歷史背景。一九二四年孫中山「聯俄容共」的政策引起了西方列強對改組後的國民黨的疑忌，因而處處阻撓國民黨的革命活動，其中尤以英國人最為囂張，香港殖民政府和上海英租界當局的種種作法等於向中國人展示西方帝國主義的活標本。一九二四年香港政府暗中鼓動廣州「商團」與孫中山的革命政府作對，和一九二五年上海英租界所發生的「五卅事件」，不過是兩個著名的例子而已。所以北伐時期中國民族主義的新高潮是以英國為主要對象而激成的。北伐之所以迅速地取得勝利，民族主義戰的激動是一個不容抹殺的精神要素。

中共政權成立的主要憑藉也是民族主義，我已一再陳述過，不必多費筆墨。這裡只需著重指出，它對民族主義的操縱與利用主要得力於日本的侵略，從西安事變到一九三七年抗戰開始，是中共由脫離困境走向大規模發展游擊根據地的兩大關鍵時刻。一九七二年毛澤東當面向來訪的日本田中首相「感謝皇軍」幫助了他的「革命」，確是脫口而出的一句由衷之言。但是，毛澤東為了凝聚中國人對中共新政權的向心力還必須經過一次重大轉折，即調動中國人百年來對西方帝國主義的憤怒情緒。因此他必須在抗戰結束之後化「反日」為「反美」。這一努力在一九四九年就取得了部分的成功。中共深知中國知識階層受美國文化與教育的影響太大，一時不容易肅清。毛澤東在評《白皮書》中特別提出「民主個人主義者」為批判的對象，即其明證。這樣我們才能懂得毛澤東為什麼會不計一切後果，決心要打韓戰。關於中共參加韓戰，由於前蘇聯檔案一部分已經公開，我們知道其內情是極其複雜的。但這不是本文要討論的問題。我只想指出，毛澤東認清了：只有與美國正式打仗，才能徹底達到全國「反美」的目的。也唯有如此，他的政權才能最大限度地建立在民族意識的基礎之上。五〇年代末期，由於「大躍進」之類的冒進政策招致了重大的危機，他更進一步公開「反蘇修」，再度乞靈於民族主義以解除困境。所以在上述三個政權之中，只有中共對民族主義的運用才達到了最為淋漓盡致的境地。

上面我們以最簡要的方式說明民族主義在二十世紀中國史上所發揮的巨大力量。在這一力量的對比之下，我們才能進一步探討民主在現代中國的命運。民主或民權的概念在十九世紀末葉已傳到中國。最早宣揚這一價值的主要是受儒家文化薰陶但同時又主張改革的知識人，像王韜、郭嵩燾、薛福成等初到歐洲，親見西方民主制度的實際運作之後，幾乎都異口同聲把它和「三代之治」相提並論。早期儒家知識人欣賞民主或民權大致集中在三個方面：第一是政權和平轉移，不必每一次改朝換代便必須經過一場暴力動亂，殺人如麻；第二是人民接受的政治權威是經過自己同意的，這是「民約論」為什麼特別受到晚清學人青睞的根本原因；第三、個人的自主和尊嚴在民主體制下可以受到有效的保障，這裡我必須指出，譚嗣同在《仁學》中便已十分重視「個人之自主」的觀念。民族主義以民族或國家的集體為出發點，所追求的是整個民族或國家的自主；民主或民權則最後必須落實到個人（包括個人的家庭），這便和今天最流行的「人權」觀念分不開了。王韜在英國看到犯人在監獄中所受到的「人的待遇」，曾深受感動，這大概使他聯想到古代關於「畫地為牢」的傳說，在這一點上他實已觸及「人權」問題的核心。然而他並不認為這是西方所獨有的價值，而毋寧把它看作「古已有之」，但卻在西方獲得了實踐而已。這大致是「五四」以前，傳統知識人對於民主或民權的一般看法。孫中山後來在《三民主義》講演錄中仍然表達了這個觀點。

從歷史上看，我們可以說：近代中國人追求民族獨立是和追求個人自主同時起步的，民族主義與民主是一對雙胞胎。援孫中山自述，他最初只有「民族」和「民權」兩個觀念，一八九六至九八在歐洲勾留了兩年，受到社會主義思潮的刺激，才發展出「民生」的思想。而且在「五四」之前，他也是對民主抱著真誠信仰的極少數人之一。儘管如此，民主畢竟沒有像民族主義那樣，在近百年史上展現過真實的威力。不但如此，在上述三個中國政權下，民主的空間和政權依賴民族主義的強度恰成反比例。民國初年的政權建立在一種鬆散的傳統民族意識之上，滿清王朝解體以後，這種意識也隨之消失了。當時幾個主要黨派如北洋軍人官僚派、國民黨（原革命派）和共和黨（原立憲派）都在爭奪高層的權力，對於民間文化和社會力量的發展採取了不聞不問的態度，這是新文化運動（廣義的「五四」）得以持續成長的政治背景。民主觀念在中國知識階層中生根便發生在這一階段。但民主畢竟是個體本位而非集體本位的價值，這是它和民族主義的基本區別之所在。民主只有實現在每一個個人的身上才有真實意義可說。所以「五四」時期的民主觀念是和個人意識的覺醒分不開的。早在一九一六年陳獨秀便已在《青年雜誌》（即《新青年》前身）正月號上，正式揭櫫「尊重個人獨立自主之人格」的大原則，比文學革命還早一年。這篇文字上承譚嗣同（「個人之自主」）、梁啟超（《新民說》之「權利必自個人始」），和章炳麟（「個體為真，團體為幻」），下啟胡適所謂健全的個人主義（「易卜生主義」）。總之，在新文化運動時期，知識人對於民主的認識逐步加深了，也擴大了。民主不僅是一個空洞的政府形式，它提供了一個基本框架，使每一個人的尊嚴、自由、權利等可以得到最低限度的保障。

但在以後的歷史進程中，由於民族主義的集體意識淹沒了個體的價值，民主始終只存在於少數知識人的口中和筆下，而不能形成一種持續性的有力運動。

一九二四年改組的國民黨採取了蘇聯「一黨專政」的體制，孫中山在第二年便逝世了，國民黨領導階層中已沒有人深切理解「民權主義」的意義。所以國民政府奠都南京之後，很快便和提倡憲法和人權的民主派發生正面衝突。一九二九年《新月月刊》所引起的風波便預示了以下二十年民主在中國的命運，中共在抗戰後期為了「統戰」的需要，曾巧妙地運用「民主」的號召力在國民黨地區開闢了所謂「第二戰場」，把許多追求民主的知識人，特別是青年學生，都轉化為它的「盟友」。但是一九四九年以後中共終於露出了本來面目——通過「反右運動」，將「民主個人主義者」一網打盡。國、共兩黨能如此輕易地制住了民主在中國的發展，並不是完全憑藉赤裸裸的暴力，我們絕不能低估民族主義的精神力量。在日本侵略一天天加緊的三、四〇年代——國家民族的生存確遠比個人的自由與權利重要，所以在抗戰前幾年連道地的自由主義者也有人主張「新式獨裁」的。一九四九年毛澤東「中國人民站起來了」一句話，更使得許多一向信奉民主的知識人心甘情願地服從「黨的領導」。「犧牲小我，成全大我」變成了中國人的天經地義。

從理論上說，國家民族的獨立和個人的自主是互相加強而並行不悖的關係。在整個民族的生存受到威脅的緊急狀態下，個人的利益必須服從國家的利益，這也是一般的常識。即使是個人主義最發達的美國，也承認有「明顯的眼前的危險」的時候，個人的權利可以受到必要的限制。但是在國家民族的危機已消失的情況下，每一個人都必須恢復日常的生活秩序。民主則為這一日常的生活提供了最合理的秩序。這便進入了民族主義休假的時期。在這一理解之下，讓我們對中國大陸上的民族主義略作觀察，以結束本文的討論。

中國大陸今天顯然沒有任何外在的威脅，相反地，在經濟方面，中共似乎正在擁抱市場的全球化。為什麼在這個時候中共反而極力煽動民族主義的激情呢？此中原因複雜，一言難盡。這裡只能略作推測。首先是中共的意識形態的危機。馬列主義早已破產，一黨專政的合法性必須另找基礎。民族主義加社會主義似乎是最方便的出路。這雖是從前納粹主義的老路，但可以繼續壓制人民對民主和人權的要求，因為「民主」和「人權」都已被中共官方解釋為「西方的概念」，不合中國的「國情」。所以中共近年來特別欣賞李光耀的「亞洲價值論」。其次是民族主義對海外華人仍具有很大的號召力。最近美國一家華文報紙曾以極顯著的標題報導：大陸上專家分析，中國將在十五年內達到與美國對抗的地位。這雖是五〇年代「十五年超英趕美」的翻版，但在今天似乎更有說服力。海外若干華裔科學家也早有「二十一世紀中國將成為科技大國」的預言。這一特殊的民族主義其實是「天朝」意識的復活，在海外是有市場的。第三是民族主義可以逼使台灣早日就範。依中共的估計，對於一部分在台灣的中國人，民族主義可以發生「認同」的效力，但對於仍在抗拒或猶豫的人，則可以有震懾作用。十二億大陸人民都要求「台灣回歸祖國」，試想再拖下去將是什麼後果！

就我在海外所接觸到的大陸中國人而言，有些人似乎接受了中共民族主義的洗禮，但更多人則否認今天大陸上有如此聲勢浩大的民族主義激情。所以我不敢斷定事實究竟怎樣。我可以確定判斷的是，絕大多數的中國人今天都要求有一個公平合理的生活秩序，這是中共到現在為止還不能提供的。如果這個要求繼續發展下去，民主的比重必將遠遠超過民族主義。這似乎是一個無可避免的結論。

（原載《聯合報》，二〇〇〇年十二月二十五日）

輯四

二〇〇一年以後

「勝殘去暴」——二十一世紀的新課題

九一一恐怖襲擊之後，世界確實變了。這兩、三個月來，新聞媒體的報導不免使人有「草木皆兵」之感，好像再一次恐怖事件隨時會發生在美國或歐洲。但是我生活在美國，又離紐約很近，在日常生活中，一般人卻並沒有惶惶不可終日的樣子。所以這個世界究竟變到了什麼程度，一時還不易遽下斷語。

文化敏感的人一定會想到「文明衝突論」，好像恐怖主義和伊斯蘭教有密不可分的關係。西方報章電視的分析中持此觀念的往往有之，這已引起阿拉伯學術文化界的強烈不滿，他們已決定於二〇〇二年初在埃及召開一次討論會，其目的便是要為伊斯蘭教洗刷西方人所誣加的惡名。

我很理解並且同情這一舉措。事實上，無論是在《古蘭經》或創教的先知和先賢的「訓誡」中，我們所看到的都是平衡、慈愛、求知、耐心一類的正面價值，而決找不到宣揚「暴力」的根據。

印度出生的諾貝爾經濟學獎得主阿藦提亞·森（Amatya Sen）最近在《紐約時報》上撰文，也反駁「文化決定論」，警告我們不能盲目信從文化價值因「民族」或「文明」而異，並由此而否認人類有共同的普世價值。他所舉的一個例子，便是伊斯蘭教徒在印度建立的莫臥爾王朝。十六世紀末的一位皇帝阿克巴（Akbar）在一五九一至九二年曾頒下詔令，保障信仰自由，允許被迫皈依伊斯蘭教的印度教後代重回他們祖先的信仰。今天拉丹之流的恐怖組織和阿富汗塔利班政權以暴力摧毀一切異教（如遍毀兩千年以上的佛像石刻），都是刻意曲解伊斯蘭教原始經典教義的。

清除了「文化決定論」之後，我們的注意力便必須集中在「暴力」上面。恐怖主義的核心是暴力，這也是普世性的東西，存在於一切民族與文明之內，全世界每一國家或民族的歷史上，無不充斥著大量暴力突發事實。這裡無法探討各式各樣暴力的根源這一重大問題，也不可能討論某些受壓迫的人群使用暴力是否值得同情的複雜問題。我只想指出一個客觀的歷史事實，即整個二十世紀是有組織的暴力橫行的時代，這在人類歷史上是絕對空前的。更可怕的是這種現代有組織的暴力卻能打出動聽的道德旗幟，其中最有號召力的便是「革命」，包括「階級革命」、「民族革命」在內，其具體的結果則是極權主義政權的恐怖統治。

今天阿拉伯的恐怖組織斷然是這一長期革命暴力的延續，也可以說是最後一波。「只問目的，不擇手段」便是二者之間具有延續性的鐵證，所不同者，這些恐怖組織沒有奪得政權，只能暫時以個人的身分活動而已。

近代暴力爆發的一個最重要的原因，起於傳統社會與文化不能適應現代世界的發展趨勢。

西方在十八世紀最先碰到這個問題，所以才有法國大革命，其「恐怖統治」在歷史上是最著名的，但比起二十世紀初的俄國革命來，簡直是小巫見大巫了。此後愈演愈烈，而中國則受害最深，其關鍵即在於中國始終沒有找到適當的現代化道路。

阿拉伯世界的現代適應也是十分失敗的：一方面，俗世化的政權控制在有錢有勢又有貴族身分的統治階層之手，它與少數特權大商人結成聯盟，拒絕政權與社會的開放。所以，今天少數開明的阿拉伯學人慨嘆他們的世界根本沒有「公民社會」的存在。另一方面，阿拉伯世界的教育則幾乎完全掌握在基本教義派的僧侶階層之手，所教的都是反現代、反西方的一套東西，念念不忘要回到一千年以前的狀態。這是阿拉伯世界內部的問題，只有它自己才能解決，外面的人是無能為力的。

有人說，這一切問題都是西方人，特別是美國的政策造成的。追源溯始，這一說法也並非毫無根據。但是在西方勢力擴張導致經濟全球化這一無可逆轉的大趨勢之下，這種責難已完全不相干了，何況阿拉伯國家俗世化的統治階層今天正迫切依賴著這一世界體系。更何況西方國家，特別是美國，面對著幾世紀積累起來的歷史大勢，即使有意改變或調整其政策，也沒有太多可資運用的空間。

美國反恐怖的戰爭只是「以暴制暴」，誠不足以解決根本問題。但形格勢禁，目前為了生存，又不得不出此下策。西方書齋中的知識人口口聲聲要尋求「各大宗教對話」，用意雖好，收效卻難。因為所謂宗教問題不過是表象，骨子裡的真問題存在於阿拉伯世界的現實生活之中，其複雜性真是一言難盡。

我只能說「勝殘去暴」是二十一世紀人類最急迫的共同課題，但答案卻不是短時期內所能想見的。

（原載《明報月刊》第三十七卷第一期，二〇〇二年一月）

公民抗命與香港前途

香港回歸中國已十六年了，《基本法》所承諾的特區行政長官普選至今未能落實。早在二〇〇七年，民調顯示支持普選的市民已超過六成，但中共中央對於普選時程表一直在採取拖延策略，以致到目前為止，香港人民仍然不知道：他們要爭取的二〇一七年普選究竟有沒有實現的可能。而且，親共分子和傳媒還不斷放出話題：不與中共中央在政治上保持一致的人絕不應成為特首。他們已在試提種種方案，怎樣在選舉機制方面進行嚴密的操縱，保證只有完全可靠的親共分子才能成為特首候選者。換句話說，中共對付香港特首普選的另一策略，是將它轉化為變相的一黨專政。正是在這種極端不公平的情況下，香港最近才出現了「公民抗命」、「佔領中環」的大運動。為了爭取公平、自由的普選在二〇一七年的實現，香港大學戴耀廷先生首先在今年一月提出「公民抗命」、「佔領中環」的號召，然後又在三月和陳健民、朱耀明兩先生共同發表「讓愛與和平佔領中環」信念書。這一號召是很有力的，聞風而起者已進入佔領中環的組織與裝備階段了。

另一方面，中共和香港官方對於這一運動，則採取絕對敵視、仇視的態度。最近兩、三個星期以來，官方和親共人士採取了一系列的攻擊，向佔中運動施壓：有人說它將危害香港治安，有人預言它必然破壞金融市場，最後將香港福祉推向懸崖，甚至還有人將它抹黑為「外國勢力與反對派搶奪香港政權」。總之，恐嚇、利誘、誣陷等等手段，無所不用其極。但是，從這些驚慌失措的表現來看，佔中運動確實打中了他們的政治軟肋，也是可以斷言的。其實，佔中不過是公民抗命在香港此時此地的一種具體表現。公民抗命才是這一大運動的靈魂，而且密切聯繫著香港的前途。所以，下面我將極其簡略地談談公民抗命的涵義。

「公民抗命」（civil disobedience）是現代政治思想上一個極其重要的概念：作為一種指導原則，它曾在許多現代國家和社會中推動過歷史的進程。公民抗命這個詞是美國著名詩人梭羅（H. D. Thoreau）在一八四九年鑄造的，用作一篇論文的題目，從此流傳天下。他當時因反對美國與墨西哥的戰爭以及擴大奴隸制度而拒絕納稅，甘願入獄，以表示對政府的反抗。這顯然只是一次個人本位的公民抗命，但它的象徵意義卻受到很多人的重視：公民，無論作為個人或是集體，面對國家或社會嚴重不公平、非正義的情況，而又找不到任何其他辦法改變現狀，則可以對政府進行公開的、和平的抗爭。雖然其中包括著違法（如拒絕納稅）的方式，但抗爭者已有接受法律懲罰的心理準備。

梭羅的公民抗命概念之所以在美國發生了深遠的影響，正是由於它指示了一條不動用暴力而可以使社會不斷改善的道路。最顯著的例子是馬丁・路德・金所領導的「公民人權」運動。他奉「非暴力」為一種宗教原則，堅持黑人必須以和平方式爭取平等的人權。在運動的技術方面，他盡量吸收了甘地「消極抗拒」的手段，在精神上，他也深受甘地的影響，主張抗爭而不為仇恨的情感所吞沒。他的基督教信仰和甘地對全人類一視同仁的關愛，十分接近。但是我必須立即補充一句：甘地的「消極抗拒」運動則是受梭羅〈公民抗命〉一文的啟發而發展出來的。

事實上，今天我們放眼世界，公民抗爭幾乎到處可見，已成為改變歷史的一股主要動力。一九八九年捷克斯洛伐克的「天鵝絨革命」和最近幾年中東的「茉莉花革命」，都可以歸入公民抗命的一類，只是名稱不同而已。當前在土耳其和巴西發生的非暴力抗議活動也無疑是不同形式的公民抗命的體現。公民抗命在中國近代和現代史上更曾取得重大的成就，一九一九年的「五四」運動便是其中最輝煌的一個。但中國的公民抗命又具有自己的文化特色，因此，「五四」的主體不是一般公民而是學生。正如明末大思想家黃宗羲所指出的，學校是主持「天下公是公非」的所在，所以他對東漢、宋代太學生的干政都十分同情，竟稱之為「三代遺風」。這當然是由於他自己在少年時期也曾參加過一場轟轟烈烈的學生運動。

「五四」以後中國最偉大的一場公民抗命是一九八九年天安門的民主運動，也同樣是由青年學生領導的，但不幸竟以被屠殺告終。這恰好印證了政治哲學家羅爾斯（John Rawls）的觀察，公民抗命如果引起社會動盪，其責任不在「抗命」的公民，而在那些濫用權力和權威的人。上面一點歷史回顧讓我們清楚地認識到，公民抗命不但不是破壞政治、社會、經濟秩序的激烈行為，而且是以一種最和平、最理性、也最文明的方式促使秩序更合理化的運動。這次在香港宣導公民抗命的學人，如戴、陳、朱三位先生對於這中心概念掌握得十分準確，所以他們才提出「讓愛與和平佔領中環」的響亮口號。但是，中共和香港官方已開始對公民抗命的觀念進行抹黑了，甚至說和平佔中是「為犯法而犯法」。這種說法或是出於惡意歪曲，或是由於完全無知，二者必居其一。我在百忙中寫此短文，是為了讓香港讀者知道，公民抗命不但有偉大的過去、光輝的現在，而且更有無限的未來。參與公民抗命，是現代人的光榮而神聖的責任。

爭取特首普選，關係著香港所有公民的未來，他們的人權、自由、生命尊嚴等等核心價值，都必須在過了公平普選這一關之後才能有著落。在缺乏任何其他有效途徑的情況之下，公民抗命、佔領中環無疑是爭取普選的最重要的手段。

我希望港人在今年七月一日遊行時踴躍參加，為公民抗命增加力量。

二〇一三年六月二十八日於普林斯頓

（原載《蘋果日報》，二〇一三年七月一日）

台灣的公民抗議和民主前途

這兩天我在CNN、英國BBC、日本NHK和美國幾個大電視台上，一再看到台灣大學生群體衝進立法院大廳、靜坐抗議的許多鏡頭。好幾年了，我沒看見過台灣曾這樣受到全世界媒體的重視，今天（三月二十日）我又在《紐約時報》上讀到Austin Ramzy的顯著報導（*"Trade Deal Spurs Protest in Taiwan"*），並附有大幅照片。讀報之後，我才知道抗議起源於台灣政府將和中共簽訂「服務貿易協定」。抗議的人群不信任這個「協定」，認為必將對台灣經濟造成長遠的損害。因此他們要求「協定」必須在國會中進行逐條逐項的實質審查。但由於國民黨在立法院佔有絕對多數的席位，政府方面似乎希望全案在國會中可以很快獲得通過，不必強迫逐條審查、逐條表決的手續。據《紐約時報》，台灣的民意調查顯示：反對這項「協定」者百分之四十四點五，支持者百分之三十二點八，沒有意見的百分之二十二點九。但最值得重視的是百分之七十三點七說：他們贊同對此「協定」進行逐條審查。

又據香港《蘋果日報》記者陳沛敏的報導（〈站在香港，看看台灣〉，三月二十日），學生佔領立法院得到數以萬計的民眾在場外聲援，律師、醫生等專業人士紛紛挺身義助，各大學當局也表示尊重學生的行動，教授們更公開發聲支持。尤其令人感動的是一位警員在「面書」上留言：「脫下制服，我們也有自己的想法，我也反對草率過關……你們今天來到立法院爭取民主，而我們站在立法院前捍衛法治。我們不是敵人，而是站在對面的戰友。」這是台灣的民主風範已發展到極高境界的證詞。

為了弄清楚這次抗議的真實性質，我曾先後和我十分信任的台北友人們通過電話。他們眾口一詞告訴我：這是一次自動自發的公民運動，而以青年學生為運動的主體，絕不可誤解為反對黨的政治操縱。有一位朋友更指出：抗議群眾甚至拒絕政黨參與運動的要求。《紐約時報》也在抗議群眾和反對黨之間畫了一條清楚的界限，對兩者的活動分別敘述，而不是混在一起。它引了一位年輕的醫院工作人員（女性）的話：「我們目前也許有點遲了，但是如果我們沒有這種活動，我們便不能讓政府聽到人民的聲音了。」這裡流露出來的是真正的民主意識，絕非任何黨派所能假借的。

在整個抗議活動後面，我們很清楚地看到：台灣公民，特別是青年一代，對於海峽對岸極權政府的極端不信任。中共近六、七年的對台政策是運用經濟把台灣牢牢地套住，等到台灣離開大陸無以維生時，「統一」的機運便到來了。這是通過經濟以發揮政治影響的障眼法，但今天已被參加抗議的公民識破了。《紐約時報》說：抗議的人群反對「服貿協定」是深恐給予北京太多的經濟影響力。他們顯然已認清：這種經濟影響力事實上即是政治影響力的化身。

這次公民抗議是一場保衛並提高台灣民主體制的運動，對於人民和政府具有同等的重要性。人民固然可以通過運動而鞏固其公民的權利，政府也可以因為「聽到人民的聲音」而提高其民主的素質。台灣已歸宿於民主是一個不可更改的現實，在民主體制之下，人民和政府之間往往存在分歧和衝突，但不可能是敵對的。因為不民主、非民主或反民主的政府已不復有存在的空間。

中共一直在千方百計地企圖摧毀台灣的民主，台灣的人民和政府都必須把警惕提到最高的程度。民主是台灣安全的最大保證。

二〇一四年三月二十一日

（原載台大教授劉靜怡臉書，二〇一四年三月二十三日）

中國民主轉型的展望

——天安門民主大學開學典禮致辭

天安門民主大學是一九八九年六月三日在北京天安門廣場上宣布成立的，但僅僅存在了一天便隨著「六四」的鎮壓而消失了。二〇一三年六月二日，一群華人學者和民主人士在美國舊金山決定重建這所構想最不平凡的大學。經過整整一年的籌備，天安門民主大學將於今年六月一日在舊金山圖書館舉行開學典禮。考慮到目前一切客觀條件，大學將採用網絡教學的方式。承大學教務委員會的邀約，盼望我在開學典禮上說幾句開場白。這是我的很大榮幸，同時我也確實感到義不容辭。下面我準備講兩點：第一、我所理解的天安門民主大學的基本性質；第二、我對於民主大學和中國民主轉型的展望，但限於時間，都只能略涉綱要而止。這是不得不請大家原諒的。

民主大學開宗明義，提出了下面的使命：

造就人才，凝聚共識。

開啟轉型，實現民主。

這一使命基本上決定了民主大學的主要特色。由於宗旨在於實現中國的民主轉型，因此大學在第一批課程設計中，包括下面幾種獨特的科目，例如：「自由主義在近代中國的發展」、「民主轉型導論：世界與中國」、「轉型學：蘇聯、東歐與中國之比較」、「公民行動（非暴力抗爭方法）」、「民主導論」、「中國外交」等。這些特創的課程都不是一般大學所能提供的，而講者一律是當代學有專精的名家。

民主大學同時也以現代最上乘的大學作為它的教學準則，所以它又準備了許多社會科學領域中的基本課程，包括「社會學導論」、「經濟學導論」、「貨幣與金融問題」、「憲法學導論」等等。總之，無論從教授群的學問深度或課程的範圍與水準看，這一別出心裁的網絡大學都是一個取之不盡的現代知識的泉源，而且第二批以下的課程已在設計之中，知識領域將不斷擴大。我深信民主大學必將成為一個重要的人文社會科學的研教中心。

當年在「六四」運動的高潮之中，為什麼一部分運動領導者竟會提議創建一所民主大學呢？直接的原因也許是為了對抗長期以來的有系統的愚民政策和反知識的心態。尤其是在所謂文革期間整個教育體制已被摧毀得慘不忍睹，「知識愈多愈反動」便是當時最響亮的口號，大學的遭遇更可悲，它已完全淪落為最粗俗的意識形態的宣傳工具。但這只是消極方面的原因，另外還有積極方面的原因，更值得重視。深一層觀察，我認為「六四」運動中出現了天安門民主大學的創舉，恰好說明「六四」是一九一九年「五四」運動的繼續和發展。我們應該不會忘記：「五四」七十週年的慶祝活動是在天安門廣場前熱烈進行的，整整一個月之後便產生了「六四」這一不朽的歷史名詞。

「五四」運動的領導人提出了兩個最著名的綱領：「民主」和「科學」——一直到今天還是絕大多數中國知識人所全力追求的兩大現代價值。必須說明，「五四」時期的所謂「科學」是取其最廣義，並不僅僅限於自然科學的範圍。當時的知識領袖如胡適便把「科學」理解為用「科學精神」和「科學方法」來研究自然世界和人文世界。所以「五四」以後中國學術界最重要的「科學」成就反而是「以科學方法整理國故」。這是有目共睹的。

「六四」繼續並發展了「五四」，在這裡獲得了最明白無誤的印證。「六四」之為「民主」運動是不待說的，最好的證明是民主女神像最後在天安門前豎立了起來。「六四」同時也和「五四」一樣是一場文化和思想的運動，天安門民主大學的創建則是其最生動的表現和見證。如果再進一步考察，就「民主」與「科學」兩大現代價值互相關係而言，「六四」時期則比「五四」時期顯得更緊密了。這是「六四」對「五四」的一種新發展。在這一關鍵上，我們有理由對中國民主轉型的展望抱著樂觀的態度。

過去我們對於「五四」提出的兩大價值雖同等重視，但對於二者之間的關係卻未作比較深入的探究。很可能不少中國知識人多少忽視了二者內在關聯，今天我們的理解已有所不同，「民主」與「科學」事實上是一體的兩面而不容分割的。一九四五年哲學大家帕普爾（Karl R. Popper, 1902-1994）在他的名著《開放社會及其敵人》（*The Open Society and Its Enemies*）中為我們解答了這一疑問。他指出，「民主」和「科學探討」（「scientific inquiry」也是廣義）同以「開放」為其特色，二者同是永遠向理性批評全面開放的。政治社會上不能有一個專斷的最高權威，因為絕對權威的存在必然導致政治社會的封閉，任何有關基本政策的改革便不可能出現了。同樣的，學術研究領域也不容有一個「定於一尊」的絕對權威，因為這樣一來研究者的思想便立即陷於封閉狀態，任何新的知識都無從產生了。一個不產生新知識的社會，便成為一個沒有新的生機的社會。帕普爾因此一方面分析，開放社會和民主政治的順利發展為什麼必須有新知識的指引，而另一方面則展示，以科學精神和科學方法來進行自由的學術研究為什麼必須有開放社會和民主政治作它的保障。

從「五四」到「六四」，我們清楚地看到：民主轉型的動力來自新知識和新思想。自「六四」以來的二十五年間，我們更看到，民主轉型作為一股歷史力量並未真的停滯不動，它實際上是隨著新知識和新思想的提升而逐步向高處和深處移動的，從《零八憲章》到今天的「公民運動」都是眼前的例子。

我盼望天安門民主大學的重新開展可以更有力地推動中國的民主轉型！

二〇一四年五月八日

（原載《明報月刊》第四十九卷第六期，二〇一四年六月）

余英時文集25

余英時時論集

2022年11月初版　　定價：平裝新臺幣550元

精裝新臺幣680元

著者	余英時
總策劃	林載爵
總編輯	涂豐恩
副總編輯	陳逸華
特約編輯	施舜文
校對	呂佳真
內文排版	菩薩蠻
封面設計	莊謹銘

出版者	聯經出版事業股份有限公司
地址	新北市汐止區大同路一段369號1樓
叢書編輯電話	(02)86925588轉5319
台北聯經書房	台北市新生南路三段94號
電話	(02)23620308
台中辦事處	(04)22312023
台中電子信箱	e-mail：linking2@ms42.hinet.net
印刷者	世和印製企業有限公司
總經銷	聯合發行股份有限公司
發行所	新北市新店區寶橋路235巷6弄6號2樓
電話	(02)29178022

總經理	陳芝宇
社長	羅國俊
發行人	林載爵

行政院新聞局出版事業登記證局版臺業字第0130號

本書如有缺頁，破損，倒裝請寄回台北聯經書房更換。

ISBN 978-957-08-6576-9 (平裝)
ISBN 978-957-08-6577-6 (精裝)

聯經網址：www.linkingbooks.com.tw
電子信箱：linking@udngroup.com

國家圖書館出版品預行編目資料

余英時時論集/余英時著．初版．新北市．聯經．2022年11月．
396面．14.8×21公分（余英時文集25）
ISBN 978-957-08-6576-9（平裝）
ISBN 978-957-08-6577-6（精裝）

1.CST：言論集 2.CST：時事評論

078 111015713